读客® 全球顶级畅销小说文库

全球文化，尽收眼底；

顶级经典，尽入囊中！

银河帝国

“人类历史上最好看的系列小说
（Best All-Time Novel Series）”
——世界SF小说协会，1966年，俄亥俄州

6 基地边缘

阿西莫夫 著
叶李华 译

江苏文艺出版社
JIANGSU LITERATURE AND ART PUBLISHING HOUSE

图书在版编目（CIP）数据

银河帝国 6：基地边缘 /（美）阿西莫夫

(Asimov, I.) 著；叶李华译 . -- 南京：江苏文艺出版

社，2012.7

（读客全球顶级畅销小说文库）

ISBN 978-7-5399-5436-3

Ⅰ. ①银… Ⅱ. ①阿… ②叶… Ⅲ. ①长篇小说—美

国—现代 Ⅳ. ① I712.45

中国版本图书馆 CIP 数据核字 (2012) 第 168362 号

图字：10-2011-624 号

书　　名　银河帝国 6：基地边缘
著　　者　（美）艾萨克・阿西莫夫
译　　者　叶李华
责任编辑　丁小卉　姚　丽
特约编辑　许姗姗　胡艳艳
责任监制　刘　巍　江伟明
策　　划　读客图书
版　　权　读客图书
封面设计　读客图书　021-33608311
出版发行　凤凰出版传媒集团
　　　　　凤凰出版传媒股份有限公司
　　　　　江苏文艺出版社
集团地址　南京市湖南路 1 号 A 楼，邮编：210009
集团网址　凤凰出版传媒网 http://www.ppm.cn
出版社地址　南京市中央路 165 号，邮编：210009
出版社网址　http://www.jswenyi.com
印　　刷　北京正合鼎业印刷技术有限公司
开　　本　680mm x 990mm 1/16
印　　张　27
字　　数　409 千
版　　次　2012 年 10 月第 1 版　2015 年 1 月第 3 次印刷
标准书号　ISBN 978-7-5399-5436-3
定　　价　46.00 元

如有印刷、装订质量问题，请致电 010-85866447（免费更换，邮寄到付）

目 录

楔子

第一银河帝国正在衰亡之中。这个衰败与崩溃的过程已经进行了数个世纪，却仅有一人全盘了解这个事实。

他就是哈里·谢顿，第一帝国最后一位伟大的科学家。心理史学在他手中发展至登峰造极之境，从此，人类行为得以简化为数学方程式。

个体的行为虽然无从预测，但是谢顿发现，人类群体的反应却能以统计方式处理。群体的数目愈大，预测就能愈为精确。而谢顿所研究的群体，则是银河中数千万住人世界的人口总和。

谢顿根据自己的方程式，预测到第一帝国终将灭亡，而人类要经历三万年悲惨痛苦的岁月，第二帝国才会自废墟中崛起。但是，若能修正某些现有的历史条件，三万年的“大断层”或可减至仅仅一个仟年。

为了达到这个目的，谢顿建立了两个科学根据地，命名为第一基地与第二基地，并故意将两者设在“银河中两个遥相对峙的端点”。其中，专注于物理科学的第一基地，一切发展过程完全公开，而由心理史学家与精神科学家组成的第二基地，则几乎没有留下任何线索。

大断层最初四个世纪的重要历史，在“基地三部曲”中已有详细记述。第一基地（一般都简称基地，因为第二基地始终鲜为人知）最初只是一个小型社群，在银河外缘虚无的太空中渐渐为人遗忘。周期性的危机一个接一个冲击这个基地，各个危机都蕴涵着当时人类活动的各种变数。它的行动自由被限定在特定轨迹上，只要沿着这条轨迹不断前进，必有柳暗花明的发展。这一切，都是早已作古的哈里·谢顿当年所规划的。

第一基地凭借优越的科技，首先征服了周围数个落后的行星，随即面临脱离了垂死的帝国而自立称王的大小军阀，并一一击败他们。接着，它又和帝国的残躯正面冲突，结果战胜了帝国最后一名强势皇帝，以及最后一位真正的大将。

谢顿计划看来进行得相当顺利，似乎不会再有任何艰难险阻；第二帝国必定能够准时兴起，过渡期的动荡亦能减至最低程度。

然而心理史学是一门统计性科学，某个环节出差错的机会在所难免。而接下来的变故，连哈里·谢顿都未曾预见。一个自称为骡的人无端崛起，他拥有银河中独一无二的精神力量，能够随意调整人类的情感，重塑他人的心灵。即使最强硬的死敌，也会被他改造成最忠诚的奴仆。任何军队都不能——也不会——与他为敌。第一基地终于难逃一劫，谢顿计划眼看就要成为历史的灰烬。

此时，只剩下神秘的第二基地是唯一的希望。由于骡的出现太过突然，第二基地措手不及，只好着手策划长期的反攻计划。第二基地最大的防御力，就在于下落不为人知。为了完成征服银河的壮举，骡势必要将它寻获。流亡在外的第一基地志士，也在尽力找寻它的下落，冀望它伸出援手。

结果双方都无功而返。骡的第一波搜索行动，被一个平凡的女子贝泰·达瑞尔所阻止。这正好为第二基地争取到充分的时间，筹划出一个天衣无缝的行动，终于彻底遏止骡的野心。他们的下一个任务，则是要将谢顿计划慢慢导回正轨。

但是，第二基地可说因此曝了光。第一基地获悉了第二基地的存在，却不希望自己的未来被那群精神学家监管。第一基地的有形武力强大绝伦，而第二基地除了要化解武力的威胁，还要尽快完成一项双重的任务：令第一基地放弃寻找，并让自己再度隐身幕后。

在有史以来最伟大的“第一发言者”普芮姆·帕佛领导之下，第二基地顺利完成这些使命。他让第一基地自以为大获全胜，自以为消灭了第二基地。从此之后，第一基地致力发展横扫银河的势力，完全不知道第二基地依旧存在。

如今，第一基地已经屹立四百九十八年，势力处于巅峰状态。可是，有一个人却不接受这个事实……

第一章

议 员

01

“我当然不相信。”葛兰·崔维兹说，他正站在谢顿大厅前面宽大的台阶上，眺望着闪耀在阳光下的城市。

端点星是个宜人的行星，“海陆比例”相当高。自从引进气候控制机制之后，整体环境变得更为舒适，但也因此单调不少，崔维兹常这么想。

“我一点也不相信。”他又说了一遍，同时微微一笑，洁白整齐的牙齿绽露在年轻的脸庞上。

崔维兹的死党曼恩·李·康普议员（他不顾端点星的传统，坚持要保留中间那个名字）在一旁不安地摇了摇头。“你到底不相信什么？不相信我们拯救了这座城市？”

“喔，这点我是相信的。我们不是做到了吗？谢顿说过我们做得到，并且说我们这样做是对的，他早在五百年前就预知了这一切。”

康普压低声音，用近乎耳语的方式说：“听好，你跟我讲这些事，我是不会介意的，因为我认为你只是随便讲讲。可是假如你在大庭广众高声呐喊，那么每个人都会听到。这样的话，坦白讲，一旦你遭到天打雷劈，我可不要站在你身边。我对雷击的准确性不大有信心。”

崔维兹依然笑意不减，他道：“我说这座城市获救了，说我们未曾动武就做到了，这样说说就有什么大害吗？”

“敌人根本不存在。”康普说，他有一头乳黄色的头发，一对天蓝色的眼睛。虽然这两种色彩皆已不再流行，他始终按捺住染发与改变瞳色的冲动。

“难道你从来没听说过内战吗？康普？”崔维兹问道。他身材高大，黑发微微鬈曲，此外他总是系着一条宽厚的软纤腰带，并且习惯在走路的时候，将拇指勾在腰带上。

“一场由于是否迁都而引爆的内战？”

“这种问题足以引发一次谢顿危机。它毁掉了汉尼斯的政治前途，帮助你我在上次大选后双双进入议会，而这项争议至今……”他一只手缓缓扭来扭去，好像天平逐渐回到平衡点。

他在台阶上停下脚步，任由许多人从他身旁穿过。那些人包括政府官员、媒体记者，以及千方百计弄到一张邀请函，前来目睹谢顿重现（更正确地说是影像重现）的社会名流。

这些人沿着台阶往下走，一路上谈笑风生。一切的发展都正确无比，令他们颇感自豪，而谢顿的背书更令他们如沐春风。

崔维兹站在原地，任由拥挤的人潮从身边卷过。康普又下了两级台阶，便也停下来，两人好像被一条隐形绳索系住一样。康普说：“你不来吗？”

“没什么好急的。布拉诺市长一定会以惯有的坚定口气，一字一顿地对当前局势发表评论。在她结束演说之前，议会是不会进行议程的，我可不急着去忍受另一场长篇大论。看看这座城市！”

“我看到了，每天都看到了。”

“没错，可是五百年前，它建立之初的面貌，你曾经见过吗？”

“是四百九十八年前。”康普自然而然更正他，“两年后，我们才要举行五百周年庆。那时布拉诺市长想必仍然在位，但愿如此，除非发生什么几率极小的意外。”

“但愿如此。”崔维兹冷冷地说，“可是五百年前，它刚刚建好时，你知道是什么样子吗？一个孤独的小城！里面住着些准备编纂一套百科全书的人，结果那项工作一直没有完成！”

“乱讲，早就完成了。”

“你是指现在这套《银河百科全书》吗？现在的这一套，并不是他们当初所编的。我们现在的版本，内容全部存在电脑中，每天自动进行修订。你见过那套没有完成的原始版本吗？”

“你是指放在‘哈定博物馆’的那套？”

“它叫做‘塞佛·哈定原始资料博物馆’。既然你对时间那么斤斤计较，地点也请使用全名吧。你到底见过没有？”

“没有。我该看看吗？”

“不，根本不值得看。反正，当时这座城镇的核心人物，就是那群百科全书编者。当年，端点市只是一个小城镇，建在这个几乎没有金属的世界上，而这个世界围绕着一颗孤独的恒星，远离银河系其他部分，处于银河最外缘的星空。如今，五百年后，我们成了一个边陲重镇。整个行星好像一座大公园，要什么金属有什么金属。这里已经是万事万物的中心！”

“并不尽然。”康普说，“我们仍然围绕着一颗孤独的恒星，仍然远离银河系其他部分，仍然处于银河的最外缘。”

“啊，不对，你这种说法有欠考虑。最近这个小小的谢顿危机，关键也正在这里。我们并非仅仅端点星这一个世界，我们还是基地，触角遍布银河各处，从最边缘的位置控制着整个银河。我们能够如此，正是因为我们并非孤立于银河系，只有地理位置例外，这点却不算什么。”

“好吧，我姑且接受你的说法。”康普显然对这个话题不感兴趣，径自跨下一级台阶。两人之间那条隐形绳索因此被拉长了一点。

崔维兹伸出一只手，仿佛想将他的同伴拉回来。“你难道看不出其中的意义吗，康普？变化如此巨大，我们却不愿接受。在我们心中，只想要一个小小的基地，就如同古时候——一去不复返的英雄与圣徒时代——那样的一个单一小世界。”

“得了吧！”

“我是说真的，你看看这个谢顿大厅。在塞佛·哈定的时代，最初几个危机出现时，这个地方只是时光穹窿，只是一个小小的集会厅，专门为了谢顿的全息影像显像而设，如此而已。现在，它被改建成宏伟的纪念堂，可是这里有没有力场坡道？有没有滑道？有没有重力升降梯？没有，仍旧只有这些台阶。我们和当年的哈定一样，必须一阶一阶爬上爬下。每当遇到困难或不可预料的状况，我们就会怀着敬畏的心情，死守着过去的传统。”

他激动地用力一挥手臂。“你四下看看，看得出任何建材是金属的吗？一样也没有。这根本是故意的，因为在塞佛·哈定时代，本地完全不产任何金属，而进口金属也少得可怜。在建造这座庞然大物的时候，我们甚至刻意使用陈旧的、褪成粉红色的高分子材料。这样一来，其他世界的观光客经过此地，就会忍不住驻足赞叹：‘银河啊！多么可爱的古旧建材！’我告诉你，康普，这是诈欺。”

“所以说，你不相信的就是这个吗？谢顿大厅？”

“还有它里面的一切。”崔维兹咬牙切齿地低语，“我可不信躲在这个宇宙边缘有什么意义，先人这样做，并不代表我们就该效法。我坚信我们应该勇往直前，走进万事万物之中。”

“可是谢顿证明你错了，谢顿计划正在逐步实现。”

“我知道，我知道。端点星上的每一个儿童，从小就被灌输了一个根深蒂固的观念：谢顿曾经拟定一个计划，他早在五百年前就预见一切，他建立了这个基地，并预先设定好许多危机。每当危机发生，他的全息影像便会出现，向我们透露最少的讯息，刚好能帮助我们撑到下一个危机。借着这个方式，谢顿将领导我们度过一千年的岁月，直到我们安全地建立一个更伟大的第二银河帝国，用以取代早在五世纪前就四分五裂、两世纪前完全烟消云散的旧帝国。”

“你为什么要告诉我这些，葛兰？”

“因为我要告诉你，这是假的，通通是假的。即使当初是真的，现在也成了假的！我们不是自己的主人，因为并非我们主动追随这个计划。”

康普仔细打量着对方。“过去你也曾经跟我讲过这些，葛兰，我总是以为你在胡说八道，故意要戏弄我。银河在上，现在我才确定你是认真的。”

“我当然认真！”

“不可能的。如果这不是捉弄我的高明恶作剧，就是你这个人已经疯了。”

“都不是，都不是。”崔维兹改以平静的口气说，他两手的拇指又勾住宽腰带，似乎不再需要靠手势来强调他的义愤，“我承认，过去曾经思考过这个问题，但那时我仅仅凭借直觉。然而，今天早上这场闹剧，使我一下子顿悟了一切，因此，我准备让整个议会也大彻大悟。”

康普说：“你真的疯了！”

“跟我来，马上有好戏可看。”

两人双双走下台阶，此时台阶上也只剩下他们两个人。当崔维兹稍微超前一点时，康普的嘴巴动了几下，冲着他的背后，无声地骂了一句：“笨蛋！”

02

赫拉·布拉诺市长站上发言台，宣布会议正式开始。她的目光盯着所有的议员，眼神没有透露任何情绪。但是在场的人都明白，每位议员出席与否，她心里已经全部有数。

她的一头灰发仔细梳成一个特殊的发型，既没有女性的味道，也并未模仿男士的风格，总之就是她独一无二的发型。她的严肃面容向来不以美艳著称，却总是散发着吸引人的其他特质。

她是这颗行星上最能干的管理者。虽然，相较于基地头两个世纪的大功臣塞佛·哈定以及侯伯·马洛，她绝对略逊一筹，但从未有人敢作这个比较。话说回来，也不会有人将她和骡出现前的基地世袭市长——一代不如一代的茵德布尔家族联想到一块。

她的演讲并不怎么鼓动人心，也不擅长夸张的手势，但是她具有做出稳当决定的能力，而且只要坚信自己是对的，她就会坚持到底。虽然看不出什么领袖魅力，她总是有本事说服选民，使大家相信她的稳当决定正确无误。

根据谢顿的学说，历史的变迁极难脱出常轨。（不过，总有不可测的意外发生，例如骡所造成的灾变，但大多数谢顿信徒都忘了这一点。）因此，不论发生任何情况，基地都应该一直定都于端点星。然而，请注意“应该”这两个字。谢顿五百年前所录制的拟像，刚才重现之际，曾经以平静的口吻告诉大家，他们继续留在端点星的几率为87.2%。

无论如何，即使对谢顿信徒而言，这也表示存在12.8%的几率，对应于首都已经迁到接近基地联邦中心的位置。刚才，谢顿也略述了该项行动将带来的悲惨后果。而这个约有八分之一几率的事件没有发生，无疑是布拉诺市长的功劳。

她当然不会允许这个企图得逞。过去，即使在声望下跌时，她也始终坚决认为，端点星是基地的传统根据地，必须永远维持这个事实。因此，她的政敌曾在政治讽刺漫画中，把她坚毅的下巴画成一大块花岗石（老实讲，还真有几分神似）。

如今，谢顿也表示支持她的观点，让她至少在短时间内，取得了绝对的政治优势。根据报道，她在一年前曾经表示，假如即将出现的谢顿影像果真支持她的看法，她就会自认为已经功德圆满。这样的话，她便要辞去市长，转任资政的职位，以免日后再卷入前途难料的政争。

没有人真正相信她这番话。她在政争中一向表现得如鱼得水，历代市长大多望尘莫及。如今谢顿影像出现过了，果然看不出她有退休的意思。

她说话的声音极为清晰，带着浓重的基地口音而毫不脸红。她曾经担任基地驻曼缀斯的大使，却没有学到目前最流行的旧帝国腔调——在帝政时代，内围星省一律使用这种腔调，以凝聚对帝国的向心力。

她说："这次的谢顿危机已经过去，基于一项睿智的传统，对于当初支持错误观点的人士，我们不会作出言语上或行动上的任何报复。许多正直人士曾经相信，他们有很好的理由，要求谢顿不欲见到的结果。任何人都不该再羞辱他们，否则这些人若要扳回自尊，唯有否定谢顿计划一途。另一方面，曾经支持错误观点的人士，应该欣然接受失败的事实，不要再逞口舌之勇，这是政治人物的基本修养与风范。这件事已成为过去，双方都应该将它抛在脑后。"

她停了一下，以稳重的目光环视议场中每一张脸孔，这才继续说："各位议员，预定的历程已经过了一半；距离新帝国的诞生，如今只剩五百年。过去的历史充满艰难险阻，但我们已经走过一段漫漫长路。其实，我们几乎已经是一个银河帝国，而且再也没有强大的外敌存在。

"假使没有谢顿计划，新旧帝国之间的大断层，将长达三万年之久。历经三万年的分崩离析，人类可能再也无力重建一个新的帝国。银河中，或许只会剩下许多互相隔离的垂死世界。

"我们能有今日的成就，全拜哈里·谢顿之赐。今后的岁月，我们仍将仰赖他当年的明智洞见。从现在起，各位议员，真正的危险在于我们自己。因此从今以后，千万不要再对这个计划提出公开质疑。让我们心平气和并坚决地达成一项共识：今后对伟大的谢顿计划，不会再有任何公开的质疑、批评或诬蔑。我们必须彻底支持这个计划。它已经自我验证了五百年，它是人类安全的唯一凭借，不容受到任何阻挠。大家同意吗？”

会场中响起交头接耳声。市长并没有抬起头来，就知道结果必定是一致同意。她对每位议员都一清二楚，知道他们会作出什么反应。她刚刚赢得全面胜利，现在绝不会有人反对她。明年或许又会有麻烦，现在却不可能。明年的问题，留到明年再解决吧。

凡事难免有例外……

“思想控制吗，布拉诺市长？”葛兰·崔维兹一面大步沿着通道走下来，一面使劲大声问道，仿佛要代表所有噤声的议员发言。由于他是新科议员，座位在议场最后一排，但他根本不打算坐在那里。

布拉诺仍然没有抬起头，只是说：“你的看法呢，崔维兹议员？”

“政府无权干涉言论自由，任何人都有权讨论当今的政事。尤其是在座的每位议员先生女士，选民托付我们的就是这件差事。而任何的政治议题，一律脱离不了谢顿计划的范畴。”

布拉诺双手一合，抬起头来，脸上依旧毫无表情。她说：“崔维兹议员，你无端挑起这场争辩，根本不符程序。然而，我还是请你表明自己的意见，然后我会当场答复你。

“在谢顿计划的范畴中，并没有限制任何言论自由，只是计划本身对我们造成了某些限制。在谢顿影像出现之前，大家都能对当前的问题，提出不同的解释。但在谢顿公布他的决定之后，即使在议会中，也不得再有任何质疑。而在谢顿现身前，也不可以有人说什么：‘假使哈里·谢顿这样那样说，他就大错特错了。’”

“可是，假如某人的确有这种感觉呢，市长女士？”

“假如他只是普通人，只是在私下讨论这个问题，他仍旧可以提出来。”

“所以你的意思是说，你所提出的对于言论自由的限制，是专门规范政府官员用的？”

“正是如此。这并非基地法律的一项新原则，以往的市长，无论属于任何党派，都一直沿袭这项原则。个人私下的观点无足轻重，具有官方身份的人所表达的意见，就会受到重视，因而构成危险。目前，我们还不能对这种行为坐视不顾。”

“市长女士，能否允许我指出，你提到的这项原则，用于议会的例子极少，而且都是针对某些特殊议题。像谢顿计划这种没有定论的大题目，向来不受它的规范。”

“谢顿计划尤其需要保护，如果对它质疑，很可能引发不可收拾的后果。”

“请问你是否相信，布拉诺市长——”崔维兹转过身来，面对着台下一排排的议员。所有的议员似乎不约而同屏住了气息，好像在静待这场对决的结果。“请问你们是否相信，各位议员同仁，其实，我们有理由怀疑谢顿计划根本不存在？”

“今天，大家还亲眼目睹它在运作。”布拉诺市长说。随着崔维兹的口气愈来愈慷慨激昂，她的声音反倒愈来愈平静。

“正是因为我们今天还看到它在运作，各位议员先生女士，所以我们看得出来，我们一直被动相信的谢顿计划，根本不可能存在。”

“崔维兹议员，你违反了议事程序，我不准你再继续大发谬论。”

“市长，身为议员，我有这样的特权。”

“议员先生，你的特权已经被褫夺了。”

“你不能褫夺这项特权。你刚才提出的对于言论自由的限制，本身并不具备法律效力。这项提案尚未经过议会表决，市长，何况即使表决通过，我仍有权质疑它的合法性。”

“褫夺你的特权，议员先生，和我保护谢顿计划的提议无关。”

“那么，又是凭什么呢？”

“有人指控你意图叛变，议员先生。为了表示对议会的尊重，我不希望在议会厅中逮捕你。不过，安全局的人正等在门口，一旦你离开议场，他们会立刻将你扣押。我现在请你乖乖退席，你如果轻举妄动，当然就会被视为现行犯，安全局的人就会进入议会厅。我相信，你并不希望发生这种事。”

崔维兹皱起眉头，大厅中则是一片死寂。难道大家早就知道会发生这种事，只有他和康普两人例外？他转头望向出口，什么也没看到，但他确信布拉诺市长并非虚张声势。

他火冒三丈，结结巴巴地说：“我代……代表一群重要的选民，布拉诺市长……”

“毫无疑问，他们一定会对你感到失望。”

“你有什么证据，对我提出如此荒谬的指控？”

“我在适当时机自然会提出来，但我能向你保证，我们已经掌握充分的证据。你是个极为鲁莽的年轻人，但你应该了解一件事实，即使你的朋友，也不会愿意加入你的叛变行动。”

崔维兹猛地转身面对康普，只见那对蓝眼睛直勾勾瞪着自己。

布拉诺市长又以平静的口气说：“我请在场所有人士作证，在我刚才进行陈述时，崔维兹议员转身向康普议员望去。你现在愿意退席了吗，议员先生？还是说，你要强迫我们在议场拘捕你，令你尊严尽失？”

葛兰·崔维兹立即转身，沿着台阶一步步走到出口。他刚跨出议会厅，就有两名身穿制服、全副武装的安全人员，一左一右将他夹在中间。

赫拉·布拉诺冷冷地望着他的背影，嘴唇微微嚅动：“笨蛋！”

03

自从布拉诺市长掌权之后，里奥诺·柯代尔就一直担任安全局局长这个职务。这并不是一件会累坏人的工作，他时常喜欢这样讲，可是他说的究竟是不是实话，当然谁也无法确定。他看起来不像是个会说谎的人，但是这点不一定有任何意义。

他看上去相当和蔼可亲，这对他的工作有莫大的助益。他的身高在一般标准以下，体重却在一般标准之上，留着两撇浓密的胡子（极少有端点星公民这样做），但现在大多已经由灰转白；他的眼睛是浅棕色，黄褐色的制服胸口处绣着一个原色的识别标志。

他说：“坐下来，崔维兹，让我们尽量维持友善的态度。”

“友善的态度？跟一名叛徒？”崔维兹将两根拇指勾在宽腰带上，站在原地一动不动。

“你只是‘被控’为叛徒。我们还没有进步到起诉就等于定罪的地步，即使指控来自市长本人也不例外；我相信我们从来没有这么做过。而我的工作，就是要尽我所能还你清白。我非常希望在尚未造成任何伤害之前——或许你的尊严是唯一例外——就能让这件事圆满收场，以免不得不举行一场公开审判。我希望你也同意这一点。”

崔维兹并未软化，他说：“我们不必彼此卖乖了。你的工作就是将我‘视为’叛徒，用这个前提来审讯我。但我并不是叛徒，我也认为没有必要在你面前为自己辩护。你又何必一直想要证明在为我着想呢？”

“原则上，我绝无此意。然而现实是残酷的，如今权力掌握在我这边，而你却一无所有。因此，发问权在我而不在你。万一有一天，有人怀疑我不忠或意图叛变，我相信自己马上会被人取代，然后便会有人来审讯我。那个时候，我衷心希望那个审讯我的人，至少能够像我对你这般客气。”

“你又打算如何对待我呢？”

“我想我可以做到如同朋友和平辈那样，但希望你也这样对我。”

“我该请你喝杯酒吗？”崔维兹用挖苦的口吻说。

“等会儿吧，现在，请你先坐下。我是以朋友的态度这样说的。”

崔维兹迟疑片刻，便坐了下来，任何敌对的态度似乎都突然变得毫无意义。“现在要怎样？”他问。

“现在，我可否请你诚恳地、仔细地回答我一些问题，完全不作任何规避？”

“假如我不肯呢？我会受到什么样的威胁？心灵探测器吗？”

“我相信不至于。”

“我也相信不至于，因为我是一名议员。假使你们那么做，结果只会证明我的清白。等到我无罪开释之后，我就会结束你的政治生命，也许连市长也一并赶下台。这样想来，或许让你用心灵探测器整我一下相当值得。”

柯代尔皱着眉，轻轻摇了摇头。“使不得，使不得。那很可能使你的脑部受到严重损伤，有时需要很长一段时间的疗养。你犯不着冒这个险，绝对不值得！你也知道，有些时候，假如强行使用心灵探测器……”

“柯代尔，你在威胁我？”

“崔维兹，我只是就事论事——议员先生，请你不要误解。如果必须使用心灵探测器，我绝不会犹豫。即使你是无辜的，你也无权追索任何补偿。”

“你到底想知道些什么？”

柯代尔打开办公桌上的一个开关，然后说：“我的问话和你的回答，都会以录音和录影的方式保存下来。我不希望你说什么题外话，更不希望你闭口不答。现在千万别这么做，我相信你懂得我的意思。”

“我当然懂，你只会录下你想要的部分。”崔维兹用轻蔑的口气说。

“没错，不过，请你别误会。我不会扭曲你的任何一句话，我只会加以取舍，如此而已。你知道哪些话对我没用，相信你不会浪费彼此的时间。”

“等着瞧吧。”

“崔维兹议员，我们有理由认为，”他的语气突然变得颇为正式，表示他已经开始录音和录影，“你曾经在某些场合公开声明，你不相信谢顿计划的存在。”

崔维兹缓缓答道：“假如我在不少场合，曾经公开大声疾呼，你还需要我再说些什么呢？”

“议员先生，请不要把时间浪费在诡辩上。你该知道，我需要的只是你在绝对清醒，没有受到任何影响之下，亲口坦承这件事情。而在我们的录音中，你的声纹就能证明这一切。”

“我想这是因为，假如利用任何催眠效应，不论化学药物或是其他方法，都会改变我的声纹？”

“变化会相当明显。”

“而你渴望证明，你并未采用非法手段审讯一名议员？这点我并不怪你。”

“议员先生，我很高兴你能够谅解，那就让我们继续吧。你曾经在某些场合公开声明，你不相信谢顿计划的存在。你承认这件事吗？”

崔维兹说得很慢，措辞极为谨慎。“我们称之为谢顿计划的这个东西，一般人赋予它极重大的意义，可是我不相信。”

“这个陈述过于含糊，能否请你详加解释？”

“我的意思是，通常一般人都认为，哈里·谢顿在五百年前，运用心理史学这门数学，巨细无遗地算出人类未来的发展；而我们目前所遵循的既定轨迹，是从第一银河帝国通往第二银河帝国的最大几率线。但我认为这种观念过于天真，不可能是事实。”

“你的意思是说，你认为哈里·谢顿并不存在？”

“我绝无此意，历史上当然有他这个人。”

“那么，他从未发展出心理史学这门科学？”

“不，我当然也不是这个意思。听好，局长，我刚才要是有机会，就能把这一点向议会解释得清清楚楚，而我现在就要向你解释。我要说的这番道理，其实非常明显……”

安全局长并未做声，却显然将记录装置关掉了。

崔维兹随即住口，并皱起眉头。“你为什么要关掉？”

“你在浪费我的时间，议员先生，我并不是请你来演讲的。”

“你明明要求我解释自己的观点，不是吗？”

“绝对没有，我只是要求你回答问题——用简单、明了、直接的方式回答。针对我的问题作答，别说任何的题外话。只要你合作，我们很快就能结束。”

崔维兹说：“你的意思是，你想诱导我作一些陈述，用来强化我已认罪的官方说法。”

“我们只要求你据实陈述，我向你保证，我们绝对不会断章取义。拜托，让我再试一遍，我们刚才正谈到哈里·谢顿。”记录装置再度开启，柯代尔用平稳的语气再问一次：“那么，他从未发展出心理史学这门科学？”

“他当然发展出了我们称之为心理史学的这门科学。”崔维兹已无法掩饰心中的厌烦，气呼呼地挥动双手。

“你对心理史学——如何定义？”

“银河啊！心理史学通常被视为数学的一支，专门研究在特定的条件下，人类群体受到某种刺激之后的整体反应。换句话说，理论上，它能预测社会和历史的变迁。”

“你用了‘理论上’三个字。你是否以专业的数学观点，对这个定义抱持怀疑的态度？”

“没有。”崔维兹说，“我并不是心理史学家。而基地政府的每一个成员，以及端点星上的每一个公民，也没有任何人是心理史学家，甚至……”

柯代尔举起右手，轻声说：“议员先生，拜托！”崔维兹只好住口。

柯代尔又说：“我们都知道，哈里·谢顿根据他的分析结果，设计出了以基地当跳板，用最有效率的方式，结合最大的几率和最短的时限，使银河系从第一帝国跃进至第二帝国的计划。你是否有任何理由，质疑这个事实？”

“当时我还没出生，”崔维兹用尖刻的语气说，“又怎么会知道？”

“你能确定他并未这么做吗？”

“不能。”

“或者，你是否怀疑，过去五百年来，每当基地发生历史性危机，都必然出现的谢顿全息影像，并不是哈里·谢顿在去世前一年间，也就是基地设立的前夕，由他本人亲自录制的？”

“我想，我不能否认这一点。”

“你想？你愿不愿意干脆说，这根本是一个骗局，是过去的某个人，为了某种目的，故意设计出来的骗局？”

崔维兹叹了一声。“不，我并不坚持这一点。”

“那么你是否准备坚持，哈里·谢顿的影像所传达的讯息，是某人暗中玩出来的把戏？”

“不，我没有理由认为这种把戏是可能的，或是有什么用处。”

“好的。你刚才亲眼目睹谢顿再度显像，难道你认为他的分析——早在五百年前就作出的分析——和今日的实际情况并不十分符合吗？”

“正好相反，”崔维兹突然精神一振，“它和现状非常符合。”

柯代尔似乎丝毫不受对方情绪的影响。“然而，议员先生，在谢顿影像显现之后，你却仍然坚持谢顿计划并不存在？”

“我当然坚持。我之所以坚持它并不存在，正是因为预测过于完美……”

柯代尔又关上记录装置。“议员先生，”他一面摇头，一面说，“你害我要洗掉这段记录。我只是问你，是否仍然坚持那个古怪的信念，你却给我冒出一大堆理由来。让我再重复一遍我的问题。”

于是他又问：“然而，议员先生，在谢顿影像显现之后，你却仍然坚持谢顿计划并不存在？”

“你是怎么知道的？自从谢顿影像出现之后，谁也没有机会和我那位已成过去的朋友——康普——讲上一句话。”

“姑且算是我们猜到的吧，议员先生。此外，姑且假设你已经回答过一句‘我当然坚持’。如果你愿意把这句话再说一遍，不再自动添油加醋，我们的工作就算结束了。”

“我当然坚持。”崔维兹以讽刺的口吻答道。

“很好，”柯代尔说，“我会帮你选一个听来比较自然的‘我当然坚持’。谢谢你，议员先生。”接着记录装置又被关掉了。

崔维兹说：“这样就完了吗？”

“我所需要的，都已经做完了。”

“你所需要的其实相当明显，就是一组问答记录而已。然后，你就能向端点星公布这段记录，甚至传到基地联邦每个角落，好让大家都知道，我全心全意接受谢顿计划这个传说。将来，如果我自己再作任何否认，就能用它来证明我的行为疯狂，或者完全精神错乱。”

“或者，在那些过激的群众眼中，你的言行将被视为叛逆。因为他们都认为，谢顿计划是基地安全的绝对保障。如果我们可以达成某种谅解，崔维兹议员，刚才的记录或许并不需要公开。不过万一真有必要，我们绝对会让整个联邦通通知道。”

“你是否真的那么愚蠢，局长，”崔维兹皱着眉说，“所以对我真正想讲的毫无兴趣？”

“身为人类的一员，我的确非常感兴趣。而且如果有适当的机会，我乐意以半信半疑的态度听你讲讲。然而，身为安全局长，目前为止，我已经得到所需要的一切。”

“我希望你能够知道，这些记录对你本人，以及对市长，都没有什么用处。”

“真奇怪，我的看法和你恰恰相反。你可以走了，当然，还是会有警卫护送。”

“我会被带到哪里去？”

柯代尔却只是微微一笑。“再见，议员先生。你并没有充分合作，不过我也并未这么指望，否则我就太不切实际了。”

说完，他伸出了右手。

崔维兹缓缓起身，根本不理会对方。他把宽腰带上的皱褶抚平，然后说：“你只不过是在作无谓的拖延。一定有人和我抱持相同的想法，迟早会有的。如果将我囚禁或杀害，必将引起众人的好奇，反而促使大家提早起疑。到头来，真理和我终将是最后的赢家。”

柯代尔抽回右手，缓缓摇了摇头。“老实说，崔维兹，”他道，“你是个笨蛋。”

04

在安全局总部的一个小房间里，崔维兹一直待到午夜，才由两名警卫将他带了出来。他不得不承认那是一间豪华的套房，只是外面上了锁。不管怎么说，它真正的名字就是“牢房”。

在遭到拘禁的这四个多小时，崔维兹大部分时间都在房里踱来踱去，痛定思痛地反省。

自己为什么要信任康普？

为什么不呢？他似乎显然同意自己的观点——不对，不是这么回事。他好像很容易被说服——不，也不是那么回事。他看来好像很蠢，很容易受别人左右，明显地缺乏思想与主见，因此，崔维兹喜欢把他当成一个乖顺的“共鸣板”。由于不时和康普讨论，崔维兹才能不断修正并改良自己的理论。他是个很有用的朋友，而崔维兹之所以信任他，其实也没有什么特别的理由。

事到如今，再来反省是否应该先彻底了解康普，已经于事无补。当初自己应该谨遵一个简单的原则：别相信任何人。

然而，一个人一生中，难道真能做到这一点吗？

答案显然是必须如此。

可是谁又想得到，布拉诺竟然如此大胆，敢在议场中公开逮捕一名议员——却没有任何议员挺身而出，保护他们之中的一分子？即使他们打心眼里不同意崔维兹的见解，即使他们愿意用身上的每一滴鲜血，来打赌布拉诺才是正确的一方，可是原则上，为了维护自己崇高的权利，他们也不应该如此保持沉默。许多人称她为“铜人布拉诺”，她果真是铁腕作风……

除非，她本身已经受到控制……

不！如此疑神疑鬼，迟早会得妄想症！

然而……

这些念头在他心中转个不停，当警卫进来时，他尚未从这些循环不断的徒劳思绪中解脱。

“议员先生，请您跟我们走。”开口的是较年长的那名警卫，他的口气严肃，不带半分感情。由胸章看得出他是一名中尉，他右颊有个小疤，并且看起来一脸倦容，好像是嫌这份差事干得太久，却始终不能有什么作为。维持了一个多世纪的太平岁月，令任何军人都难免有这种感觉。

崔维兹一动不动。“中尉，贵姓大名？”

“议员先生，我是艾瓦德·索佩娄中尉。”

“你应该知道你的行为已经违法了，索佩娄中尉，你无权逮捕一名议员。”

中尉回答说：“议员先生，我们只是奉命行事。”

“话不能这么说，谁也不能命令你逮捕一名议员。你必须了解，这样做将使你面临军法审判。”

中尉答道：“议员先生，您并没有遭到逮捕。”

“那么我就不必跟你们走，对不对？”

“我们奉命护送您回家。”

“我自己认识路。”

“并且负责沿途保护您。”

“有什么天灾吗？还是有什么人祸？”

“可能会有暴民集结。”

“三更半夜？”

"议员先生，这就是我们等到半夜才来的原因。现在，议员先生，为了您的安全，我们必须请您跟我们走。我得提醒您，我们已经获得授权，必要时可以使用武力。这并不是威胁，只是据实相告。"

崔维兹注意到他们两人带着神经鞭，他只好缓缓起身，尽可能维持尊严。"那就带我回家吧。或者，我会被你们带进监狱去？"

"议员先生，我们并未奉命欺骗您。"中尉以傲然的口气说。崔维兹这才发觉，对方是个一板一眼的职业军人，就连说谎也得先有上级的命令——即使他真说谎，他的表情与语气也一定会穿帮。

于是崔维兹说："请别介意，中尉，我并非暗示自己不相信你。"

一辆地面车已经等在外面。街头空空荡荡，毫无人迹，更遑论任何暴民。不过中尉刚才并未撒谎，他没有说外面有一群暴民，或者有一群暴民将要集结。他说的是"可能会有暴民集结"，他只是说"可能"而已。

中尉谨慎地将崔维兹夹在他自己和车子之间，令崔维兹绝不可能掉头逃跑。等到崔维兹上车之后，中尉也立刻钻进车内，和他一起坐在后座。

然后车子就开动了。

崔维兹说："一旦我回到家，想必就能还我自由了吧。比方说，只要我高兴，随时可以出门。"

"我们并未奉命干涉您的任何行动，议员先生，但是我们奉命持续保护您。"

"持续保护我？这话怎么说？"

"我奉命知会您，回到家以后，您就不得再离开家门。您上街可能会发生危险，而我必须对您的安全负责。"

"你的意思是我将被软禁在家里。"

"我并非律师，议员先生，我不了解那是什么意思。"

中尉直视着前方，手肘却紧挨着崔维兹。崔维兹只要轻轻动一动，中尉一定会察觉。

车子停在崔维兹位于富列克斯纳郊区的小房子前。目前他欠缺一位女伴——他当选议员之后，生活变得极不规律，芙勒薇拉在忍无可忍之下离去——所以屋内不该有任何人。

"现在我可以下车了吗？"崔维兹问。

"我先下车，议员先生，然后我们护送您进去。"

“为了我的安全？”

“是的，议员先生。”

在前门的内侧，已有另外两名警卫守在那里。屋内的夜灯闪着微光，但由于窗玻璃被调成不透明，从外头根本看不到里面的情形。

发现有人侵入自己的住宅，他一时之间怒不可遏，但转念一想，也只好认了。今天在议会厅中，整个议会都无法保护他，自己的家当然更算不上堡垒。

崔维兹说：“你们总共有多少人在我家里？一个军团吗？”

“议员先生，你错了。”屋内传出一个严厉而沉稳的声音，“只不过比你所见到的还多一位而已，而我已经等你很久了。”

端点市的市长赫拉·布拉诺，此时正站在起居室门口。“难道你不觉得，该是咱们谈谈的时候了？”

崔维兹两眼圆睁。“费了这么大的周章……”

布拉诺却用低沉而有力的声音说：“安静点，议员。你们四个，出去，出去！这里没你们的事了。”

四名警卫敬礼后转身离去，屋内便只剩崔维兹与布拉诺两人。

第二章

市 长

01

布拉诺已经等了一个小时，在这段时间中，她的思绪始终没有停过。严格说来，她已经犯了侵入私宅的罪行；更有甚者，她也侵犯了一名议员的权利，这更是严重违宪。将近两个世纪前，在茵德布尔三世与骡出现之后，基地订立了数条严格的法令，规范市长在各方面的权限，而根据这些法令，她已经足以遭到弹劾。

然而在今天，在这短短的二十四小时之内，不论她做任何事，都是正确的。

可是今天终将过去，想到这一点，她便坐立不安。

基地历史的头两个世纪，可以算是黄金时期，后人回顾那段历史，都会承认它是“英雄时代”，但是不幸生在那个动荡岁月的人，大概不会同意这一点。塞佛·哈定与侯伯·马洛是当年两位最伟大的英雄，在后人心目中，他们的地位崇高神圣，直逼至高无上的哈里·谢顿。在有关基地的所有传说中（甚至正史也一样），都将他们视为基地的三大支柱。

话说回来，在那个时代，基地是个单一的小世界，对四王国的控制力量极为薄弱。对于谢顿计划这个保护伞的范围，只有一点模糊的概念。更没有人知道，就连银河帝国残躯对基地的威胁，都早已在谢顿算计之中。

等到基地这个政治与经济实体实力愈来愈强大之后，无论统治者或英勇的斗士，地位似乎都不那么重要了。拉珊·迪伐斯几乎已经为人遗忘，即使还有人记得他，想到的也只是他惨死在奴工矿坑中的悲剧，而不是他为了瓦解贝尔·里欧思的攻势而从事的反间计——那是个并没有必要，却十分成功的行动。

至于贝尔·里欧思——基地有史以来最高贵的敌手，也早已变得默默无闻，光芒被后来居上的骡所遮掩。遍数基地过去所有的敌人，唯有骡曾经颠覆谢顿计划，并击败且统治过基地。只有骡才是唯一的“大敌”，事实上，他也是银河历史中最后一位“大帝”。

不过，并没有什么人记得，其实骡是被一个人，一位名叫贝泰·达瑞尔的女性所击败的，而且她的胜利全凭一己之力，甚至没有谢顿计划作为后盾。后来，她的儿子与孙女——杜伦·达瑞尔与艾卡蒂·达瑞尔，又联手击溃第二基地，使这个基地（第一基地）获得唯我独尊的地位，但是这段事迹也几乎为人遗忘。

这些基地历史中的后起之秀，不再具有任何英雄形象。随着时间轴不断延展，英雄人物都被压缩成普通的凡人。而艾卡蒂为祖母撰写的传记，则是将她从一位女英雄，简化成了传奇小说的女主角。

从此以后，再也没有英雄出现，就连小说中的传奇人物也消失了。“卡尔根之战”是基地卷入的最后一场战祸，不过只能算小场面而已。所以说，基地已经整整度过两个世纪的和平岁月！而在过去一百二十年间，甚至未曾损失半艘船舰。

这实在是一段很不错的太平岁月，是一段受用的太平岁月，这点布拉诺绝不否认。虽然基地尚未建立第二银河帝国（根据谢顿计划，目前才完成一半的准备工作），但是分散在银河各处的政治实体，已有三分之一被基地联邦掌控经济命脉；而在那些未受直接控制的领域，基地联邦的影响力也非同小可。行遍银河，只要报出“我是基地公民”，听到的人鲜有不肃然起敬。而在上千万个住人世界中，没有任何人的地位能够媲美“端点市长”。

“市长”这个头衔一直沿用至今。五世纪以前，市长只是个小城市的领导者，那个城市是一个孤立世界上唯一的聚落，那个世界则处于银河文明的最边陲。但从来没有人想到过更改这个头衔，或是再加上一点点敬称。如今，仅有几乎遭人遗忘的“皇帝陛下”能令人产生同样的敬畏。

只有在端点星是唯一的例外，在这个世界上，市长的权限受到谨慎的规范。对于当年的茵德布尔家族，一般人都还记忆犹新。不过人们无法忘怀的，并不是他们的专制极权，而是在他们的统治下，基地落入骡的手中。

而她，赫拉·布拉诺，就是现任的市长。自骡死后，她是银河中最强有力的统治者（这点她自己也很清楚），亦是基地有史以来第五位女性市长。但也只有今天，她才有办法公然施展自己的力量。

从政多年来，对于何事正确，何者当行，她始终坚持自己的信念，跟那些顽强的反对派奋战到底——那些家伙都在觊觎盛名远播的银河内围，渴望为基地加上帝国的光圈。今天，她终于获得全盘的胜利。

还早哩，她曾经这么说。还早哩！过早跳进银河内围，可能会由于种种原因而遭到惨败。如今，谢顿也站出来为她说话，甚至遣词用字也几乎和她一模一样。

一时之间，在基地所有成员心目中，她成了与谢顿同样睿智的人物。然而，他们随时会忘掉这件事，这点她也心知肚明。

而这个年轻人，偏偏在今天，就敢当众向她挑战。

而且，恐怕他并没有错！

危险就在这里，他的看法是对的！而只要他是对的，他就有可能毁掉基地！

现在，她终于和他面对面，没有第三者在场。

她以惋惜的口吻说："难道你不能私下来找我？难道你非得在议会厅咆哮不可？你的想法实在愚蠢，以为这样就能当众羞辱我吗？口没遮拦的孩子，你可知自己闯了什么祸？"

02

崔维兹觉得自己满脸通红，只好拼命控制住怒火。市长是个上了年纪的女人，就快满六十三岁了。面对这样一个年纪几乎长他一倍的老太婆，他实在不想开口吵架。

何况，她早已在政治斗争中百炼成钢，了解只要一开始便将对手弄得手足无措，一场战争等于已经赢了一半。不过想要这种战术奏效，必须有观众在场，可是如今连一个旁观者都没有，也就不会有人令他感到羞辱。算来算去，也只有他们两人而已。

所以他对那番话充耳不闻，尽全力维持一副漠然的表情，仔细审视着对方。这个老女人穿着一身中性服装，这种服饰已经流行了两代，但穿在她身上并不适合。这位市长，这位全银河的领袖（如果银河中还有领袖，当然非她莫属），看来像个平庸的老太婆，甚至很容易被误认为是个老头。她与男性唯一的差别，在于她将铁灰色的头发紧扎脑后，而传统的男性发式则完全不束不系。

崔维兹露出一个魅力十足的笑容。这个上了年纪的对手，无论多么努力把“孩子”这个称呼当成羞辱，可是她面前的这个“孩子”，至少拥有年轻和英俊这两方面的优势，而且他完全明白这个事实。

于是他说：“完全正确，我今年才三十二岁，所以还能算个孩子。而且身为一名议员，口没遮拦正是我职责所在。关于第一点，我实在无可奈何；至于第二点，我只能说声抱歉。”

“你晓得自己闯了什么祸吗？别鬼头鬼脑地站在那里，坐下来。请你尽可能全神贯注，并且理智地回答我的问题。”

“我知道自己做了什么，我将看穿的真相说了出来。”

“你偏偏选在这一天向我挑战？选在我的声望如日中天的日子？今天，我有办法把你赶出议会厅，再立刻将你逮捕，其他议员没有一个敢站出来抗议。”

“议会迟早会回过神来，然后就会向你抗议。现在，他们可能已经在进行抗议了。你这样迫害我，只会使他们更加听信我。”

“谁也不会听到你讲什么。只要我认为你将继续大鸣大放，我就会继续视你为叛徒，用最严厉的法律办你。”

“那我就必须接受审判，我总有在法庭出现的机会。”

“你别指望这一点。市长拥有极大的紧急处分权，虽然通常很少动用。”

“你凭什么宣布进入紧急状况？”

“我自然会想出名目来，这点智慧我还有，而且我也不怕面对政治危机。别逼我，年轻人。希望我们能在此地达成一个协议，否则你就永远无法重获自由。你将遭到终身监禁，这点我可以向你保证。”

两人正面相对——布拉诺的灰色眼睛和崔维兹驳杂的棕色眼睛彼此瞪视。

然后崔维兹问道："什么样子的协议？"

"啊，你感到好奇了，这样就好多了。我们别再剑拔弩张，心平气和谈谈吧。你的看法究竟如何？"

"你应该清楚得很。你一直和康普议员暗中勾结，对不对？"

"我想听你亲口说一遍——刚刚过去的这个谢顿危机，你有什么看法？"

"很好，如果你真想听——市长女士！""老太婆"一词差点脱口而出，"谢顿影像说得未免太正确，过了五百年还能那么准，实在太不可能了。我相信，他这一次重现，是有史以来的第八次。过去有几次，当影像出现时，根本没有任何人在场。而至少有一次，在茵德布尔三世执政时期，他讲的那番话，和实际情况完全不符——但那是在骡崛起的时候，对不对？可是过去七次当中，他何曾像今天这样，一切都预测得那么准确？"

崔维兹浅浅一笑。"市长女士，根据我们所掌握的记录，谢顿从未将现况描述得如此完美，连最小的细节也分毫不差。"

布拉诺道："你的意思是说，谢顿的全息影像是伪造的？谢顿的录影是他人最近准备的，这个人也许正是我？而谢顿这个角色，则是某个演员扮演的？"

"并非不可能，市长女士，但我并不是这个意思。真相其实还要糟得多，我相信我们所看到的，的确是谢顿本人的录影，而他对于当代现况的描述，也的确是五百年前所准备的。这些，我都已经向你的手下柯代尔讲过，可是他故意跟我打哑谜，好让我看起来也相信那些只有不用大脑的基地人才会迷信的事。"

"没错，若有必要，那个记录就能派上用场，好让基地上上下下，都认为你从未真正站在反对立场。"

崔维兹双手一摊。"但我明明反对。我们心目中的那个谢顿计划，其实并不存在，大概早在两个世纪前，它就已经烟消云散。这件事我怀疑了好几年，而十二个小时之前，我们在时光穹窿的经历，终于证明了这一点。"

"因为谢顿过于准确？"

"正是如此。别笑，这就是铁证。"

"你该看得出来，我并没有发笑。说下去。"

"他怎么可能预测得那么准？两个世纪前，谢顿对现状的分析就完全错误。那时距离基地的建立已有三百年，他的预测已经离谱得过分，完全离谱了！"

"关于这一点，议员，你自己刚才解释过了，那是因为骡的关系。骡是一个突变异种，具有强大的精神力量，在整个谢顿计划中，根本无法考虑到他。"

"不论考虑到了没有，反正他就是出现了，谢顿计划因此偏离了既定的轨迹。不过骡的统治时间并不长，而且他也没有继承者。基地很快就再度独立，同时拾回昔日的霸权。问题是谢顿计划变得支离破碎之后，又怎么可能会回到正轨呢？"

布拉诺绷着一张老脸，苍老的双掌紧握在一起。"你自己知道答案，你总该读过历史。除了我们之外，还有另一个基地。"

"我读过艾卡蒂为祖母写的传记——毕竟，那是学校的指定读物——我也看过她写的那些小说。此外，我还读过官方发布的'骡乱'始末。我可不可以质疑这些文献？"

"如何质疑？"

"根据公认的说法，我们这个第一基地，目的是保存所有的物理科学知识，进而发扬光大。我们的一切发展都光明正大，我们的历史依循着谢顿计划发展，姑且不论我们是否知情。然而除了我们，另外还有一个第二基地，它的功能是保存并发展各种心理科学，包括心理史学在内。而第二基地的存在必须保密，甚至连我们也不能知道。第二基地是谢顿计划的微调机制，当银河历史的潮流偏离预定轨迹时，它负责将历史导回正轨。"

"那么你已经回答了自己的问题。"市长说，"贝泰·达瑞尔当年能够击败骡，也许就是受到第二基地的激励，虽然她的孙女一再强调并无此事。无论如何，在骡死去之后，银河历史能够重归谢顿计划，无疑是第二基地努力的成果，他们显然不辱使命。所以说，你究竟想说些什么呢，议员？"

"市长女士，如果我们分析艾卡蒂·达瑞尔的说法，就能发现一个明显的事实。第二基地在企图修正银河历史的过程中，无意间破坏了整个谢顿计划，因为在进行修正之际，他们使自己曝了光。我们这个第一基地因而发现我们有一个镜像，也就是第二基地。我们不甘心受他们操控，千方百计找出了第二基地的下落，并且一举将他们消灭。”

布拉诺点了点头。“根据艾卡蒂·达瑞尔的说法，我们后来的确成功了。不过很明显的是，在此之前，一度为骡所搅乱的银河历史，已经被第二基地导回正轨。直到如今，依然没有任何偏差。”

“你能相信这一点吗？根据她的说法，我们找到了第二基地的大本营，逮捕了所有的成员。那件事发生在基地纪元377年，也就是距今一百二十年前。过去整整五个世代，我们都认为第二基地不复存在，一切都是我们独立发展的结果。可是直到如今，我们仍然能够瞄准谢顿计划的目标，而你和谢顿影像所说的话，也几乎一模一样。”

“这也许可以作如下解释：我具有敏锐的洞见，能够洞察历史发展的深层意义。”

“对不起，我无意对你的敏锐洞见表示怀疑，但我认为还有一个更明显的解释，那就是第二基地并未遭到摧毁。它依旧在操控我们，依旧在支配我们，那才是我们重返谢顿计划正轨的真正原因。”

03

若说这番话令市长震惊不已，她丝毫没有表现出来。

现在已经是凌晨一点多了，她极其希望赶快结束这场谈判，却知道绝对不能着急。这个年轻人必须好好对付，她可不希望把钓鱼线绷断。而且，她也不想白白将他作废，因为在此之前，他或许还能发挥一项功能。

她说：“是吗？那么你是说，艾卡蒂写的什么卡尔根之战，以及第二基地被摧毁的经过，全都是假的？是捏造的？是一个骗局？是一堆谎言？”

崔维兹耸了耸肩。“那倒不至于，这样说就离题了。即使假定艾卡蒂的记述全部属实，她的确做到了知无不言，言无不尽；假定所发生过的一切，和艾卡蒂的描述一模一样；第二基地的巢穴确实被寻获，成员也全部被捕。可是我们又凭什么说，他们每一个成员都落网了呢？第二基地所操控的对象，乃是整个的银河系，并非只是端点星上的历史，也并不仅限于第一基地。他们并非只对我们这个首都世界，或者整个联邦负责而已。一定还有某些第二基地分子，藏在一千秒差距之外，甚至更远的地方。我们有可能把他们一网打尽吗？

“假如我们并未将他们一举成擒，能够声称自己大获全胜吗？当年的骡能这么说吗？他先拿下了端点星，以及它直接控制的所有世界，但独立行商世界仍在奋战。后来行商世界也被他打垮了，却溜走了三个人：艾布林·米斯、贝泰·达瑞尔，还有她的丈夫。骡将其中两人置于控制之下，却完全没有控制贝泰，独独放过了她。如果我们愿意相信艾卡蒂写的小说，骡之所以如此做，乃是因为感情用事，而这就足以改变一切。根据艾卡蒂的记述，全银河只剩下一个人——只剩下贝泰能够随心所欲，而她的行动，果真使得骡无法找到第二基地，因此导致了他最后的失败。

“仅仅一个人保有自由意志，就能令骡全盘皆输！个人的确能够发挥重大的影响力——虽然围绕着谢顿计划的所有传说，都在强调个体不值得一提，唯有群体才是有意义的。

“假如当初漏网的第二基地分子不只一名，而是好几十个，这似乎是极有可能的，那又会怎么样？难道他们不会重新会合，重建第二基地，再到处招兵买马，经过一段时间的励精图治，然后继续进行他们的工作，使我们再一次成为他们的傀儡？”

布拉诺以严肃的口气说：“你相信有这种可能吗？”

“我绝对可以肯定。”

“可是请你告诉我，议员，他们又为何自找麻烦呢？那些所剩无几的可怜虫，又何必死守着一个没人欢迎的计划？他们尽力使银河朝向第二帝国发展，背后的原动力又是什么？假如他们这一小撮人，坚持一定要完成这件使命，我们又何必在乎？为什么不能接受这个计划的安排，并且对他们心存感激呢？因为他们会尽一切可能，不让我们的历史脚步迷路或走偏了。”

崔维兹揉了揉眼睛，虽然他年轻许多，却似乎比对方还要疲倦。然后，他瞪着市长说：“我无法相信你的说法。难道你真以为，第二基地这样做是为了我们吗？难道他们是一群理想主义者？难道你不能根据政治常识，根据权力斗争和领导统驭的实际经验，清清楚楚地看出，他们这么做，其实是为了他们自己？

“我们是冲锋陷阵的敢死队，是整个机制的发动机和动力之源。我们拼命奋斗，流汗、流血又流泪。他们却只管控制和操纵——调整一下这个放大器，按动一下那个开关，既轻松又自在，而且不必亲身涉险。等到一切大功告成，也就是说，经过一千年的辛苦努力，我们建立起第二银河帝国之后，第二基地的人就会大摇大摆地出现，成为真正的统治阶级。”

布拉诺道：“这么说，你是想彻底消灭第二基地？建立第二帝国的工作，我们已经完成一半，你想试试让我们自己当自己的主人，以一己之力完成其余的工作？对不对？”

“当然！当然！这难道不也是你的希望吗？虽然你我看不到这一天，可是你有儿孙，将来我也会有，而他们还会再有儿孙，一代一代绵延不绝。我要他们享受我们辛勤努力的成果，我要他们在回顾历史时，将我们视为源头，对我们的成就赞美讴歌。我可不希望一切的心血，都被吸进谢顿所设计的阴谋当中——他并不是我心目中的英雄。我告诉你，如果我们真让他的计划继续下去，他的威胁会比骡更可怕。银河在上，我真希望当年的骡瓦解了整个计划，令它万劫不复。骡死了之后，我们便能好好活下去，他的寿命毕竟有限。可是，第二基地似乎是打不死的。”

“但你想要摧毁第二基地，是不是？”

“只要我知道该怎么做，绝不犹豫！”

“既然你并不知道该怎么做，难道就没有想到，他们很可能先下手为强？”

崔维兹露出了鄙夷的神色。“我甚至曾经怀疑，你可能也在他们控制之下。你准确地猜到谢顿影像将说些什么，还有你后来对付我的那些手段，都有可能是第二基地的阴谋。你也许只剩下一副空壳子，里面已经让第二基地填满了。”

“那你为何还要跟我说这么多？”

“因为，假如你的确受到第二基地控制，我无论如何是死路一条，这样发泄一下，至少可以出一口怨气——而且，事实上，我仍然赌你并未受他们控制，只是不知道自己在做什么而已。”

布拉诺说：“无论如何，你显然赌赢了。除了我自己，没有任何人在控制我。话说回来，你能确定我说的是实话吗？假如我的确受到第二基地控制，自己难道会承认吗？甚至，我会知道自己受到他们的控制吗？

“可是，讨论这些问题一点用处也没有。我相信自己并未受到控制，因此你也不得不买账。然而，你想想看，假使第二基地的确存在，他们最大的需求，一定是希望银河中谁也不知道这个事实。唯有谢顿计划的棋子，也就是我们，对于计划的内容毫不知情，也不晓得自己如何受支配，这个计划才能顺利进行。由于骡的出现，使得第一基地将注意力集中在第二基地身上，第二基地才会在艾卡蒂的时代遭到摧毁——或者我应该说，是几乎被摧毁了，议员，你说对不对？

“从这一点，我们能够导出两个推论。第一，我们可以合理地假定，他们所做的各种干预已经尽量降低。由此我们又可以假设，他们不可能完全控制我们。即使第二基地的确存在，它的力量也必定有某种限制。如果控制了一部分的人，却使得其他人因而猜疑，便会令谢顿计划遭到扭曲。因此之故，我们能得到一个结论，他们的干预尽可能做得精巧、间接和分散。所以我并没有受到控制，而你也没有。”

崔维兹说：“这算是第一个推论，我姑且接受吧——或许，是基于一厢情愿的乐观。另一个推论又是什么？”

“那是个更简单、更必然的结果。假如第二基地确实存在，却又希望保住这个秘密，那么有一点是绝对肯定的。如果有谁认为它仍旧存在，并且和他人讨论这个可能，甚至在公开场合高谈阔论，闹到整个银河人尽皆知，那么他们一定会立刻用巧妙的手法，将这个人解决掉、铲除掉、消灭掉。你难道不也是这么想吗？”

崔维兹说：“市长女士，你将我逮捕，就是这个缘故？为了保护我，以免我被第二基地谋害？”

“就某个角度而言，的确可以这么说。里奥诺·柯代尔精心为你录制的自白，不仅是为了向端点星以及基地的所有民众澄清，让大家不至于被你的妖言迷惑，另一方面，也是想借此让第二基地放心。假如他们真正存在，我不希望你吸引到他们的注意。”

“真是难以想象，”崔维兹以极尽讽刺的口吻说，“为我着想？为了我这一对可爱的棕色眼睛？”

布拉诺顿时动容，然后，在没有任何征兆之下，她轻轻笑了几声，又说：“我还没有老到那种程度，议员，自然注意到你有一对可爱的棕色眼珠。而且，若是三十年前，这也许就足以构成我的动机。然而现在，我不会为了拯救这对眼睛，或是你身上的其他部分，而伸出半毫米的援手。问题是，假如第二基地的确存在，而且你招惹了他们的注意，那么，他们不会解决了你就罢手。除了我自己这条老命，还有其他许多远较你聪明、远较你具有价值的人——以及我们拟定的所有计划，都会遭到他们威胁。”

“哦？这么说，你果真相信第二基地的存在，因此行动才会如此谨慎，以防范他们可能的反应？”

布拉诺一拳打在面前的桌子上。“我当然相信，你这个绝顶的笨蛋！如果我不相信第二基地的存在，如果我没有使出浑身解数跟他们奋战，你拿这个题目大做文章，又干我什么事？假使第二基地只是子虚乌有，你到处宣扬他们的潜在威胁，又有什么关系吗？早在几个月前，我就想趁你尚未公开这件事之际，设法让你闭嘴，可是对于一名议员，我没有权力强行干涉。谢顿影像出现之后，我的声望大振，权力也随即扩张——即使只是暂时而已。就在这个时候，你果然当众引爆这个问题，于是我立即采取行动。现在，如果你还不肯乖乖就范，我马上就处决你，不会有一点点的良心不安，也不会有一微秒的犹豫。

“此时此刻，我早就该安稳地进入梦乡，可是我却跟你苦口婆心，就是为了让你相信我所说的一切。我要让你知道，第二基地这个问题——我刚才仔细为你分析过了——就让我有足够的理由和动机，不经审判便让你的脑波终止。”

崔维兹准备有所行动了。

布拉诺说：“喔，不要轻举妄动。我只是个老太婆，你心里一定这么想，可是在你碰到我一根汗毛之前，你就会是个死人。我的手下正在暗中监视，傻里傻气的年轻人。”

崔维兹只好又坐下来，声音中带着轻微的颤抖说：“你这样做很不合理。如果你相信第二基地的存在，就不应该如此肆无忌惮地说这番话。你说我让自己暴露在危险中，你自己就该设法避免。”

“所以说，你自己也已经明白，我至少比你谨慎一点。换句话说，你相信第二基地的确存在，但你随便乱讲，因为你是个笨蛋。我也相信它的存在，现在也敢随便开口——只因为我已经做好防范措施。你既然似乎熟读艾卡蒂的历史小说，就该记得她提到过，她父亲曾经发明一种称为‘精神杂讯器’的装置。面对第二基地的精神力量，它起着防护罩的功能。这个装置并未失传，而且被改良得更有效，这是在极机密的情况下进行的。此时此刻，这栋房子可说是相当安全，不怕遭到刺探。现在你都了解了，我可以开始告诉你，将指派给你什么任务。”

“什么任务？”

“你我两人已经达成一个共识，我要你替我证实这一点。你得去确定第二基地是否仍然存在，如果答案是肯定的，他们又藏身何处。这就表示，你必须离开端点星，虽然我也不知道你该去哪里找——即使最后，你发现第二基地就在我们身边，就跟艾卡蒂的时代一样，你也得去转一圈。这也就代表，在你得到我们需要的情报之前，绝对不可以回来。如果你始终未能有所发现，那就永远不必回来，这样，至少端点星上少了一个笨蛋。”

崔维兹竟然结结巴巴地说：“我怎么可能一面去寻找他们，一面又保守秘密呢？他们会随便想个办法害死我，这对你根本没有好处。”

“那就别去找他们，天真的孩子，你可以去找别的东西。你只要全心全意去找别的，他们就会懒得注意你。如果在寻找的过程中，你无意间发现了他们的踪迹，就再好不过了！你可以送一个密封的超波密码给我们，等于是将功赎罪，便可以回端点星了。”

“要我去找什么，我猜你心里早就有数了。”

“我当然有数。你认识詹诺夫·裴洛拉特吗？”

“从来没听说过。”

“你明天就能见到他。他会告诉你该去找什么，而且会跟你一起去，乘坐我们最先进的船舰出发。你们两人将单独行动，因为赌你们两条命就够了。如果，你在尚未获得我们需要的答案之前，就试图返回此地，那么在距离端点星一秒差距之外，你就会被击毁在太空中。就这样，这次的谈话结束了。”

她站起来，看了看自己的双手，然后慢慢把手套戴上。她向门口走去，外面立刻出现两名警卫，两人都持械在手。他们站定后再往两旁一跨，为她让出一条路来。

她走到门口，又转过头来说：“外面还有更多的警卫，千万别惊扰他们，否则你等于帮我们除掉你这个大麻烦。”

“那样的话，我也不可能为你带回任何情报。”崔维兹花了一番力气，才将这句话说得轻描淡写。

“试试看吧。”布拉诺皮笑肉不笑地说。

04

里奥诺·柯代尔早已等在屋外，他说：“整个对话我都听到了，市长，你实在非常有耐心。”

“而且也实在非常疲倦，我觉得今天好像有七十二小时。从现在起，你来接手吧。”

“我会处理的，可是我想知道——在这栋房子附近，真的设有精神杂讯器吗？”

“喔，柯代尔，”布拉诺以疲惫的口气说，“你自己应该很明白。有人在暗中监视的机会究竟多大？你以为那个第二基地，能够一直监视每个角落的一切吗？我可不是崔维兹那样的浪漫青年；他心里也许这么想，但我可不。而且，即使事实的确如此，假如第二基地的耳目无所不在，我们若是轻易动用杂讯器，不是正好欲盖弥彰吗？一旦第二基地发现，他们的精神力量无法穿透某个区域，就会立刻知晓这个防护罩的存在，对不对？在我们尚未作好万全准备之前，这个秘密武器不但比崔维兹重要，就连你我加起来也比不上它，你说是吗？不过……”

此时他们两人坐在地面车中，由柯代尔亲自驾驶。“不过……”柯代尔问道。

“不过什么？”布拉诺说，“喔，对了，不过那个年轻人相当聪明。我换了好几种方式连连骂他笨蛋，只是希望他不要得意忘形，事实上他绝不笨。他只是太年轻，又读过太多艾卡蒂・达瑞尔的小说，以为银河真是如同那些小说所描述的。话说回来，他具有敏捷的洞察力，失去他将是一件可惜的事。”

“那么，你确定他会一去不返吗？”

“相当确定。”布拉诺以哀伤的口吻说，“无论如何，这样做总是比较好。我们可不需要这种浪漫青年去盲目地冲锋陷阵，令我们辛苦多年的经营毁于一旦。何况他还能发挥一项功能，他一定会吸引第二基地的注意——假设他们真正存在，并对我们极为关切。他们一旦被他吸引，就有可能忽略我们。除此之外，也许我们还能有更大的收获。我们可以乐观地希望，当第二基地对付崔维兹的时候，会无意中暴露自己的行踪，而让我们争取到机会和时间，策划出反制行动。”

“也就是说，让崔维兹去吸引闪电。”

布拉诺一歪嘴。“啊，这正是我一直在找的比喻。他就是保护我们的避雷针，让我们免于遭到雷击。”

“而那个裴洛拉特，也会暴露在闪电中？”

“他同样会遭殃，那是无可避免的事。”

柯代尔点了点头。“没关系，你总该记得塞佛・哈定讲过的一句话：‘不要让道德感阻止你做正确的事’。”

“此时此刻，我并没有什么道德感，”布拉诺喃喃道，“我只感到腰酸背痛。不过，我宁愿牺牲其他一大串人，也不想失去葛兰・崔维兹。他是个英俊的年轻人，当然，他自己也清楚这一点。”说着说着，她不知不觉闭上了眼睛，开始打起盹来。

第三章

历史学家

01

詹诺夫·裴洛拉特满头白发，在没有任何表情的时候，他的面容看起来十分空洞，不过他也绝少有任何表情。身高与体重皆属中等的他，做起事来慢条斯理，说起话来深思熟虑。虽然只有五十二岁，他看起来却老得多。

他从未离开过端点星，这是一件很不寻常的事，对于他这一行的人而言，更是极端不寻常。连他自己也不确定，是否因为过于沉迷历史，才会事事有如老僧入定。

他对历史的迷恋始于十五岁那年，起因相当偶然。那次他生了一场小病，只好抱着一本讲述早期传说的书解闷。在那本书中，不断提到一个与世隔绝的世界——那个世界甚至不知道自己是孤立的，因为从未听说其他世界的存在。

他的病马上有了起色。两天内，他把那本书从头到尾读了三遍，就已经能起床了。又过了一天，他坐在自己的电脑终端机前，联线到端点大学图书馆，查询有关这类传说的藏书目录。

从此以后，这类传说成为他生命的全部重心。端点大学图书馆在这方面的典藏，虽然已经十分权威，但是等到年纪再大一点，他又发现了通过“馆际合作”搜集资料的乐趣。在他所搜集的列印稿中，竟然有远从伊夫尼亚经由超辐射波讯号所送达的。

三十七年后的今天，他早已成为专攻古代史的教授。如今，他正开始休第一次的长假——他准备利用这一年的假期，进行一趟川陀之旅，这将是他生平首次的太空旅行。

裴洛拉特自己也明白，像他这种从未上过太空的人，在端点星可说是极稀有的动物。他并不是有意如此特立独行，只不过每次有机会上太空的时候，总会有什么新的书籍、新的研究结果、新的分析报告出现。

于是，他不得不将计划好的行程延期，直到把那些材料彻底消化为止。然后，如果可能的话，他会在已经堆积如山的资料中，再批注一笔所谓的“事实”“臆测”或“想象”。到头来，他唯一的遗憾，就是川陀之旅始终未能成行。

川陀曾经是第一银河帝国的首都，前后长达一万两千年之久。而在前帝国时代，川陀则是一个重要王国的京城，这个王国逐步鲸吞蚕食其他各个王国，最后终于建立空前的大帝国。

川陀是个环球的单一大都会，是个金属包覆的城市。从盖尔·多尼克的著作中，裴洛拉特读到过有关川陀的一切。那位作者与哈里·谢顿同一时代，年轻时曾经游历川陀。多尼克的书早已绝版多年，裴洛拉特所珍藏的那一本，如果出售的话，应该能赚到一名历史教授半年的薪水。不过光是听到这个建议，这位历史学家就会惶惶不可终日。

当然，裴洛拉特对川陀唯一感兴趣的地方，只有该处的“银河图书馆”。在帝政时代，它曾是银河中最大的图书馆（当时的名称为“帝国图书馆”）。第一银河帝国是人类有史以来版图最庞大、人口最众多的帝国，而身为首都的川陀，则是由一个世界所构成的单一城市，拥有超过四百亿的人口。因此那座图书馆的收藏，涵盖了人类所有原创性（或辗转抄袭）的智慧结晶，可谓人类一切知识的总和。它的作业完全电脑化，但由于电脑系统过于复杂，唯有专家才懂得如何操作运用。

更重要的是，银河图书馆依然安在。对裴洛拉特而言，这才是最令人惊讶的事实。两百多年前，当川陀陷落敌手并惨遭劫掠时，各地都遭到严重的破坏，无数烧杀掳掠、惨绝人寰的故事，实在令人不忍重述。然而银河图书馆竟然幸免于难，（据说）这是川陀大学的学生誓死保卫的结果。这些大学生发明出一些神秘的武器，因而能够以寡敌众。不过也有人认为，这种学生志愿军的说法当然只是无稽之谈。

无论如何，总之银河图书馆安然渡过一场浩劫。后来，艾布林·米斯来到这个废墟世界，钻进依旧完好的图书馆，在那里进行过详尽的研究，差一点就找到第二基地的位置（基地同胞至今仍旧相信这种说法，但历史学家始终不以为然）。而达瑞尔家族前后三代——贝泰、杜伦以及艾卡蒂——也曾先后到过川陀。然而，艾卡蒂从未造访过银河图书馆，而且从她那个时代起，这座图书馆再也未曾跃上银河历史的舞台。

过去一百二十年来，没有任何基地人去过川陀，但这并不代表银河图书馆不复存在。银河中没有关于它的任何流言，就是它依然存在的最佳证明。如果它遭到摧毁，必然会引起轩然大波。

这座图书馆必定既陈旧又古老——在艾布林·米斯的时代已经如此——可是这样再好不过。每当想到一座既老旧又过时的图书馆时，裴洛拉特就会兴奋地猛搓双手。愈是老旧，愈是过时，就愈可能保有他想要找的东西。他常常梦见自己走进银河图书馆，紧张兮兮地问道："这座图书馆已经现代化了吗？你们有没有将那些老旧的电脑磁带丢弃？"每次在睡梦中，他都会见到一个满身灰尘的古代图书馆员，答道："一点都没有变，教授，仍然和过去一模一样。"

如今，他的梦想终于要实现了，市长亲自向他保证过。至于她究竟如何获悉他的工作，连他自己也不太清楚。他并没有发表过多少论文，因为他的研究大多缺乏充分的佐证，很少为学术期刊接受；而他发表过的少数文章，也从未激起任何回响。话说回来，据说铜人布拉诺对端点星上的一切都了若指掌，每一个角落都有她的耳目。裴洛拉特几乎可以相信这个说法，可是，如果她原来就知晓自己的工作，为何没有早点看出重要性，提供他一点经费补助呢？

或许最主要的原因，他以无比悲痛的心情沉思，是由于基地仅专注于未来，大家的注意力都集中在第二帝国以及自身的命运。所以他们没有时间，也没有心思，去回顾一下过去的历史，甚至敌视有心回顾的人。

那些人当然愚不可及，可是他又无法凭借一己之力，将愚昧一扫而尽。不过，这样其实也不错，让他得以独享一项伟大的研究工作。总有一天，后人会将他奉为一位伟大的"先驱者"。

当然，这也代表说（他对自己太过诚实，所以不会拒绝承认），他本人同样极重视未来——那时人人都会知晓他的大名，视之为与哈里·谢顿齐名的英雄人物。其实，他应该更伟大些，因为谢顿只是明确规划了未来一千年的历史，他却发掘出一个至少湮没了两万五千年之久的重大史迹。

他终于等到了这一天，这一天终于来临了。

市长曾经说，等到谢顿影像出现之后，第二天他就能展开工作。裴洛拉特之所以对这次的谢顿危机感兴趣，这便是唯一的原因。事实上，过去数个月来，端点星上的居民，乃至联邦的每一个人，都将所有的注意力集中在这个危机上。

在他看来，基地的首都究竟应该留在端点星，还是应该迁到别处，实在没有丝毫差别。如今危机虽然已经圆满解决，他还是不清楚哈里·谢顿到底支持哪一方，甚至根本不知道，谢顿究竟有没有提到这个喧腾一时的问题。

只要谢顿出现过就行了，盼望已久的这一天终于来临了。

下午二时刚过，在裴洛拉特位于端点市近郊、那座有点孤立的住宅前，一辆地面车停了下来。

车子的后门立刻滑开，一名穿着“市长安全警卫队”制服的警卫率先下车。接着下车的是一个年轻人，跟着又是两名警卫。

裴洛拉特颇有受宠若惊的感觉。市长不但了解他的工作，显然还对他极为重视。将要和他同行的这个年轻人，竟然还有警卫护送。市长答应提供他一艘一流的太空船，想必将由这个年轻人驾驶。简直是太给面子了！简直……

裴洛拉特的管家打开大门，那个年轻人便走了进来，两名警卫则在门口两侧站岗。裴洛拉特由窗户望出去，看见第三名警卫仍然待在外面，这时又有一辆地面车驶来，载来更多的警卫！

怎么回事？

他转过身来，看到那个年轻人已经走进房间。他惊讶地发现，自己竟然认得这个人，因为曾经在全息电视上看过他。他立刻说：“你就是那位议员，你是崔维兹！”

“葛兰·崔维兹便是在下。你是詹诺夫·裴洛拉特教授吗？”

“是的，是的。”裴洛拉特说，“你就是那位将要——”

“我们两人将要同行，”崔维兹木然道，“至少据我所知，是这样安排的。”

“但你并不是历史学家。”

“没错，我不是。正如你所说，我是一名议员，是个政治人物。”

“是的——是的——我的脑袋到底在想什么？我自己就是历史学家，何必还需要一位？你自己会驾驶太空船吗？”

“会，这方面我很内行。”

“好极了，这正是我们需要的。太棒啦！年轻人，恐怕我并非行动派，所以只要你是，我们就能成为很好的搭档。”

崔维兹说：“此时此刻，我对自己的本事也没多少信心，不过我们似乎别无选择，只好尽量协调合作。”

“那么，希望我自己能克服对太空的疑惧。你知道吗，议员，我从来没有上过太空。我是一只土拨鼠，这样讲大概没错。对了，你要不要来杯茶？我可以叫柯罗达替我们准备一点吃的。反正据我了解，我们几小时后才会出发。然而，我已经准备好了，我们两人需要的东西都齐备了。市长表现得极为合作，她对这个计划的兴趣令我惊讶不已。”

崔维兹问道：“这么说，你已经晓得这件事？是多久以前？”

“市长来找我，”裴洛拉特微微皱起眉头，似乎是在算日子，“是两个，或者三个星期以前的事，那天我简直高兴极了。现在我的脑袋终于想通了，我需要的是一名驾驶员，而不是另一位历史学家。我很高兴同行的是你，我亲爱的伙伴。”

“两三个星期以前。”崔维兹重复了一遍，声音有点茫然，“她早就有所准备，而我……”他的声音愈来愈小。

“请问你在说什么？”

“没什么，教授，我向来有自言自语的坏习惯。如果我们的旅程会拖得很长，一路上你得多多包涵。”

“一定会是长途旅行，一定会的。”裴洛拉特一面说，一面将对方拉进餐厅，餐桌上早已准备好精致的茶点。“行程相当自由。市长说，我们想去多久就去多久，爱到银河哪一处便到哪一处，而且，不论我们去哪里，都可以动用联邦基金。当然，她说过，我们的花费得合情合理，我一口就答应下来。”他咯咯笑了几声，又搓了搓手。“坐下来，我的好伙伴，坐下来。吃完这一顿，不知何年何月，我们才会再回到端点星。”

崔维兹依言坐下，然后说：“教授，你有家室吗？”

“我有一个儿子，他是圣塔尼大学的教授。我相信他研究的是化学，或是类似的学问，他走的是他母亲的路子。我太太和我已经分开很久了，所以你看，我一个人无牵无挂，根本没有任何家累。我相信你也没有——吃点三明治吧，好孩子。”

"我现在也没有家累。我有过几个女人，但总是来来去去。"

"对，对，这样子最轻松愉快。如果不必认真，那就更加轻松愉快。我猜，也没小孩吧。"

"没有。"

"好极了！你知道吗，我现在的心情再好不过了。我承认，当你刚走进来的时候，我吓了一大跳，可是我现在愈瞧你愈顺眼。我需要的正是像你这样的人，朝气蓬勃，热情洋溢，而且有办法飞遍整个银河。你知道吗，我们要去从事一项探索，一项了不起的探索。"裴洛拉特一向稳重的面容与声音，此时突然充满生气，不过表情与声调并没有明显的变化。"不晓得你是否知道详情。"

崔维兹眯起眼睛。"一项了不起的探索？"

"一点都没错。有一颗无价的珍珠，隐藏在银河系千万住人世界之中，我们却只有极其模糊的线索。话说回来，我们若能把它找到，就会得到不可思议的报偿。如果你我能够成功，好孩子——崔维兹，我这么说，绝不是故意要你领情——我们的名字必定永垂不朽。"

"你所说的报偿——那颗无价的珍珠——"

"我这番话听来像是模仿艾卡蒂·达瑞尔——那个名作家，你知道吧——她提到第二基地的时候，就是用这种口气，对不对？怪不得你看起来那么惊讶。"裴洛拉特脑袋向后一仰，好像准备大笑几声，结果只露出一丝微笑。"我向你保证，绝不是那么愚蠢、那么微不足道的东西。"

崔维兹又问："既然不是第二基地，教授，你说的到底又是什么？"

裴洛拉特的表情突然严肃起来，甚至略带歉意。"啊，那么市长还没有告诉你？你知道吗，这倒有点古怪。过去几十年来，我对政府一直非常不满，因为他们向来无法了解我的工作。现在，布拉诺市长却大方得不得了。"

"没错，"崔维兹故意透出揶揄的语调，"她这个女人，骨子里是大善人，可是她并未告诉我一切的来龙去脉。"

"这么说，你对我的研究工作一无所知？"

"是的，很抱歉。"

“不必感到抱歉，绝对没关系，反正我还没有什么惊人的成就。那么我来告诉你吧，你和我将要去寻找‘地球’，而且一定能找到，因为我已经胸有成竹。”

02

那天晚上，崔维兹睡得很不好。

他觉得自己好像被关进一所监狱，是那个老太婆专门为他盖的监狱。他不断四下冲撞，却怎么也找不到出路。

他即将遭到放逐，可是一点办法也没有。而她始终表现得冷酷无情，甚至连公然违宪也懒得掩饰。自己原先所倚仗的，是身为议员和联邦公民的种种权利，不料她连口头上的尊重都没有。

如今，又冒出这个叫做裴洛拉特的古怪学究。这个人根本像是活在另一个世界，而他竟然说，早在几星期前，那个可怕的老太婆已经安排好这一切。

他不禁觉得自己真是她口中的“孩子”。

他即将跟着一个不停叫他“亲爱伙伴”的历史学家一起流浪，此人对于即将展开的泛银河探索兴奋不已，而他竟然要去找什么地球?

地球是什么？大概只有骡的奶奶知道!

他曾经追问裴洛拉特。当然要问！他第一时间就问了。

当时他说：“对不起，教授，我对你的专业不大了解。如果我请求你，用简单的方式解释一下地球，相信你不会介意吧？”

裴洛拉特换上一副严肃的表情，足足瞪了他二十秒钟，然后才说：“它是一颗行星，是人类的发源地。人类最早就是出现在这颗行星上，我亲爱的伙伴。”

崔维兹瞪大眼睛。“最早出现？从哪里出现的？”

“凭空出现的。在这颗行星上，人类是经由演化过程，从低等动物逐渐演化而来的。”

崔维兹想了想，然后摇了摇头。“我不懂你在说些什么。”

裴洛拉特脸上闪过一丝恼怒的表情。他清了清嗓子，然后说：“几百年前，端点星上也没有人类。端点星上的居民，最早都是从别的世界移民而来的。我想，这点你总该知道吧？”

“没错，当然知道。”崔维兹不耐烦地说。对方突然给他上课，令他感到很不高兴。

“很好，这种情形其他世界也完全一样。安纳克里昂、圣塔尼、卡尔根……每个世界都是如此。它们都是在过去某个年代，由人类所建立的殖民世界。其上的居民，都是从其他世界迁移过去的，就连川陀也不例外。川陀这个伟大的都会，虽然已有两万年的历史，可是在此之前，它却并非如此。”

“啊，两万年前它是什么样子？”

“空空如也！至少上面没有人类。”

“实在令人难以置信。”

“是真的，古老的记录中就是这么记载的。”

“第一批殖民川陀的人类，又是从哪里来的？”

“谁也不确定。至少有好几百颗行星，都声称在遥远模糊的远古时代，就已经有人类生存其上。而那些行星对于第一代移民，一律有些奇妙的传说。历史学家通常并不接受那些说法，只专注于‘起源问题’的研究。”

“那又是什么？我从来没听过。”

“这点我倒不意外，我必须承认，现在它并不是一个流行的历史题目。可是当年，在银河帝国走下坡的那段时期，它曾经吸引一些知识分子的注意。塞佛·哈定在回忆录中，也曾约略提到过。这个题目探讨物种起源于哪颗行星，它的位置又在哪里。假如我们能让时光不断倒流，就会发现人类从最近建立的世界，逐渐回流到那些较旧的世界，依此类推，最后则会通通聚集到某一个世界——人类的发源地。”

崔维兹马上想到，这个推论有个明显的破绽。“难道说，发源地不能有许多个吗？”

“当然不能。银河中所有的人类，全都属于同一个物种。同一个物种，只可能发源自一颗行星，不会有其他可能。”

“你又怎么知道？”

“首先——”裴洛拉特用右手食指点了点左手食指。显然他原本想要发表繁复的长篇大论，却好像忽然改变了主意。于是他将双手放下来，以极为诚恳的语气说：“我亲爱的伙伴，我以人格向你担保。”

崔维兹对他一鞠躬，然后说：“我做梦也不会怀疑你，裴洛拉特教授。那么，根据你的说法，起源行星只有一个，可是会不会有好几百个世界，都宣称这个光荣属于他们的行星？”

“岂只会不会，而是真的那么讲，但是那些说法通通没有什么价值。那数百个渴望争取这份光荣的世界，都找不到任何‘前超空间社会’的遗迹，更不存在低等生物演化成人类的迹象。”

“那么你是说，这颗起源行星的确存在，可是由于某种原因，它自己并没有张扬？”

“你完全说对了。”

“而你要去寻找这颗行星？”

“是我们要去，这就是我们的任务。布拉诺市长全部安排好了，你将负责驾驶太空船，直奔川陀。”

“直奔川陀？它并不是起源行星啊，刚才你自己明明说过的。”

“川陀当然不是，地球才是。”

“那么你为何不说，要我驾太空船直奔地球呢？”

“我并没有说清楚。地球只是传说中的一个名字，借着古代的神话传说保存下来，除此之外并没有任何意义。但是用它来代表‘人类起源的那颗行星’，总是一种比较方便的称呼。可是在银河系中，究竟哪颗行星才是我们所谓的地球，却没有任何人知道。”

“川陀上有人知道吗？”

“当然，我希望能从那里找到资料。川陀拥有银河图书馆，那是全银河最伟大的资料中心。”

“在第一帝国时代，你刚才说的那些对于‘起源问题’有兴趣的人，必定已经翻遍了那座图书馆。”

裴洛拉特若有所思地点了点头。“没错，但是也许并不彻底。我对‘起源问题’有极深入的研究，五世纪前的帝国学者，也许都不如我知道得那么多。我或许能以超越前人的领悟力，去钻研那些古老的记录，你懂了吧。我对这个问题已经思考很久，早已胸有成竹了。”

“我猜，你把这些都跟布拉诺市长说过了，而她都赞同？”

“赞同？我亲爱的伙伴，她简直乐坏了。她告诉我，想找到我需要的答案，当然就要到川陀去。”

“这点毫无疑问。”崔维兹喃喃地说。

上面这段对话，就是令他当晚辗转反侧的原因之一。布拉诺市长派他出去，是要他尽力探查第二基地的下落。她又故意派裴洛拉特与他同行，打着去寻找地球的旗号，以便掩护这个真正的目的。这样一来，他就能名正言顺地在银河中横冲直撞。事实上，这真是一个完美的掩护，他不禁对市长的智慧肃然起敬。

可是为何要去川陀呢？去那里有什么意义？一旦他们抵达川陀，裴洛拉特便会钻进银河图书馆，再也不肯出来。那里一定有无数的书籍、胶卷和影音记录，还有数不清的电脑磁带与符号媒体，他怎么会舍得离开？

何况……

艾布林·米斯曾经去过川陀，那是骡刚崛起的时候。根据传说，他在那里找到了第二基地的下落，结果没来得及透露就死了。后来，艾卡蒂·达瑞尔也来到川陀，并成功地揭露了第二基地的位置。不过，她发现第二基地就在端点星上，而那个大本营随即被扫荡干净。如今第二基地东山再起，必定隐藏在别的地方，所以说，川陀又能提供什么情报呢？如果他想寻找第二基地，去哪里都会比川陀有用。

再说……

布拉诺究竟还有什么其他计划，他并不清楚，可是他实在没兴趣讨好她。布拉诺乐坏了，因为他们要去川陀？好，如果布拉诺希望他们前往川陀，他们就偏偏不去！去哪里都好，就是不要去川陀！

此时黑夜即将被黎明取代，崔维兹感到筋疲力尽，终于断断续续睡了一阵子。

03

崔维兹遭到逮捕的第二天，布拉诺市长心情好极了。对于她的成功，大家都歌功颂德不遗余力，至于那段意外的插曲，则没有任何人提及。

纵然如此，她晓得议会不久便会从瘫痪中恢复过来，开始对她提出种种质疑。打铁必须趁热，因此，她把许多正事搁到一边，打算先将崔维兹的问题作个解决。

当崔维兹与裴洛拉特讨论地球的时候，布拉诺正在市长办公室接见曼恩·李·康普议员。此时康普坐在市长办公桌对面，表现得极为轻松自然，而市长一开口，便又赞扬了他一番。

相较于崔维兹，康普的个子比较瘦小，年纪则大两岁。两人都是议会的新人，既年轻又莽撞，这必定是他们结为死党的唯一原因，因为除此之外，两人在各方面都截然不同。

崔维兹似乎有点咄咄逼人，康普则流露出沉稳的自信，也许是因为他拥有金发与蓝眼的关系，这种外貌的基地人并不多见。由于这两项特色，他表现出一种近乎女性化的秀气，（布拉诺判断）使他对女性的吸引力远逊于崔维兹。不过，他显然对自己的外表十分自负，还故意发挥得淋漓尽致，不但将头发留得相当长，并仔细烫成波浪状。他的眉下甚至涂有淡淡的蓝色眼影，以凸显那双湛蓝色的眸子。过去十年间，各色眼影已经在男士间相当流行。

他并不是一只花蝴蝶，一直与妻子过着安分的日子，但是直到目前为止，两人尚未为人父母。康普从未有过秘密的恋情，这也是他和崔维兹完全不同的地方。崔维兹换“室友”的勤快程度，足以媲美他换洗那些五颜六色、已经成为他个人招牌的宽腰带。

对于这两位年轻议员的一举一动，柯代尔主持的安全局鲜有不清楚之处。现在，柯代尔坐在市长办公室的一角，照例散发出喜悦的情绪。

布拉诺说："康普议员，你为基地立了一件大功，可惜的是，我们无法公开表扬，或是遵循一般方式奖赏你。"

康普微微一笑，露出洁白整齐的牙齿。布拉诺忽然闪过一个突兀的念头：天狼星区的居民，全都是这种模样吗？天狼星区相当接近银河外缘，康普本人与该处的渊源，要追溯到他的外祖母——她也有着金色的头发与湛蓝的眼珠，而且始终坚持她的母亲来自天狼星区。然而柯代尔调查的结果，并无任何有力证据支持这一点。

柯代尔曾经这么解释：即使已经具有致命的吸引力，女人还是喜欢宣称她们的祖先来自遥远的、充满异国风情的地方，以便给自己再平添几许魅力。

"这是女人的通病吗？"布拉诺曾经用讽刺的口吻问道。柯代尔随即微微一笑，低声说他指的当然是普通的妇女。

这时，康普答道："我的贡献并不需要让基地家喻户晓，只要你知道就够了。"

"我知道了，而且永远不会忘记。此外我还要强调一点，你不要以为自己的责任已经完毕。既然你已经参与这个错综复杂的行动，就必须继续下去。我们要挖出更多有关崔维兹的情报。"

"有关他的一切，我知道的已经全部告诉你了。"

"那些也许只是你希望我相信的一切，甚至你自己也可能真心相信那些话。无论如何，我要你回答我现在的问题，你认识一位名叫詹诺夫·裴洛拉特的人吗？"

一时之间，康普的额头皱了起来，但随即又恢复原状。他以谨慎的口吻说："假如见到本人，我也许认得出来，可是我对这个名字好像毫无印象。"

"他是一位学者。"

康普做了一个"哦？"的轻蔑口型，仿佛没料到市长居然会期望他认识一位学者。

布拉诺继续说："裴洛拉特是个有趣的人，为了自己的研究工作，他一心想到川陀去一趟，而崔维兹议员将要和他同行。好，你既然是崔维兹的好朋友，或许知道他的思考模式，现在告诉我——你认为崔维兹会乖乖去川陀吗？"

康普答道："假如你将崔维兹押上一艘太空船，而且那艘船预定飞往川陀，那么他还能有什么选择？你该不会认为他将策动喋血事件，劫收那艘太空船吧。"

"你不了解。太空船上只会有他和裴洛拉特两人，而且将由崔维兹负责驾驶。"

"你是想问我，他会不会自动自发地飞向川陀？"

"对，我问的就是这个。"

"市长女士，他会怎么做，我又怎么可能知道？"

"康普议员，你一直和崔维兹走得很近，知道他坚信第二基地的存在。难道他从来没有跟你提到，他认为第二基地藏在何处，应该去哪里找吗？"

"从来没有，市长女士。"

"你认为他找得到吗？"

康普呵呵笑了几声。"我认为第二基地不论是何方神圣，不论过去多么重要，也早就在艾卡蒂·达瑞尔的时代，便已经被摧毁了。我相信她写的故事。"

"真的吗？既然如此，为什么你还要出卖朋友？假如他只是在寻找一样并不存在的东西，那么无论提出什么荒诞离奇的理论，又能造成什么伤害呢？"

康普说："并非只有真实消息才会造成伤害。他的说法也许只是荒诞离奇，但仍有可能动摇端点星的人心。倘若对于基地在银河大历史中所扮演的角色，播下怀疑和恐惧的种子，便会削弱端点星在联邦中的领导权，腐蚀我们建立第二银河帝国的使命感。你自己显然也想到了这一点，否则你不会在议场中公然逮捕他，也不会未经审判便强行将他放逐。我能否请问，市长，你为什么要这样做？"

"我可否这么说，我有足够的警觉，怀疑他讲的话仍有可能是正确的，因此，他的见解或许会造成具体而直接的危险。"

康普这次并没有回答。

布拉诺继续说："其实我同意你的看法，但是基于职责所在，我必须考虑那个可能性。让我再问你一次，在你看来，他对第二基地的下落有什么想法？他可能打算到哪里去？"

“我完全没有概念。”

“他从未给你这方面的任何暗示吗？”

“没有，当然没有。”

“没有？不要那么轻易放弃，好好想一想！从来没有吗？”

“从来没有。”康普坚定地答道。

“从来没有一点暗示？没有半句玩笑话？没有信笔写下只字片语？没有突然若有所思地发呆？你好好回想一下，那些举动都可能有重大意义。”

“没有。我告诉你，市长女士，他对第二基地的幻想，是再虚无缥缈不过的梦话。这点你自己也很清楚，而你操这个心，只是在浪费自己的时间和心力。”

“你该不会突然又改变立场，转而保护你亲自交到我手中的朋友吧？”

“不。”康普说，“我向你举发他，是因为我自认这是正确和爱国的行为。我没有任何理由后悔这样做，或是再改变立场。”

“那么，一旦把太空船交到他手上，他会飞去哪里，你无法为我提供任何线索？”

“我已经说过……”

“可是，议员，”市长脸上的皱纹挤在一起，使她看来一副愁苦的样子。“我很想知道他会去哪里。”

“既然如此，我想你应该在他的船上，装一个超波中继器。”

“我也这样想过，议员。然而，他是个疑心病重的人，我怕他会把它找出来——不管放置得多么巧妙。当然，我们可以把它固定在某个机件上，如果他硬要拆掉，就会使太空船受损，在这种情况下，他可能只好让它留在那里……”

“高明的招数。”

“只是这么一来，”布拉诺说，“他的行动就会受到约束。倘若不能随心所欲地自由行动，他也许就不会前往预定的地点。我即使知道他的行踪，也一点用处都没有。”

“这样的话，看来你根本无法查出他的动向。”

“还是有可能，我打算用非常原始的办法。他以为我总是用复杂巧妙的诡计，因此刻意小心提防，却很可能因此忽略了原始的办法——我准备派人跟踪崔维兹。”

“跟踪？”

“正是如此，由另一艘太空船上的驾驶员负责跟踪。看，这个想法令你感到多么惊讶？崔维兹一定会有相同的反应。他或许不会想到，他在太空中飞来飞去之际，还有另一艘太空船跟他作伴。反正，我们绝不会在他那艘太空船上，装置我们最先进的质量侦测仪。”

康普说：“市长女士，我绝非有意冒犯，但是我必须指出，你欠缺太空飞行的实际经验。用一艘太空船跟踪另一艘，这种事从未成功过，因为根本办不到。崔维兹借着第一个超空间跃迁，就会逃之夭夭了。即使他不知道被人跟踪，在首次跃迁之后，他也会变得无影无踪。如果他的太空船上没有超波中继器，绝不可能追踪他的航迹。”

“我承认我缺乏经验，不像你和崔维兹那样，曾经接受舰队训练。不过，我有很多顾问可供谘询，他们都跟你们一样，接受过完整的训练。我的顾问告诉我，在一艘太空船跃迁之前的瞬间，跟踪它的太空船若能观测到它的方向、速率和加速度，一般说来，就能估计出它将跃迁到何处去。只要跟踪者拥有一套良好的电脑，以及绝佳的判断力，他就能做出极为接近的跃迁，足以咬住对方的尾巴。若是跟踪者备有精良的质量侦测仪，那就更加事半功倍。”

“第一次跃迁也许行得通。”康普中气十足地说，“如果跟踪者运气非常好，或许还有第二次，可是顶多到此为止。你不能把希望放在这上面。”

“也许可以。康普议员，你当年参加过超空间竞速赛。你看，我对你的背景知之甚详。你是一名优秀的驾驶员，曾经通过一次跃迁咬住对手，创下空前绝后的纪录。”

康普双眼睁得老大，几乎坐不住了。“那是我在大学时代的活动，如今我已不再年轻。”

“也不算太老，还不到三十五岁。因此，议员，我决定派你去跟踪崔维兹。不论他到哪里，你都要紧紧跟着他，并且随时向我报告。崔维兹几小时后便要出发，在他升空之后，你要马上行动。假如你拒绝这项任务，议员，你就会因叛乱罪下狱。假如你登上太空船，却把崔维兹跟丢了，那你就不必再回来。你若试图硬闯，在外太空就会被击毁。”

康普陡然跳了起来。“我有我自己的生活，有我自己的工作，我还有家室，我不能离开这里。”

“你必须走。我们这些志愿为基地效命的人，随时都要准备接受各种任务，即使是分外的、艰苦的工作，也应该甘之如饴。”

“我太太当然得跟我一道走。”

“你当我是白痴吗？她当然得留下来。”

“做人质吗？”

“你喜欢这么说也无妨。我倒宁可说，因为你要去从事一件危险的任务，我仁慈的心肠不忍让她一道去冒险，所以才要她留下来。没有讨价还价的余地，你现在的处境和崔维兹一模一样。我相信你应该了解，我必须尽速采取行动。端点星上的陶醉气氛不久便要耗光，我担心自己的福星很快就不再高照。”

04

柯代尔说：“你对他很不客气，市长女士。”

市长嗤之以鼻：“我为什么该对他客气？他出卖了朋友。”

“他那样做对我们有好处啊。”

“对，这次有好处。然而，下一次可能就刚好相反。”

“为什么还有下一次呢？”

“得了吧，里奥诺，”布拉诺不耐烦地说，“少跟我来这一套。任何人表现了一次卖友求荣的本事，我们都得提防他一辈子。”

“他可能用这种本事再度联合崔维兹。他们两人联手，也许就会……”

“你自己也不相信这句话。像崔维兹那种既愚蠢又天真的角色，只知道瞄准目标勇往直前。他根本不懂得耍阴谋，从今以后，不论在任何情况之下，他都不会再信任康普了。”

柯代尔又说：“对不起，市长，我想确定一下是否搞懂了你的想法。这样说来，你自己又能相信康普几分呢？你如何肯定他会老老实实地跟踪崔维兹，并且随时报回？你是否算准了他毫无选择余地，因为他担心老婆的安危，因为他想回到她的怀抱？”

“两者都是重要的因素，但我并不完全指望这些。在康普的太空船上，会有一个超波中继器。崔维兹会怀疑有人跟踪，所以会搜查自己的太空船。然而，康普身为一名跟踪者，我猜他不会怀疑还有黄雀在后，所以不太可能发现那个装置。当然，如果他着手寻找，而且找到了，那时我们就得仰赖他老婆的魅力了。”

柯代尔哈哈大笑。“真难想象以前我还得为你上课呢。那么，跟踪到底是为了什么？”

“作为一种双重保障。如果崔维兹被抓到了，也许康普能够接替他的工作，继续提供我们所需要的情报。”

“还有一个问题。如果说，崔维兹竟然找到了第二基地，也回报给我们，或者也许是康普报告的，或者他们两人都遇难了，我们却获得充分的证据，足以怀疑第二基地的存在，那又该怎么办？”

“我倒希望第二基地的确存在，里奥诺。”她说，“无论如何，谢顿计划不能再帮我们多久了。伟大的哈里·谢顿拟定这套计划的时候，帝国已经奄奄一息，当时科技的发展几乎等于零。谢顿总也是时代的产物，不管心理史学这门近乎神话的科学有多么灵光，也一定有局限性，必定无法容纳迅速进展的科技。然而，基地的科技发展就是如此神速，尤其是过去这一个世纪。我们现在所拥有的质量侦测仪，是前人做梦也想不到的；我们的电脑已经能够靠思想控制；此外，还有一项最重要的发明，那就是精神防护罩。第二基地即使现在还能控制我们，也不能再维持多久。在我掌权的最后这几年，我要将端点星带上一条新轨。”

“假如事实上，根本没有第二基地呢？”

“那我们就立刻跃上那条新轨。”

05

崔维兹好不容易才睡着一会儿，不多久便感觉有人在推他的肩膀，一次又一次。

他猛然惊醒，睡眼惺忪，搞不懂自己为何躺在一张陌生的床上。“怎么……怎么……”

裴洛拉特带着歉意说：“我很抱歉，崔维兹议员。你是我的客人，我该让你好好睡个觉，不过市长已经来了。”他站在床边，穿着一套法兰绒的睡衣，身子好像有点颤抖。崔维兹勉强清醒过来，这才想起到底是怎么回事。

市长坐在裴洛拉特的起居室，看起来仍是一副气定神闲的模样。柯代尔也跟她一块来了，正在轻抚着自己的白胡子。

崔维兹调整了一下宽腰带，突然冒出一个疑问：布拉诺和柯代尔两人，到底有没有真正分开的时候？

他用揶揄的口吻说：“议会的元气恢复了？议员们开始关切失踪的同仁了？”

市长答道：“是的，议会恢复了一点生气，可是还不足以帮得了你。毫无疑问，我仍然有权力强迫你离去。你将被带到终极太空航站……”

“不是端点太空航站吗，市长女士？连我接受上千民众含泪送别的机会，你都要剥夺吗？”

“我发现你又恢复了少年人的稚气，议员。这令我感到高兴，否则我会觉得有些良心不安。到达终极太空航站之后，你和裴洛拉特教授将悄悄离去。”

“一去不回吗？”

“也许就一去不回。当然啦，”她浅浅一笑，“假如你发现了什么非常重要、非常有用的东西，以致于连我都乐于见到你带回这些情报，你就可以返回此地，甚至还会受到英雄式的欢迎。”

崔维兹漫不经心地点了点头。“这是有可能的。”

“几乎任何事都是有可能的。无论如何，这将是一趟很舒适的旅程。我们拨给你的航具，是最近才研发成功的袖珍型太空艇远星号，这是为了纪念侯伯·马洛当年那艘太空艇。它只需要一个人驾驶，不过内部空间足够舒舒服服容纳三个人。”

崔维兹原本故意摆出玩世不恭的样子，此时突然板起脸孔。“全副武装吗？”

“没有武装，除此之外一应俱全。不管你们到哪里去，你们都是基地公民，随时能向我们的驻外领事求助，所以你们无需武器。有需要的时候，你们可以动用联邦基金——我必须先声明，并非毫无限制。”

“你好大方。”

“这点我也知道，议员。不过，议员，请你弄清楚我的意思。你是去协助裴洛拉特教授寻找地球，在你自己的脑袋里，也只有地球这一个目标。不论你遇到任何人，都必须让他们了解这件事。此外，千万别忘记远星号毫无武装。”

“我是前去寻找地球的，”崔维兹说，“我完全了解这一点。”

“那么你们现在可以走了。”

“对不起，但是显然还有点事我们没讨论到。我的确驾驶过太空船，但是我对最新型的袖珍太空艇毫无经验。万一我不会驾驶，那怎么办？”

“据我所知，远星号的一切完全电脑化。我知道你要问什么，你不必知道如何操作一艘最新型太空艇上的电脑，你想知道的任何事它都会告诉你。还需要些什么吗？”

崔维兹以哀伤的目光，低头打量了自己一下。“我想换件衣服。”

“在那艘太空艇上，你可以找到各种衣物。包括你穿的这种束腰，或者叫宽腰带，不管它叫什么，反正都不缺。教授所需要的一切也全准备好了，该有的东西太空艇上都有。不过我得补充一句，并不包括女伴在内。”

“太糟了，”崔维兹说，“否则会更有趣。不过嘛，此刻我也刚好没有适当人选。话说回来，想必银河处处有佳人，一旦离开此地，我就可以随心所欲了。”

“女伴吗？这个随你的便。”

她缓缓起身。“我不送你们到太空航站了，”她说，“自然会有人送你们去。千万不要试图擅自采取任何行动，如果你想逃跑，我相信他们会马上杀掉你。我既然不在场，就不会有任何人能阻止。”

崔维兹说：“我绝对不会轻举妄动，市长女士，但还有一件事……”

“什么事？”

崔维兹心念电转，最后终于带着笑容说出一番话：“总有一天，市长女士，你会求我伸出援手。那时我会依照自己的决定行事，但我不会忘记过去这两天的遭遇。”他非常希望这个笑容看起来毫不勉强。

布拉诺市长叹了一声。“省省这些戏剧性的台词吧。如果真有这么一天，该来的总是要来，不过目前——我什么也不必求你。”

第四章

太空

01

远星号远比崔维兹想象中更为先进。他依稀记得，当这类新型太空艇正式公开时，有关单位曾大肆宣传，但百闻果然不如一见。

令他惊叹不已的并非太空艇的尺寸，因为它的确相当小。它的设计强调机动性、高速度、完全重力推进，以及最重要的一点——尖端的电脑化操控。所以它不必造得太大，否则反而会令性能大打折扣。

过去类似的太空艇，必须十几个人才能伺候，远星号却只需要一名驾驶员，而且能表现得更好。如果还有一两个人轮班执勤，单单一艘这种太空艇，就能击败异邦大型星舰所组成的小型舰队。此外，它的速度天下第一，能轻易摆脱任何船舰的追击。

整个船体光润如玉，里里外外没有任何多余的线条。每一立方米的容积都发挥到极限，使得内部空间宽广得不可思议。不论市长原先如何强调这趟任务的重要性，崔维兹如今最感惊讶的一点，是自己竟然要亲自驾驶这艘太空艇。

他悲愤不已地想，铜人布拉诺利用诡计，迫使自己从事一项重大无比却危险至极的任务。若非她精心策划这样一个圈套，让他主动表示自己能证明些什么，他或许根本不会接受这个安排。

至于裴洛拉特，现在则惊奇得心神恍惚。“你相信吗？”在登上远星号之前，他伸出一根手指轻抚着船体，“我从来没有这么靠近一艘太空船。”

“教授，凡是你说的话，我当然都相信，不过为什么会这样呢？”

“老实跟你说，我自己也不大清楚，亲爱的伙……我是说，亲爱的崔维兹。我想，是因为我对研究工作太过投入吧。一个人家里如果有一台非常精良的电脑，能够和银河各个角落的电脑联线，你知道吗，他就根本不必走出家门。可是，我总以为太空船应该更大一点。”

“这艘是小型的太空艇，不过，和同样大小的船舰比起来，它的内部空间已经大了许多。”

“怎么可能呢？你是看我什么都不懂，故意跟我开玩笑。”

“不，不，我没有开玩笑。这是第一批完全重力推进的船舰。”

“那又是什么意思？但如果牵涉到太多的物理学，请你不必解释，我相信就是了。就像昨天，我们在讨论人类是单一物种，发源于单一世界时，你无条件接受我的说法一样。”

“裴洛拉特教授，咱们试试吧。在数万年的太空飞航史中，人类曾经使用过化学能发动机、离子发动机、超原子发动机，这些都是庞然大物。旧帝国舰队的星舰，动辄长达五百米，内部的活动空间却小得可怜，顶多一个小房间的容积。好在基地自从建立以来，一直致力于微型化的研究，这都要拜资源缺乏之赐。这艘太空艇便是我们的登峰造极之作。它使用反重力作为推进动力，推进系统根本不占任何空间，因为完全隐藏在船体中。若不是我们仍然需要超原子……”

此时一名安全警卫走了过来。“两位，你们该上去了！”

天色正逐渐明亮，不过距离日出还有半个小时。

崔维兹四下张望。“我的行李都装上去了吗？”

“是的，议员，你将发现里面一应俱全。”

“我猜，衣物可能不太合身，也不合我的品味。”

警卫突然露出带着稚气的笑容。“我想不至于。”他说，“过去三四十个小时，市长命令我们连夜加班。我们根据你原有的衣服，尽量搜购类似的服装，毫不考虑费用。我跟你们说——”他忽然变得十分亲切，同时赶紧环顾四周，仿佛要确定没有人在注意他。“你们两个运气实在太好了，这是全世界最棒的船舰。除了没有武装，设备一应俱全。你们简直太走运了。”

“也可能是走霉运吧。”崔维兹说，“好了，教授，你准备好了吗？”

“带着这个，我就算准备好了。”裴洛拉特一面说，一面举起一个银色塑胶封套，里面装着一个正方形晶片，边长大约二十公分。崔维兹这才想起来，自从离开家门，裴洛拉特就一直拎着这个东西，左手换到右手，右手又换到左手，始终不肯放下来。当他们在半途匆匆吃了一顿早餐的时候，那东西也没有离开他的手。

“教授，那是什么？”

“我的私人图书馆。我所拥有的一切资料，全都放进一片晶片中，按照主题和出处分门别类。如果你认为这艘太空艇巧夺天工，这个晶片又如何？我所有的藏书！我所搜集的一切！太妙啦！太妙啦！”

“嗯，”崔维兹说，“我们的确正在走运。”

02

崔维兹对太空艇的内部设计也赞不绝口，空间的利用简直巧妙至极。储藏室里装满食品、衣物、影片与游戏器材，此外还有一间健身房、一间起居室，以及两间几乎一模一样的寝室。

“这间寝室一定是你的，教授。”崔维兹说，“至少，里面有一台特效阅读机。”

“太好了。”裴洛拉特志得意满地说，“我以前真是一头笨驴，竟然一直排斥太空飞行。原来，亲爱的崔维兹，我可以心满意足地住在这里面。”

“比我想象中还要宽敞。”崔维兹高兴地说。

“引擎真的装在船体中，如你所说的那样？”

“至少控制装置一定是的。我们无需储存燃料，也不必用任何燃料。我们使用的是宇宙本身所蕴涵的基本能量，因此可以说，燃料和引擎——全都在外面。”他随手指了指。

“嗯，我突然想到，万一发生什么故障，又该怎么办？”

崔维兹耸了耸肩。“我受过太空飞航训练，但不是在这种太空艇上。如果重力子装置出了问题，只怕我根本束手无策。”

“但是你会开这艘太空艇？我是说，驾驶它？”

“我自己也不禁怀疑。”

裴洛拉特说："你想这会不会是一艘全自动太空艇？我们有没有可能只是乘客？或许我们只要乖乖坐着就行了。"

"在恒星系之内，往返行星和太空站之间的太空交通船，的确是有全自动的。但我从来没听过全自动的超空间航行，至少目前为止——目前为止。"

他再次环顾四周，心中突然感到些许不安。那个巫婆市长是否早已布置好一切？基地已经拥有全自动星际航行能力了？难道他就像太空艇内的陈设一样，毫无选择余地，只能乖乖地等着被送到川陀？

他故意装出快活的声调，说道："教授，你先坐一下。市长曾经说过，这是一艘完全电脑化的太空艇。既然你的舱房有特效阅读机，我的舱房就该有电脑。你先好好休息一会儿，我一个人到处查看一下。"

裴洛拉特立刻露出忧虑的神情。"崔维兹，我亲爱的兄弟，你不是想溜走吧？"

"教授，我绝对没有这种打算。即使我真要开溜，你也大可放心，我一定会被挡驾的，市长可不想让我轻易溜掉。我现在唯一想做的，只是找到操纵远星号的装置。"他微微一笑，"我不会丢下你的，教授。"

当他进入那间想当然是自己的寝室时，还一直把笑容挂在脸上。等到他将舱门轻轻关上之后，表情却渐渐变得严肃。照理说，太空艇上一定装有某种通讯设备，以便跟附近的行星联络。因为实在很难想象，会故意将一艘船舰密封起来，使它与外界完全隔绝。所以说，在某个地方——也许是在哪个壁槽中——配备有联络器。只要找得到，他就可以联络市长办公室，询问操纵装置究竟在何处。

他仔细查看每一面舱壁，又检查了床头板与其他各种光洁的陈设。如果这里找不到，他决定搜遍太空艇的每个角落。

正打算转身离去时，他突然看到淡棕色的平滑桌面发出闪烁的光芒。那是一圈光晕，里面映着一行整齐的字迹：电脑界面。

啊哈！

不过他的心跳随即加快。各式各样的电脑种类实在太多，相关程序需要花费许多时间才能熟练。崔维兹从未低估自己的智慧，可是，他也并非万事通。有些人天生有操作电脑的本事，却也有人刚好相反——崔维兹非常清楚自己属于哪一类。

在基地舰队服役时，他官拜上尉，有时需要担任值日官，所以偶尔得使用星舰上的电脑。然而，他从来没有独力操作电脑的经验，而且，除了值日官必须懂得的例行程序之外，他向来不必知道更多的细节。

他想起那些厚重的程序手册，上面密密麻麻印着写满注解的程序，一颗心不由得往下沉。他还记得那位名叫克拉斯乃特的电脑技术士官，每次坐在星舰电脑控制台前的样子。他操作电脑的方式，仿佛在演奏银河间最复杂的乐器，而且每次都流露出冷漠的神情，似乎嫌它太过简单。但他难免也需要翻查那些手册，而且一面翻，一面骂自己笨蛋。

崔维兹迟疑地伸出食指触摸那圈光晕，光芒立刻扩散到整个桌面，上面显现出两只手掌的轮廓：一左一右。此时桌面突然动了起来，平稳而流畅地形成四十五度的斜面。

崔维兹赶紧在桌前坐下。根本无需任何说明，他该怎么做再明显不过了。

他将双手放到桌面的手掌轮廓上，无论距离或角度都恰到好处。桌面摸起来似乎很柔软，近乎触摸天鹅绒那种感觉，而且他感到手掌陷了进去。

他吃惊地瞪着自己的双手，手掌明明还摆在桌面上。但那只是视觉送来的讯息，对触觉而言，桌面似乎被穿透了，而双手仿佛已被某种轻柔温暖的质料所包裹。

怎么回事？

现在该怎么做？

他四下张望，随即感受到一个讯息，便将眼睛闭了起来。

他什么也没听到，什么都没有听到！

可是在他的脑海，仿佛自行冒出一个飘忽的念头，内容是：“请闭上眼睛，放轻松，我们即将进行接触。”

借着一双手？

崔维兹一向认为，若要藉由思想和电脑直接沟通，就必须戴上特制的头罩，同时在头颅与眼睛上贴满电极。

用手？

为何不能用手呢？崔维兹觉得有点恍惚，几乎昏昏欲睡，可是神智依旧敏锐无比。又为何不能用手呢?

眼睛只不过是一种感官，大脑只不过是中央交换机。大脑藏在头盖骨中，与身体的工作界面相距甚远。双手才是真正的工作界面，人类就是依靠万能的双手，来感知和操控整个宇宙。

人类是利用双手来思考的动物。唯有双手可以满足人类的好奇心，可以感触、掐捏、扭转、抬举。许多动物的脑容量也不小，但是它们没有手，这就天差地远了。

当他与电脑“手牵手”的时候，两者的思想融合为一，他的眼睛是睁是闭不再重要。睁开双眼并不能增加视力，闭起来也不会模糊不清。

反正，他能将这个舱房看得一清二楚。并不仅限于正前方，而是包括上下左右和四面八方。

此外，他能看见太空艇的每一间舱房，甚至看得到外面的景象。如今太阳已经升起，阳光在晨雾中有些朦胧。他能直接逼视太阳的光芒，并不会感到刺眼，因为电脑已经自动将光波过滤一遍。

他感觉到微风的吹拂、空气的温度，还有周遭所有的声音。他探触到了这颗行星的磁场，以及太空艇外壳的微弱电荷。

他终于明白了如何操纵这艘太空艇，那些繁杂的细节根本不重要。他只需要知道，若想让太空艇上升、转向、加速，或者执行任何一项功能，过程就像让自己的身体做出类似的动作，只要运用自己的意志即可。

但他的意志并非完全独立，电脑随时能凌驾其上。此时此刻，他的脑海中又浮现了完整的一句话，使他明白太空艇将在何时以及如何升空。这些过程毫无商量的余地。而从现在开始，他完全确定自己已经能决定一切。

当他将电脑辅助的意识向外投射时，发现自己能感测到高层大气的状况，能看出气候的形态，还能探知周围上上下下各艘船舰的活动。所有这些情况都必须纳入考虑，而电脑的确在详加分析。此外崔维兹领悟到，即使电脑没有做到，他只要希望电脑那么做，就再也不用操心了。

过去那些大本大本的程序手册，现在完全没有必要了。崔维兹又想到技术士官克拉斯乃特，不禁会心一笑。虽然许多报道都在强调，重力子学将会带来重大的科技革命，其实，电脑与心灵的融合才是基地的最高机密，而它势必引起一场更伟大的革命。

他也意识到时光的推移，并且知道现在的精确时间，包括“端点星当地时间”与“银河标准时间”。

可是他怎样离开呢？

就在这个念头闪入脑海之际，他的双手已经被松开，桌面也回复到原先的位置。下一瞬间，崔维兹便只剩下原先的感官。

他顿时感到孤独无助，仿佛在体验了神力的拥抱与保护之后，突然又遭到遗弃。若非晓得随时能够重建接触，那种绝望感足以令他痛哭流涕。

现在他只需要调整自己的心态，重新适应局限的感官。然后他茫然地站起来，走出了那间寝室。

裴洛拉特显然已经把特效阅读机调整完毕。他抬起头来，对崔维兹说：“这个装置非常好用，具有优异的搜寻程序。好孩子，你找到操纵装置了吗？”

“找着了，教授，一切都很顺利。”

“既然如此，我们是否该做些起飞前的准备工作？我的意思是，一些安全防范？我们是不是该绑上安全带，或者做些什么别的？我想找这方面的说明，却什么也没找到，这令我神经紧张。我得专心安装我的图书馆，万一我在工作的时候……”

崔维兹伸出双手推了推老教授，希望喋喋不休的他赶快闭嘴，可是一点用也没有。崔维兹只好提高音量，以便盖过对方的声音。“通通没有必要，教授。反重力和零惯性是等效的，当太空艇改变速度时，我们不会感到任何加速度，因为艇上每一件物体，都会同时改变速度。”

“你的意思是，当我们由这颗行星起飞，进入太空的时候，我们会毫无感觉？”

“我正是这个意思，因为在我跟你讲话的时候，我们已经升空了。再过几分钟，我们即将切入高层大气，半小时之内，我们就会进入外太空。”

03

裴洛拉特瞪着崔维兹，似乎有些畏缩。他那张长方形的脸孔一片空洞，除了显得极不自在，完全看不出任何情绪。

然后，他的眼珠向右瞥，又一路转到最左侧。

崔维兹马上想起来，当初自己首次离开大气层时，曾有过什么样的感受。

他尽可能以轻描淡写的口气说："詹诺夫，" 这是他第一次如此亲昵地称呼老教授，不过这回是老手安慰新手，自己确有必要装得"老大"一点，"我们绝对安全无虞，我们是在基地战舰的肚子里头。虽然它毫无武装，可是我们跑遍银河，基地的名号都足以保护我们。即使有哪艘船舰发了狂，想要攻击我们，我们也能在瞬间脱身。而且我向你保证，我发现自己完全能掌控这艘太空艇。"

裴洛拉特说："我只是突然想到，葛……葛兰，想到那种空无……"

"哎，端点星周围同样是一片空无。我们生活在行星的表面，和头上空无的太空之间，隔的也只是一层稀薄的空气。我们现在的行动，只是穿过那薄薄的一层而已。"

"那或许只是薄薄的一层，却是我们呼吸的空气。"

"我们在这里照样能呼吸。相较于端点星的自然大气层，太空艇的空气更清洁、更纯净，而且会永远保持这般清洁和纯净。"

"那么流星呢？"

"流星又怎么样？"

"大气层可以阻挡流星的侵袭，同理，也可以挡住放射线。"

崔维兹说："人类从事太空旅行，至今已有两万年之久，我相信……"

“两万两千年。如果我们根据《霍尔布拉克年表》，显然可以追溯到……”

“够了！你可听说过由于流星的袭击或放射线的伤害而造成的太空意外吗？我是说最近有吗？我的意思是，基地船舰遭遇过这种意外吗？”

“我倒是从未真正注意这些新闻，但我是历史学家，好孩子，所以……”

“历史上，没错，的确发生过这种事，可是科技在不断进步。凡是大到足以危害我们的流星，只要接近到某个距离，我们都会采取必要的闪避措施。假使有四颗大流星，同时从四个不同方向袭来，就像来自正四面体的四个顶点，而太空艇位在正中心，那倒有可能被击中。不过如果计算这种事件的几率，你将会发现，想要观察到这种有趣的现象，在你老死一兆兆次之后，几率还不会超过百分之五十。”

“你的意思是，如果由你控制电脑的话？”

“不对。”崔维兹以轻蔑的口气说，“如果我凭本身的感官和反应操纵电脑，那么在我还浑然不觉的时候，我们可能就被流星击中了。其实，真正在工作的就是电脑，它的反应比你我快上千百万倍。”他突然伸出手来抓住对方，“詹诺夫，来，我让你看看电脑能做些什么，并且让你看看太空是什么样子。”

裴洛拉特张大眼睛，眼珠转个不停。然后，他笑了两声。“葛兰，我不确定自己想不想知道。”

“你当然会犹豫，詹诺夫，因为你不晓得将会知道些什么。试试看！来啊！到我的舱房去！”

崔维兹抓着对方的手，将他半推半拉到自己的舱房。等坐到了电脑前面，崔维兹又说：“你曾经见过银河吗，詹诺夫？你曾经仔细看过吗？”

裴洛拉特说：“你是指天上的那个？”

“当然啦，还有另外一个吗？”

“我见过，每个人都见过。只要抬起头来，就能够看到。”

“你曾经在晴朗的黑夜，当‘钻石群’降到地平线之下的时候，仔细端详过银河吗？”

所谓的钻石群，是指几颗距离端点星不远，而且光度够强，因而能在夜空显出中等亮度的恒星。在天球中，这一小簇星辰范围不超过二十度，而且夜晚大部分时间都处于地平线之下。除了这个钻石群，夜空各处还散布着一些黯淡的星辰，肉眼仅能勉强看见。此外，就只剩下模糊的乳白色银河。由于端点星位于银河旋臂最外环的端点，其上居民夜晚见到的天象，必然就是这个样子。

“我想有吧，可是为何要仔细端详呢？那只是个普通的景象。”

“当然只是个普通的景象。”崔维兹说，“正因为如此，谁也没有好好看过。如果你随时都看得到，又何必刻意仔细观察呢？不过现在你有机会好好看一看，而且是从太空中眺望，你将看到前所未见的新面貌。从端点星表面观察天象，总是会受到云雾的干扰，不论你如何发挥目力，不论星空多么晴朗，不论周围多么黑暗，你以前所看到的银河，保证都无法媲美这一回。我多么希望自己从未到过太空，这样就能像你一样，今天首次目睹银河赤裸的美感。”

他推了一张椅子给裴洛拉特。“坐下来，詹诺夫。这得花点时间，我必须慢慢适应这台电脑。根据我已经感觉到的，我知道显像是全息式的，所以不需要任何屏幕。显像会直接输入我的大脑，但我想可以叫它再产生一个客观影像，让你也能看到。请你把灯关上好吗？不，我真笨，我可以叫电脑做这件事，你坐在那里就行了。”

崔维兹开始与电脑接触，感到电脑热情而亲切地握住他的双手。

灯光逐渐暗下来，终至完全熄灭，裴洛拉特在黑暗中坐立不安。

崔维兹说：“别紧张，詹诺夫。我正在试着控制这台电脑，也许会碰到些小麻烦，不过我会步步为营，所以你得耐心一点。你看到了没有？那个新月形？”

黑暗中，那个新月形悬垂在他们眼前。起初有点黯淡，也有些晃动，不过愈来愈清晰明亮。

裴洛拉特的声音充满着敬畏。“那就是端点星吗？我们距离它那么远了？”

“对，太空艇飞得很快。”

此时，太空艇正沿着弧形轨道飞入夜面阴影，因此端点星看来是一弯明亮的半月形。崔维兹突然起了一股冲动，想要以大弧度飞到这颗行星的日面，看看它整体的美感，不过总算按捺住了。

裴洛拉特也许会觉得那是新奇的经验，不过那种美感实在很平凡。它在数不尽的相片、地图和天体仪上屡见不鲜，每个小孩都晓得端点星像什么样子。它是一颗多水的行星——多于大多数的行星——水源丰富而矿藏贫乏，适宜农业而不利重工业。但是，它却拥有全银河最先进的精密科技与微型化工业。

他若能让电脑分析微波数据，再转成一个可见光模型，端点星上一万个住人岛屿都能一览无遗。其中只有一个岛比较大，勉强可以算是大陆，端点市便位于其上……

转向！

只不过是一个念头，一个意念的运用，显像就瞬间改变了。有如新月的端点星移到了视线边缘，随即完全消失。现在他眼中只有黑暗的太空，连一颗星星也看不见。

裴洛拉特清了清喉咙。“我希望你能把端点星找回来，好孩子，我现在感觉像个瞎子。”他的声音中透着紧绷的气息。

“你并没有瞎。看！”

一团半透明的薄雾，陡然跃入他们的视野。薄雾渐渐扩散，变得愈来愈耀眼，直到整个舱房好像都燃烧起来。

缩影！

又是一次意念的运用，银河随即向后退却，仿佛是将望远镜倒转过来看，并且不断增加缩小的倍率。银河不停地收缩，最后变成一个光度变换不定的圆盘。

调高亮度！

圆盘变得愈来愈亮，尺度则始终固定。因为端点星所属的恒星系位于“银河盘面”上方，他们看到的并非银河的正侧面。如今呈现他们眼前的影像，是缩小了无数倍的银河双螺旋。在靠近端点星的一侧，许多黑暗星云的缝隙呈现弧形暗纹。核心处则是乳脂状的雾气，由于距离太远，几乎收缩成了一点，看起来毫不显眼。

裴洛拉特以敬畏的口吻，悄声道：“你说对了，我从未见过这样子的银河，我做梦也想不到它的结构那么复杂。”

“你怎么可能看到过呢？端点星的大气层挡在你和银河之间，你根本看不见外面那一半。而且你从端点星上，也几乎看不到银河的核心。”

“真可惜，我们只能从侧面来看。”

“并不一定，电脑能显现出各个方向所见的银河。我只要表示出这个愿望，甚至不必使劲想。”

转换坐标！

这个意念等于一个明确的指令。当银河的影像开始慢慢改变时，他的心灵继续指导着电脑，让它依照自己的心意运作。

整个银河缓缓转向，终于使得银河盘面垂直于他们的视线。现在，银河展成一个闪烁的巨大漩涡，其中有许多黑暗的曲线与光灿的节点，中心处则是近乎无形的炽焰。

裴洛拉特问道：“这样的景象，必须在距离此地超过五万秒差距的太空中才见得到，电脑怎么有办法显现出来？”但他随即压低了声音说，“请原谅我这么问，我对这一切一无所知。”

崔维兹说：“我对这套电脑的了解，比你多不了多少。然而，即使是一台简单的电脑，也具有调整坐标的功能，可以从它真正的位置——也就是电脑在太空中的方位——变换到其他任何方位，再来显示银河的景象。当然，电脑只能利用它观测得到的资料，所以在转换成广角镜头时，显像中就会出现缝隙和模糊之处。不过，现在……”

“怎么样？”

“我们看到一个逼真的显像。我猜这台电脑储存有完整的银河地图，所以不论从哪一个角度显像，都能做得一样好。”

“完整的银河地图，那是什么意思？”

“银河中每一颗恒星的空间坐标，电脑记忆库里一定都有。”

“每一颗恒星？”裴洛拉特不禁肃然起敬。

“嗯，也许并不是三千亿颗都有。但是，一定包括每个住人行星所属的恒星，也可能每一个属于K型光谱，以及更热的恒星都包括在内，这就代表至少有七百五十亿颗。”

“每一个住人行星所属的恒星？”

“我可不想打包票，也许不是全部。总之，在哈里·谢顿的时代，已经存在二千五百万颗住人行星。听起来虽然很多，其实只是所有恒星的一万二千分之一。而谢顿时代距今已有五个世纪，帝国的崩溃并没有阻碍人类继续殖民，我认为反倒有鼓励作用。银河中还有许多适宜住人的行星，所以如今或许已有三千万颗有人居住。在基地的记录中，有可能漏掉一些新的世界。”

“但是那些老的呢？它们当然应该都在里面，不会有任何例外。”

“我的确这么想，当然我也无法保证。可是，如果有哪个历史悠久的住人行星，在记录中竟然查不出来，我会感到十分惊讶。让我给你看一样东西，希望我有足够的能力控制电脑。”

崔维兹双手微微用力，手掌便似乎陷得更深，而且被电脑抓得更紧。或许他没有必要那么做，或许他只需要随随便便、轻轻松松地默念：端点星!

他动的正是这个念头，电脑也立即有了反应，在巨大漩涡的极边缘处，出现一颗闪亮的红宝石。

“我们的太阳在那里，”他兴奋地说，“它就是端点星所环绕的恒星。”

“啊。”裴洛拉特发出低沉而颤抖的叹息。

接着，在银河心脏地带的群星丛聚之处，突然迸现一个闪亮的黄色光点。这个光点并非位于正中央，而是较偏向端点星那一侧。

“那一颗，”崔维兹说，“是川陀的太阳。”

又叹了一声之后，裴洛拉特才说：“你确定吗？可是人们总是说，川陀位于银河的中心。”

“就某个角度而言，它的确如此。在所有的可住人行星中，川陀是最接近中心的一颗，远比任何主要的住人星系更为接近。银河系真正的中心，被一个巨大的黑洞占据，它的质量超过百万颗恒星，所以银河中心是个可怕的地方。根据我们现有的资料，那个实际的中心没有任何生命迹象，也许根本就不容许有生命存在。川陀位于银河旋臂的最内环，而且请你相信，你若有机会目睹它的夜空，必定认为它的确位于银河中心，因为它被无比稠密的星丛层层包围。”

“你到过川陀吗，葛兰？”裴洛拉特带着明显的羡慕问道。

“其实也没有，但我观赏过川陀夜空的全息模型。”

然后，崔维兹怀着忧郁的心情，凝视着面前的银河影像。在骡的时代，整个银河都在寻找第二基地，当时曾有多少人绞尽脑汁参研银河地图？后来，记载、讨论、演义这段历史的书籍又有多少？

这都是因为哈里·谢顿一开始就说，第二基地将建立在“银河的另一端”，一个名为“群星的尽头”之处。

银河的另一端！崔维兹闪过这个念头之际，一条细微的蓝线已经出现，以端点星为起点，穿过中心黑洞之后，又一路延伸到对角的尽头。崔维兹差点就跳起来，他并未下令叫电脑画出这条线，却曾经清楚地想到这一点，这对电脑而言已经足够了。

不过，当然，这条跨越银河的直线，不一定就是指向谢顿所说的“另一端”。艾卡蒂·达瑞尔曾经使用“圆没有端点”这句话（只要你愿意相信她的自传），来说明一个目前公认的事实……

虽然崔维兹赶快将这个想法压下去，电脑却比他快了无数倍。那条直线随即消失无踪，取而代之的是环绕银河边缘的蓝色圆圈，它刚好穿过那个深红色光点，也就是端点星的太阳。

圆没有端点，如果这个圆周的起点是端点星，若想找出另一端，最后势必回到端点星上。当年，果然在那里发现第二基地，它和第一基地竟然处于同一个世界。

可是，倘若事实上，根本没有真正找到它，万一所谓的“寻获第二基地”只是个幌子，那又该怎么办？针对这个谜语，除了直线与圆周，还能有什么合理的答案？

裴洛拉特问道：“你在制造什么幻象吗？为什么有个蓝圆圈？”

“我只是在测试对电脑的控制。你想不想找出地球的位置？”

愣了一会儿或两会儿之后，裴洛拉特才说：“你在开玩笑吗？”

“没有，让我试试看。”

崔维兹试了试，并无任何反应。

“很抱歉。”他说。

“没有吗？没有地球？”

“我猜大概是我没把命令想对，但这又不大可能。更可能的原因，我猜是电脑并未收录地球的资料。”

裴洛拉特说：“也许记录中是用另一个名称。”

崔维兹立刻追问：“什么另一个名称，詹诺夫？”

裴洛拉特却什么也没说，崔维兹只好在黑暗中微微一笑。他突然想到，凡事必须等待时机成熟，才有可能水到渠成，姑且暂时不提这件事吧。于是，他故意改变话题说：“我想试试能否操纵时间。”

“时间！我们怎么办得到？”

“整个银河系在不断旋转。端点星要花上将近五亿年的时间，才能绕行银河一大圈。当然，愈是接近中心的星体，转完一周的时间就愈短。每一颗恒星相对于中心黑洞的运动，或许电脑中都有记录，如果真是这样，就有可能叫电脑将运动速度加快千百万倍，让我们看得出旋转效应。我可以试着做做看。”

他说做就做，当他驱动意念时，全身肌肉不自禁地紧绷起来。仿佛他只手抓住整个银河，用力推动它，扭转它，使它克服了骇人的阻力而开始旋转。

银河动了。缓慢地，庄严地，顺着将旋臂旋紧的方向，银河开始旋转了。

时间以不可思议的脚步掠过两人眼前，那是一种虚幻的、人工的时间。随着这个人工时间迅速流逝，星辰全部化作过眼云烟。

各处都有一些较大的恒星，在逐渐膨胀成红巨星的过程中，颜色愈变愈红，光焰愈来愈强。然后在中央星丛里，一颗恒星无声地爆炸，发出眩目的光芒，令整个银河黯然失色，但下一瞬间随即烟消云散。接着，在某个旋臂中，又出现一次这般的爆炸，不多久附近又爆了一颗。

“超新星。”崔维兹的声音微微发颤。

难道说，电脑有本事精确预测哪颗恒星会在什么时间爆炸？或者只是使用某种简化的模型，概略地显现群星未来的命运，而不是作出精准的预测？

裴洛拉特沙哑地悄声说：“银河看起来像个生物，正在太空中爬行。”

“的确如此，”崔维兹说，“不过我却累了。除非学到一种不那么吃力的方法，这个游戏我没法再玩多久。”

说完他就放弃了。银河随即慢了下来，然后趋于静止，接着又开始倾斜，最后回复到侧面的影像，这正是他们一开始见到的银河。

崔维兹闭起眼睛，做了几次深呼吸。此时，他们正穿过大气层最外围，他能够感知端点星正在逐渐缩小，还能够感知附近太空中的每一艘船舰。

他并未想到要侦察一下，看看周围是否有哪艘船舰特别不同——是否还有一艘同样以重力推进的太空艇，和他们的轨迹太过接近，绝非只是巧合？

第五章

发言者

01

川陀！

曾经有八千年的岁月，银河中一个强大的政治实体以它为首府。这个政体不断对外扩张，形成一个愈来愈庞大的行星系联盟。之后的一万两千年，一个掌控整个银河的政权定都于此，川陀就是银河帝国的中枢、心脏与缩影。

任何人想到帝国，绝不可能不联想到川陀。

帝国走了很长一段下坡路之后，川陀的物质文明才攀上巅峰。事实上，由于川陀表面的金属始终灿烂耀眼，当时谁也没注意到帝国业已失去原动力，前途已经毫无希望。

当川陀变成一个环球都会时，它的发展达到了极致。此时人口总数（依法）固定在四百五十亿，而行星表面唯一的绿地，只剩下皇宫的所在地，以及“银河大学／图书馆”的复合体。

整个川陀表面皆被金属包覆，沙漠与沃土一视同仁被掩埋在金属之下。其上则是拥挤的住宅区、林林总总的行政机关、电脑化的精密工厂，以及储存粮食与零件的巨大仓库。所有的山脉皆被铲除，每一个断层都被填平，市区数不清的地下回廊一直延伸到大陆架。至于海洋，则变成巨大的地底水产养殖场，是这个世界唯一的粮食与矿物产地（当然无法自给自足）。

川陀所需的一切资源，绝大多数依靠与外围世界的交通。这个庞大的运输网，包括川陀的上千座太空航站、上万艘战舰、十万艘太空商船，以及百万艘太空货轮。

银河中再也没有另一座大城市，新陈代谢如川陀这般频密，也没有任何行星的太阳能使用率超过此地，或是像它这般走极端地排放废热。在川陀世界的夜面，无数闪亮的散热器伸入稀薄的高层大气，而在另一侧的日面，同样的散热器尽数收进金属层中。随着这颗行星的自转，当某地渐渐夜幕低垂时，散热器便缓缓升起，而在黎明破晓时分，又一个接一个沉入地下。因此，川陀表面永远存在一种人工的不对称，几乎已经成为它的标志。

在川陀的巅峰时期，它统治着整个帝国！

它的统治不怎么样，不过也没有任何世界能将帝国治理得好。帝国实在疆域太过辽阔，无法让单一世界君临天下，即使最强而有力的皇帝也不例外。而在帝国走向败亡之际，当权者都是狡狯的政客与愚蠢无能之辈，他们将皇冠视为私相授受的囊中物，而官僚政治则发展成贪污和贿赂，在这种情况下，川陀又怎能将帝国治理得好？

但即使一切跌到谷底，整个体制仍然需要一个引擎，因此，银河帝国绝对不能没有川陀。

虽然帝国一步步土崩瓦解，但只要川陀仍旧是川陀，帝国的核心便依然存在，各种假象便能继续维持，诸如得意与骄傲，传统与权力，以及黄金时代。

意料不到的事竟然发生了，川陀终于陷落敌手，而且遭到烧杀掳掠。数百亿居民惨遭杀害，数百万幸存者面临大饥荒。“蛮子”的舰队将强固的金属表层炸得百孔千疮，甚至将许多处熔毁殆尽。直到这一天，大家才认为帝国真正灭亡。在这个曾经独步银河的世界上，幸存者为了活口，只好将剩余的金属表层逐一拆解。又过了一个世代，川陀便从人类有史以来最伟大的行星，转变成难以想象的一片废墟。

“大浩劫”已经过去两百多年，但在银河其他各处的人，始终未能忘怀川陀当年的盛况。川陀永远是历史小说的热门题材，是集体记忆最珍贵的象征，也将永远保存在格言成语之中，例如“艘艘星舰落川陀”“大海捞针，川陀寻人”“这玩意跟川陀一样独一无二”等等。

在银河每一个角落……

可是唯独川陀不然！在这里，昔日的川陀已遭到遗忘，金属表层几乎完全消失。川陀现在成了一个农业世界，散居着一些自给自足的农民。难得有太空商船来到此地，即使偶尔真有一艘降落，也不见得特别受欢迎。而“川陀”这个名称，虽然正式场合仍然出现，但是在口语中已不再通用。根据今日川陀人使用的方言，这个世界称作“阿姆”，翻译成银河标准语，它的意思就是“母星”。

这些思绪在昆多·桑帝斯的脑海中此起彼落，此外他还想到了更多更多。此时他正安稳地坐在那里，进入一种舒适的假寐状态。在这种境界中，他的心灵可以自动运作，产生许多杂乱无章的意识之流。

他担任第二基地的第一发言者已有二十余年，只要他的心灵依旧强健，能够继续投入政治斗争，这个位子当然还能再坐上十年到十二年。

他可算是端点市长的镜像，但是两者在各方面又大不相同。端点市长统治第一基地，威名响彻银河；对于其他世界而言，第一基地就是唯一的基地。而第二基地的第一发言者，只有身边的同僚才认识他。

事实上，真正掌握实权的是第二基地，而第二基地的领导人，便是历代的第一发言者。在有形力量、科技与武器的领域中，第一基地有着至高无上的成就。而在精神力量、心灵科学和心智控制这方面，第二基地无疑拥有绝对的权威。双方一旦发生冲突，就算第一基地拥有再多的星舰与武器，如果控制这些武力的人被第二基地控制着心智，一切又何足为惧？

然而这个神秘的力量，还能再使他志得意满多久？

他是第二十五代第一发言者，相较于历代第一发言者，他在位已经略微超过平均年数。他是否应当不再如此眷恋这个位子，让年轻一辈有出头的机会？例如那个坚迪柏发言者，他是圆桌会议上最新的成员，也是心灵最敏锐的一位。他们今晚将要碰面，桑帝斯欣然期待这个机会。而他是否也该欣然期待，坚迪柏有朝一日可能继任第一发言者？

这个问题，标准答案是桑帝斯尚未认真考虑退位，他实在太喜欢这个职位了。

现在，他默默坐在那里，虽然年纪一大把了，仍然能够完美地履行职务。他的头发已经灰白，可是由于发色一向很淡，又剪得只剩寸许，所以变化并不显著。此外，他的蓝眼珠也开始褪色。他一身朴素的服装，则是刻意模仿川陀农民。

只要他愿意，这位第一发言者能够随意混迹阿姆人之间，不会露出任何马脚。可是，他的精神力量始终如影随形。他随时能将目光与心灵聚焦在某人身上，而那人便会遵循他的心意行事，事后根本毫无记忆。

不过这种事很少发生，几乎从来没有。第二基地的金科玉律是：“什么都别做，除非万不得已；非做不可时，仍要三思而后行。”

想到这里，第一发言者轻叹了一声。他们生活在银河大学昔日的校园中，皇宫废墟的庄严古迹就在不远之处，偶尔环顾四周，难免令人怀疑金科玉律只是金玉其外罢了。

大浩劫发生之际，这条金科玉律差一点被放弃。想要保护川陀，必须牺牲建立第二帝国的谢顿计划。拯救四百五十亿生灵虽然符合人道，可是这样一来，第一帝国的核心就不会消失，整个计划便注定遭到延搁。数个世纪后，将会带来更大的灾难，也许第二帝国永远无法出现……

早期几位第一发言者，曾经花了数十年光阴，研究这个早已预见的大浩劫，却苦于找不出解决之道。拯救川陀与建立第二帝国，是无法两全其美的事。两害相权取其轻，因此川陀必须毁灭！

当时的第二基地分子，仍然冒了绝大的风险，设法把“银河大学／图书馆”保存下来，却因此带来无穷的后患。虽然从来没有人能证明，这个举动导致了骡在银河历史上的暴起，总有人直觉地认为两者必有关联。

差点就让一切前功尽弃！

然而，经过大浩劫与骡乱的数十年动荡后，第二基地迈入黄金时代。

在此之前，亦即谢顿死后的两百五十多年间，第二基地如地鼠般躲在银河图书馆里，一心只想避开帝国的耳目。在日渐衰微的社会中，愈来愈名不符实的银河图书馆越来越不受重视，他们便以图书馆员的身份出现。这座遭人遗弃的图书馆，作为第二基地的大本营再适合不过。

那是一种与世隔绝的生活，他们只需要全心全意保护谢顿计划。与此同时，在银河的某个端点，第一基地为了图存，必须跟一波强过一波的敌人奋战——完全未曾获得第二基地的协助，对它也几乎没有任何了解。

正是大浩劫解放了第二基地，这也是第二基地默许大浩劫的另一个原因。一向勇于表达意见的年轻人坚迪柏最近曾说，其实这根本就是主因。

经过大浩劫的洗礼，帝国正式宣告灭亡，从此之后，川陀上的幸存者从未擅自闯入第二基地的地盘。“银河大学／图书馆”既然躲过了大浩劫，第二基地更要让它免于“大复兴”的干扰，连皇宫废墟也顺便保存下来。除了这里，整个世界的金属表层几乎一块不剩。而地底无数盘根错节的巨大回廊，则全部遭到掩盖、填埋、扭曲、毁坏、弃置，通通埋葬在土石之下——唯有此地例外，昔日绿地的四周仍旧围绕着一大圈金属。

此地或可被视为一代伟业的巨大纪念碑、昔日帝国的衣冠冢。但在川陀人（阿姆人）心目中，该处却是不祥之地，充满冤死的亡魂，绝对不能随便惊扰。因此，只有第二基地分子穿梭在古代的回廊中，触摸得到闪闪发光的钛金属。

即使如此，由于骡的出现，第二基地的心血差点全部白费。

骡曾经亲自到过川陀。假使当时他晓得这个世界的真面目，又会有什么结果？骡所拥有的传统武器比第二基地强大无数倍，他的精神力量也和对手旗鼓相当。然而，一来受到金科玉律的限制，二来由于充分了解眼前的胜利可能预示着更大的挫败，第二基地总是感到绑手绑脚。

如果不是贝泰·达瑞尔当机立断，后果真是不堪设想。而她那次的行动，也几乎没有第二基地的协助！

接着便开始了黄金时代。前后几代的第一发言者，终于找到主动出击的方法，遏止了骡的泛银河攻势，进而控制住他的心灵。数十年之后，当第一基地对他们愈来愈好奇、愈来愈疑心的时候，第二基地经过一番努力，也总算成功地使对方收兵。其中，第十九代第一发言者（也是有史以来最伟大的一位）普芮姆·帕佛，完成一项精心设计的计划，一举消除了所有的危机；以重大牺牲为代价，拯救了谢顿计划未来的命运。

过去一百二十年间，第二基地恢复往日的状态，隐匿在川陀某个鬼影幢幢的地方。他们不必再回避帝国，却仍然需要和第一基地躲迷藏。如今的第一基地，几乎已经和昔日的银河帝国一样强大，而科技更是青出于蓝。

想到这里，第一发言者慵懒地闭上眼睛，进入一种无我的境界，体会到一种如真似幻的松弛感。这并非全然是梦境，却也不是绝对的清醒。

雨过天晴，一切都会愈来愈好。川陀依旧是银河的首府，因为第二基地就在这里。比起当年那些皇帝，他们力量更强大，控制得更得心应手。

第一基地始终只是傀儡，由第二基地负责操纵，使它的举动正确无误。不论他们如何船坚炮利，只要在必要的时候，关键人物都受到精神控制，他们也只有乖乖听命的份。

有朝一日，第二帝国终将诞生，但不会是第一帝国的翻版。它将是一个联邦制帝国，成员都拥有相当的自治权，因此不会出现一个外强中干的中央集权政府。新帝国的结构将较为松散，较富有弹性和韧性，因而更具应变能力。隐藏在幕后的第二基地男女成员，将永永远远负责指导这个政体。那时，川陀仍会是帝国的首都，但四万名心理史学家的领导能力，强过当年的四百五十亿普通人……

第一发言者猛然惊醒，发现已是日落时分。刚才有没有自言自语？有没有大声说过什么话？

如果说，第二基地成员要知道得比别人多，说得比别人少，那么身为领导阶层的发言者，就需要知道得更多，但是说得更少，而身为第一发言者，则需要知道得最多，而且说得最少。

他露出一抹苦笑。诱惑始终那么强烈，令人忍不住想效忠川陀，忍不住将第二帝国的目标解释为帮川陀取得银河霸主的地位。早在五个世纪之前，谢顿已经预见这一点，并且曾经发出警告。

然而，第一发言者并未睡着太久，他接见坚迪柏的时间还没到。

桑帝斯对这次的私下会谈寄望颇高。坚迪柏年纪很轻，能用新的眼光审视谢顿计划，而他又有足够敏锐的心灵，足以见前人所未见。从这位最年轻的发言者言谈中，桑帝斯并非没有机会学到些什么。

从来没有人能确定，当年伟大的普芮姆·帕佛接见年轻的寇尔·班裘姆，从那位后辈身上获益多少。当时班裘姆还不到三十岁，专程来向帕佛报告对付第一基地的可行方案。班裘姆后来从未提起那次觐见的经过，但他最后果然成为第二十一代第一发言者，而且被奉为谢顿之后最伟大的理论家。有些人甚至认为，在帕佛时代所完成的丰功伟业，真正的功臣其实是班裘姆，而不是帕佛本人。

桑帝斯开始跟自己玩一个游戏，猜想坚迪柏将要说些什么。根据第二基地的传统，当一个杰出的年轻后辈，首次有机会与第一发言者单独会晤时，第一句话便要开宗明义。当然，他们绝不会为了芝麻蒜皮的琐事，便浪费掉宝贵的首次觐见机会。否则，第一发言者很可能会认为他们不够份量，这无异是自毁前程。

四小时后，坚迪柏终于出现在他面前。这个年轻人没有露出丝毫的紧张，只是默默等待桑帝斯先开口。

于是桑帝斯说：“发言者，你为了一件重要的事，请求私下觐见我。可否请你先扼要说明一下？”

坚迪柏几乎像是在描述晚餐吃了些什么，以平静的口吻说道：“第一发言者，谢顿计划根本毫无意义！”

02

史陀·坚迪柏从不需要任何人肯定他的价值，他自小即了解自己与众不同。年仅十岁，第二基地一名特工就发掘到他的心灵潜能，从此他便加入第二基地的行列。

他在学习过程中表现得极为优异。就像重力场吸引太空船一样，心理史学对他具有强大的吸引力，使他身不由己地一头栽进去。同龄弟子还在学习微分方程之际，他已经开始阅读谢顿的心理史学入门教材。

十五岁那年，他考进了银河大学（即昔日的川陀大学，如今已经正式改名）。接受入学面试时，面试委员问到他将来的志愿，他以坚定的口气答道：“在四十岁前成为第一发言者。”

他的目标不仅仅是第一发言者的宝座，对他而言，那几乎是唾手可得的囊中物。言下之意，他的目标是要向时间挑战，因为就连普芮姆·帕佛，也是四十二岁那年才就任的。

坚迪柏这样回答之后，那名面试委员立刻动容。但是年轻的坚迪柏早已熟悉“心理语言”，懂得诠释那个骤变的神情。他非常清楚（就像那名委员当场宣布一样），自己的档案会加上一条小小的注记，大意是说他是个难缠的家伙。

嗯，当然如此！

坚迪柏就是打算做个难缠的家伙。

现在他三十岁了，再过两个月，就要庆祝三十一岁生日。想要实现当初的雄心壮志，最多还有九年时间可资利用，但他知道自己一定能够成功。他如今已是发言者评议会的一员，而今天觐见现任的第一发言者，就是他计划中关键性的一步。为了得到最佳的结果，他曾不遗余力地勤练心理语言的沟通技巧。

当第二基地两名发言者彼此沟通时，采用的语言是银河中独一无二的。他们除了开口之外，还会配合无数迅疾的手势，以及各种精神型样的变化。

如果有外人在场，只能听到极少的语汇，甚至什么也听不见。事实上，在极短暂的时间内，他们已经交换大量的思想讯息。至于沟通的内容，则无法借用文字忠实重述给任何外人。

发言者所使用的语言，优点在于效率极高，而且无比细腻生动。不过它也有缺点，那就是几乎无法掩饰任何心意。

坚迪柏很了解自己对第一发言者的看法，他觉得第一发言者已经过了精神全盛期。根据坚迪柏的评估，第一发言者没有受过危机处理训练，也从未预见任何危机，万一真有危机出现，他将缺乏当机立断的能力。桑帝斯是个亲切和善的老好人，而这种人正是可怕的祸源。

坚迪柏必须将这些想法都隐藏起来，不但在话语、动作、面部表情中不可流露任何迹象，甚至在思想上都要深藏不露。不过，他并不知道有任何有效的方法，能将这些想法掩饰得天衣无缝，不让第一发言者察觉半分蛛丝马迹。

同理，坚迪柏也知道第一发言者对自己的感觉。从和蔼可亲的态度中——这相当明显，而且十分诚挚——坚迪柏能感到稍许卖账与玩味的意思。因此他将自己的精神控制收紧了些，以免显露任何憎恶的情绪，至少将它减至最低程度。

第一发言者微微一笑，仰身靠向椅背。他并没有把脚翘在书桌上，不过他的身体语言已经十分明确，一来表现出自信满满的安然，二来又显得和对方有些私交，刚好能让坚迪柏摸不着头脑，无法确定自己的话究竟产生了什么作用。

由于坚迪柏一直没有机会坐下，即使他想做些反应或行动，以便尽量减低这个疑虑，能够采取的方案也少得可怜。这一点，第一发言者绝不可能不了解。

桑帝斯终于再度开口："谢顿计划毫无意义？多么惊人的说法！坚迪柏发言者，你最近观察过元光体吗？"

“我经常研究，第一发言者。这是我的职责，也是我的兴趣。”

“通常，你会不会只专注于自己负责的部分？你是否一律用微观方式观察，仔细审视某些方程组和微调路径？这样做当然极为重要，不过我一向认为，偶尔做一次整体观察，会是一个绝佳的练习。一寸寸地研究元光体自有其必要，但对它做一次鸟瞰，则是极具启发性的。告诉你一句老实话，发言者，我自己也有好久没这么做了。你愿意陪我温故知新吗？”

坚迪柏不敢沉默太久。他一定得遵命，并且必须表现得欣然而从容，否则还不如根本别答应。“第一发言者，这是我的荣幸，也是一件乐事。”

第一发言者按下书桌旁的一个握柄。每位发言者的办公室都配备有这种装置，而相较于第一发言者的元光体，坚迪柏的那个在各方面都毫不逊色。表面上看来，第二基地是个人人平等的社会，只不过表面上的一切并不重要。事实上，第一发言者的正式特权只有一项而已，他的头衔已经说得很清楚，他总是最先发言的一位。

闸柄按下之后，整个房间随即陷入一片黑暗，但几乎在同一瞬间，黑暗便转换成一种珍珠般的幽光。两侧的巨幅墙壁变成淡淡的乳黄色，接着愈来愈亮，愈来愈白，终于显出无数列印整齐的方程式，每一行都又细又小，几乎无法看得清楚。

“如果你不反对的话，”第一发言者的意思相当明显，根本不给对方反对的余地，“我们将放大率尽量缩小，以便一眼就能看到最多的内容。”

一行行整齐的方程式迅速缩小，直到每行都细如发丝，在珍珠色的背景上，形成无数模糊的黑色曲线。

第一发言者的右手挪到座椅扶手上，按下小型控制板的某些按键。“让我们回到起点，回到哈里·谢顿的时代，然后调整成缓缓向前推进的模式。我们控制好视窗的大小，每次只看十年的发展，这样能有一种静观历史推移的奇妙感觉，不会因为细微末节而分神。不晓得你以前有没有试过？”

“从未真正这样做过，第一发言者。”

“你该试试，这是一种绝妙的感受。注意看，起点处的黑色纹路十分稀疏，因为在最初几十年间，没有什么机会出现其他可能。然而，分枝点会以指数式的速度增加。每当选定一个特殊的分枝，其他分枝的发展就会大量减少，否则整个画面很快会变得无法处理。当然，在研究未来的发展时，我们必须谨慎选择应当取消哪些分枝。”

“我知道，第一发言者。”坚迪柏的回答带着一丝冷淡，他实在无法百分之百掩饰。

对此，第一发言者并没有任何反应。“注意那些红色符号形成的曲线，它们的图样具有某种规律。照理说，它们显然应该随机出现；每位发言者在获得发言权之前，都必须对原始的谢顿计划做一点补充，这些红线就是补充的内容。想要预测哪里比较容易补充，或是发言者由于个人的兴趣和能力，倾向于选择哪一部分，似乎都是不可能的事。然而，长久以来我一直怀疑，‘谢顿黑线’和‘发言者红线’的混合体，图样变化遵循着某种严格规律。这种规律和时间有很重大的关联，和其他因素则几乎无关。”

坚迪柏仔细盯着墙上的画面，随着“时间”一年一年流逝，黑线与红线交织成愈来愈复杂的图样，看久了几乎令人昏昏欲睡。当然，图样本身一点意义也没有，真正有意义的，是其中的无数符号。

不久，各处出现一些明亮的蓝线，逐渐向外扩张，生出许多分枝，变得愈来愈显眼，最后又汇聚在一起，尽数没入黑线或红线之中。

第一发言者说：“这是‘偏逸蓝线’。”两人心中不约而同生出嫌恶的情绪，充塞在周遭的空间。“我们注意跟踪它，最后就会来到‘偏逸世纪’。”

他们果然看到了，甚至能精确指出骡乱何时骤然震撼银河。在那个时间点，元光体射出的蓝色线条突然加速繁衍，几乎暴涨到无法收拾的地步。随着蓝线继续不断开枝散叶，蓝色光芒愈来愈强，整个房间似乎都变成蓝色，整幅墙壁也都遭到蓝线的污染（也只有“污染”一词能够形容）。

蓝线终于达到猖獗的极限，随即开始消退，愈来愈稀疏，并逐渐聚在一起。又过了一个世纪，才终于消失殆尽。蓝线消失之处，显然就是普芮姆·帕佛的心血结晶所在，从此，谢顿计划又恢复了黑线与红线的构图。

继续前进，继续前进……

“这里就是现在的情况。”第一发言者以轻松的口气说。

继续向前，继续向前……

然后所有的线条汇集一处，像是一个紧密的黑色绳结，其间装饰着少许红线。

“那代表第二帝国的建立。”第一发言者解释道。

这时，他关掉了元光体，整个房间再度沐浴在普通灯光下。

坚迪柏说：“实在是个动人的经验。”

“没错。”第一发言者微微一笑，“而你一直很小心，尽可能不让情绪展现出来。但这并不重要，让我跟你把话说明白吧。

“首先你应该注意到，在普芮姆·帕佛的时代之后，偏逸蓝线就几乎完全消失。换句话说，蓝线已经有一百二十年未曾出现。你也应该注意到，未来五个世纪内，再度出现高于五级的‘偏逸现象’几率实在太小。此外你还应该注意到，我们已经开始拓展谢顿计划，也就是进行第二帝国建立之后的心理史学计算。你一定明白，虽然哈里·谢顿是个超越时代的天才，却不可能无所不知无所不晓。我们不断改良他的成就，如今，我们对于心理史学的认识，是谢顿当年绝对无法达到的。

“谢顿的计算终止于第二帝国的诞生，我们则继续推算下去。其实，我可以大言不惭地说，这个涵盖第二帝国往后发展的‘超谢顿计划’，绝大部分内容出自我的手笔，这也是我今天坐在这个位子上的主因。

“我告诉你这么多，是要你别跟我说没有必要的废话。我们拥有这么完善的计算，你怎么能说谢顿计划毫无意义？它根本就是完美无瑕的。谢顿计划能够安然渡过偏逸世纪，便是它毫无瑕疵的最佳证明，当然，帕佛的天才也功不可没。年轻人，谢顿计划究竟有什么缺陷，你竟敢把它贴上毫无意义的标签？”

坚迪柏僵直地站在那里。“您说得很对，第一发言者，谢顿计划的确毫无瑕疵。”

“那么，你愿收回自己的成见？”

“不，第一发言者。毫无瑕疵正是它的瑕疵，完美无瑕乃是它的致命伤！”

03

第一发言者仍然平静地望着坚迪柏。他对自己的表情早已练到收放自如，看到坚迪柏这方面的笨拙表现，他感到十分有趣。每一次的讯息交换，这个年轻人都尽量掩饰住自己的情感，但每次却毫无例外地暴露无遗。

桑帝斯以不带感情的目光打量着他。坚迪柏是个瘦削的年轻人，仅仅比一般人略高一点，他的嘴唇很薄，一双瘦骨嶙峋的手总是闲不下来。他的一双黑眼睛显得冰冷无情，还微微透着忧郁的目光。

第一发言者心知肚明，他是一个难以说服的人。

“你讲的是一种诡论，发言者。”他说。

“只是听起来像个诡论，第一发言者。因为我们一向将谢顿计划的种种都视为理所当然，大家照单全收，从来未曾置疑。”

“那么，你的疑问又在哪里？”

“在于该计划的最根本。我们都知道，如果该计划所试图预测的对象，其中有太多人知晓计划的本质，甚至只是知晓它的存在，这个计划就不可能成功。”

“我相信哈里·谢顿了解这一点。我甚至相信，他将这个事实定为心理史学两大基本公设之一。”

“可是他并未预见骡，第一发言者。因此他也无法预见，当骡证明了第二基地的重要性之后，我们竟然会成为第一基地成员的眼中钉。”

“哈里·谢顿——”第一发言者忽然打了一个冷战，闭上了嘴巴。

哈里·谢顿的容貌，第二基地所有的成员都很熟悉。在第二基地大本营中，处处可见谢顿的肖像，不论是二维或三维、照片或全息、浅浮雕或圆雕，坐姿或站姿。这些肖像一律取材自晚年的谢顿，一律是一位慈祥的老者，脸上布满代表成熟智慧的皱纹，以表现出这位天才最圆熟的神韵。

第一发言者现在却想起来，他曾经看过一张据说是谢顿年轻时的相片。那张相片从未受到重视，因为“年轻的谢顿”几乎就像是个矛盾的名词。但桑帝斯的确看过那张相片，如今他心中突然冒出的念头，是史陀·坚迪柏和年轻的谢顿极为相像。

荒唐！根本就是迷信。不论何时何地，不论多么理智的人，有时也难免会被这种迷信纠缠。自己只是被一种飘忽的神似所欺骗，如果现在那张相片就在眼前，他立刻能发现这只是一种幻象。然而，此时此刻为什么会冒出这个傻念头呢？

他很快回过神来。那只是极短暂的悸动，只是思绪的瞬间脱轨，除了发言者，其他人不可能察觉得到。不过，不晓得坚迪柏会如何诠释。

“哈里·谢顿，”这次他的语气非常坚定，“明白未来有无数种可能，都是他所无法预见的，由于这个缘故，他才设立第二基地。我们自己也没有预测到骡，但是当他威胁到我们的时候，我们立刻觉察到他的危险，及时阻止了他。我们也未曾料到，自己后来竟会成为第一基地的眼中钉，但是危机浮现之际，我们便及时发现，终究阻止了这个发展。在这些历史事件中，你能找到任何错误吗？”

“第一点，”坚迪柏说，“第一基地对我们的戒心，至今仍未解除。”

坚迪柏语气中的敬意明显地减少。（根据桑帝斯的判断）他已经注意到对方声音中那一下悸动，并且将它诠释为一种迟疑。这一定要想办法纠正，桑帝斯这么想。

第一发言者流畅地说：“让我来推测一下。第一基地的某些人，将最初四个世纪的艰困历史，与过去一百二十年的太平岁月作比较，得出一项结论：除非第二基地仍旧好好守护着谢顿计划，否则不可能有这种结果，当然，他们这个结论完全正确。而且，他们会进而推断，第二基地根本没有被摧毁，当然，他们这样推断也完全正确。事实上，根据我们收到的一些报告，第一基地的首都世界端点星上，有一个年轻人，一名政府官员，他就十分相信这个说法。我忘了他的名字……”

“葛兰·崔维兹。”坚迪柏轻声说，“是我首先从报告中发现这件事，也是我将这个报告转到您的办公室。”

“哦？”第一发言者用夸张的礼貌口气应道，“你是怎么注意到他的？”

“我们派驻在端点星的某位特工，不久前送回一份冗长的报告，内容是基地新科议员的背景资料。这纯粹是一件例行报告，发言者通常都不会留意。不过这份报告却吸引了我，因为上面有那位新当选的议员葛兰·崔维兹的详细描述。我从那些记述中看出来，他似乎过分自信，而且斗志昂扬。”

“你发现有人和你臭味相投，是吗？”

“完全不是那么回事。”坚迪柏僵硬地答道，“他似乎是个莽撞的人，喜欢做些荒唐的事，这点和我很不一样。总之，我主导了一次深入调查。我很快就发现，他如果年轻时被我们吸收，会是第二基地的一位优秀成员。”

“也许吧，”第一发言者说，“但是你也晓得，我们从不吸收端点星的人。”

“这点我很明白。总之，虽然没有接受过我们的训练，他却拥有不凡的直觉。当然，那种直觉完全未经剪裁。因此，虽说他猜到第二基地仍然存在，我也并不感到特别惊讶。然而，我觉得这点已经足够重要，所以送了一份备忘录到您的办公室。”

“从你的态度看来，我猜一定又有什么新发展。”

“由于具有很强的直觉，他猜中了我们仍旧存在的事实，然后便肆无忌惮地拿来大做文章，结果被逐出了端点星。”

第一发言者扬起双眉。“你突然停下来，是想要我来诠释其中的意义。我暂且不动用电脑，以心算大致推估一下谢顿方程式。我猜那个机灵的市长，也有足够的智慧怀疑我们的存在，因此不希望那个不守纪律的家伙惊动整个银河，令她心目中那个第二基地提高警觉。我猜，根据铜人布拉诺的判断，将崔维兹逐出端点星，才能确保自身的安全。”

“她大可将崔维兹囚禁，或悄悄将他处决。”

“想必你很清楚，将谢顿方程式用到个人身上，得到的结果根本不可靠，那些方程式只适用于人类群体。由于个人行为无法预测，我们可以假设市长是个人道主义者，认为囚禁是一种残酷的做法，更遑论处决。”

坚迪柏好一阵子没有再讲话，但是这段沉默抵得上滔滔雄辩。他将沉默的时间拿捏得恰到好处，足以令第一发言者动摇自信，又不至于引起对方的反感。

他在心中倒数读秒，时间一到，他立刻说："这并不是我心目中的诠释。我相信，那个崔维兹此时扮演的是个前锋，而他背后的力量，会对第二基地构成史无前例的威胁——甚至比骡还要危险！"

04

坚迪柏感到很满意，这番话的确发挥了预期的威力。第一发言者并未料到这种惊人之语，一听之下方寸大乱。从此刻开始，坚迪柏抢到了主动权。即使他对这个逆转还有丝毫存疑，一旦桑帝斯再度开口，存疑也立时消失无踪。

"这和你认为谢顿计划毫无意义的主张，又有什么关系？"

坚迪柏自认稳操胜算，他不让第一发言者有喘息的机会，随即以训人的口气说："第一发言者，一般人都深信，谢顿计划经过偏逸世纪的重大扭曲后，是普芮姆·帕佛又令它回到正轨。但只要仔细研究元光体，您就会发现，直到帕佛死后二十年，偏逸蓝线才完全消失，从此再也没有任何蓝线出现。这一点，虽然可归功于帕佛之后的诸位第一发言者，事实上却不大可能。"

"不大可能？纵使我们几位都比不上帕佛，可是——为何不大可能？"

"第一发言者，能否准许我示范一下？利用心理史学的数学，我能清楚地证明，偏逸现象完全消失的几率太小太小了，无论第二基地如何努力，也几乎无法实现。我的示范得花半个小时，而您必须聚精会神，如果您没有时间，或者没有兴趣，大可不必答应我的要求。我还有另一个机会，就是请求召开发言者圆桌会议，向所有的发言者公开示范。但是这样会浪费我的时间，还会引起不必要的争辩。”

“对，而且可能会让我丢脸。现在就示范给我看吧，不过我要先警告你，”第一发言者力图挽回颓势，“假如你给我看的东西毫无价值，我一辈子不会忘记。”

“果真毫无价值的话，”坚迪柏以骄傲的口气，轻松地化解对方的攻势，“我会当场向您辞职。”

示范过程比预定时间超出许多，因为从头到尾，第一发言者都在紧紧逼问数学内容。

坚迪柏使用“微光体”极为熟练，因此其实还节省了一点时间。微光体能将谢顿计划任何部分以全息画面显示，无需以墙壁当屏幕，也不必书桌那么大的控制台。这种装置在十年前才正式启用，第一发言者从未学会操作的诀窍。坚迪柏明白这一点，第一发言者也知道瞒不过他。

坚迪柏将微光体挂在右手拇指上，用其他四根指头操作控制键钮。他的手指从容地挪移，仿佛是在演奏某种乐器。他还真写过一篇短文，讨论两者的类似之处。

坚迪柏用微光体产生的（并轻易找到的）方程式，随着他的解说，不断蜿蜿蜒蜒地前后运动。必要的时候，他可以随时叫出定义，列出公设，画出二维与三维图表（当然也能将“多维关系式”投影到这些图表上）。

坚迪柏的解说清晰而精辟，终于使得第一发言者甘拜下风。他心悦诚服地问道：“我不记得看过这样的分析，这是什么人的成果？”

“第一发言者，这是我自己的成果。我已经发表过有关这方面的数学了。”

“非常杰出，坚迪柏发言者。你有这样的成就，一旦我死了，或者退位的话，下一代第一发言者很可能就是你。”

“我从未想过这一点，第一发言者——可是既然您绝无可能相信，我索性收回这个说法。事实上，我的确想过这件事，并且希望自己能够成为第一发言者。因为不论是谁继任这个职位，都得遵行一个唯有我才看得清楚的方案。”

“很好，”第一发言者说，“不当的谦虚其实非常危险。究竟是什么样的方案？或许现任的第一发言者也能遵行。即使我已经老得无法作出像你那样的突破，我至少还有能力接受你的指导。”

这实在是相当大方的让步，坚迪柏完全没有料到，顿时心中充满温暖，虽然他明知这正在老前辈的意料中。

“谢谢您，第一发言者，因为我太需要您助我一臂之力。没有您的英明领导，我自己不可能支配圆桌会议。”这就叫礼尚往来，“所以说，我想，您已经从我刚才的示范中看出来，我们采取的对策不可能矫正偏逸世纪，也无法使所有的偏逸现象从此消失。”

“这点我很清楚。”第一发言者说，“假定你的数学推导正确无误，那么，为了让谢顿计划真的完全回到正轨，而且继续完美无缺地发展下去，我们必须能够相当准确地预测少数人的反应，甚至是个人的反应。”

“非常正确。既然心理史学的数学做不到这一点，偏逸现象就不可能消失，更不可能永远不再出现。现在您应该明白，我刚才为什么会说：谢顿计划的瑕疵就在于完美无瑕。”

第一发言者说：“现在只有两种可能，一是谢顿计划中确实还有偏逸现象，二是你的数学推导犯了错误。由于我必须承认，一个多世纪以来，谢顿计划并未显现任何偏逸，因此你的推导一定出了问题。可是，我又找不出任何谬误或无心之失。”

“您犯了一个错误，”坚迪柏说，“您排除了第三种可能性。上述两者确有可能同时成立，谢顿计划不再有任何偏逸，而我的数学推导也完全正确，虽然后者否定了前者。”

“我看不出有第三种可能。”

“假如谢顿计划被某种先进的心理史学方法所控制，这个方法超越了我们现有的成就，可以预测一小群人的反应，甚至个人的反应也许都能预测。当且仅当在此前提下，根据我的数学推导，谢顿计划会摆脱任何偏逸现象！”

第一发言者沉默不语，过了好一阵子（以第二基地的标准而言），他才说：“那种先进的心理史学方法，我从未听说过，而听你的口气，我确定你也没有概念。如果连你我都不知情，那么，某位或某些发言者发展出这种‘微观心理史学’——让我暂且这样称呼——而能对圆桌会议其他成员保密，这种机会是无限小。你同意吗？”

“我同意。”

“那么又只剩下两种可能，一是你的分析有误，二是微观心理史学的确存在，却并非掌握在第二基地手中。”

“完全正确，第一发言者，第二种可能一定就是事实。”

“你能证明这个立论的真实性吗？”

“我无法以正式的方法证明，但是请您回想一下：不是早已出现过一个人，可以通过操纵个人，而影响整个谢顿计划吗？”

“我猜你指的是骡。”

“没错，正是他。”

“骡专事破坏，如今的问题则是谢顿计划进行得太顺利，太过接近完美，而你的推导证明这是不可能的。你现在要找的是一个‘反骡’——他能像骡一样改写谢顿计划，可是动机完全相反，并不是要破坏，而是要精益求精。”

“正是如此，第一发言者，只恨我自己无法表达得这样精辟。骡是何方神圣？是个突变异种。但他是从哪里冒出来的？为什么具有那种异能？谁也不知道真正的答案。难道不可能有更多类似的人吗？”

“显然不会有。骡最著名的一点就是他无法生育，他的名字便是由此而来。莫非你认为那只是个传说？”

“我并不是指骡的后人。我的意思是，可能有一大群人——或是现在变成了一大群——全都具有和骡相近的能力，而骡只是那个团体的叛徒。那群人为了自己的理由，非但不想破坏谢顿计划，反而在尽力维护它。”

“银河在上，他们为何要维护谢顿计划？”

“我们又为何要维护它？我们计划中的第二帝国，是由我们，或者应该说由我们的传人，来担任决策者。倘若有更高明的组织在维护这个计划，他们绝不会把决策权留给我们。他们会自己当家做主，但最终目标又是什么？他们准备为我们打造什么样的第二帝国，难道我们不该设法搞清楚吗？”

“你又打算如何进行？”

“嗯，端点市长为何要放逐葛兰·崔维兹？这么一来，就让那个具有潜在危险的人物，在银河中自由自在地横冲直撞。若说她这样做是出于人道的动机，我绝对不相信。证诸历史，第一基地的领导人全是现实主义者，这就是说，他们的行为通常都不顾及道德。事实上，他们的一位传奇英雄塞佛·哈定，甚至公开挑战道德观念。所以说，我认为那些反骡——我也借用您的说法——一定控制住了那个市长。我相信崔维兹已经被他们吸收，而且我还相信，他是攻击我们的先锋部队，将带给我们极大的危险。”

第一发言者说：“谢顿在上，你也许说对了。但是我们要怎样说服圆桌会议？”

“第一发言者，您太低估您的权威了。”

第六章

地 球

01

崔维兹感到心浮气躁。他跟裴洛拉特正坐在用餐区，刚吃完中饭。

裴洛拉特说："我们在太空才待了两天，我却已经相当适应，虽说我仍会怀念新鲜空气、大自然，以及地面的一切。怪啦！那些东西在身边的时候，我好像从未注意过。话说回来，这里有我的晶片，还有你那台了不起的电脑，就等于所有的藏书都跟着我，我就感到什么都不缺。而且，我现在对身处太空这件事，已经一点恐惧感也没有了。真不可思议！"

崔维兹含糊地应了一声。他正在沉思，并未注意到外界的一切。

裴洛拉特又轻声说："我并不是想多管闲事，葛兰，可是我认为你没有真正在听。我不是个特别有趣的人，总是有点令人厌烦，这你是知道的。话说回来，你好像在想什么心事——我们遇上麻烦了吗？你知道吗，你不必顾忌，什么事都可以告诉我。我猜自己帮不上什么忙，但我绝不会惊慌失措，亲爱的伙伴。"

"遇上麻烦？"崔维兹似乎回过神来，微微皱了一下眉头。

"我是指这艘太空艇。它是最新型的，所以我猜也许哪里出了问题。"裴洛拉特露出浅浅而迟疑的笑容。

崔维兹猛力摇了摇头。"我真不该让你产生这种疑虑，詹诺夫。这艘太空艇没什么不对劲，它表现得十全十美。我只不过是在找超波中继器。"

"啊，我懂了——不过我还是不懂，什么是超波中继器？"

"好吧，詹诺夫，让我为你解释一番。我跟端点星保持着联络，至少，我随时联络得上端点星，反之亦然。他们一直在观测这艘太空艇的轨迹，所以知道我们现在的位置。即使他们原先没这样做，也能随时把我们找出来。因为只要扫描近太空的质点，就能定出任何船舰或流星体的位置。但他们还能进一步侦测能量型样，这样不但可以区分船舰和流星体，还能辨识每一艘船舰，因为两艘船舰使用能量的方式绝不会完全一致。总之，不论我们开启或关闭哪些设备或装置，这艘太空艇的能量型样都有固定的特征。如果端点星没有某艘船舰的能量型样记录，它的身份当然无法辨识；反之，像我们这艘太空艇，端点星拥有完整的记录，一旦侦测到它，立刻能辨识出来。”

裴洛拉特说：“我有一种感觉，葛兰，文明的进步等于是对隐私权的剥削。”

“你也许说对了。然而，迟早我们必须进入超空间，否则注定我们这一辈子，只能在距离端点星一两秒差距的太空游荡，只能进行最低程度的星际旅行。反之，取道超空间，我们在普通空间的航迹就变得不连续。我们能在瞬间由一处跳到另一处，我的意思是，有时可以一举跨越几百秒差距。我们会突然出现在非常遥远的地方，由于方位极难预测，实际上我们再也不会被侦测到。”

“我懂了，一点都没错。”

“当然，除非他们预先在太空艇中植入一个超波中继器。那玩意能送出穿越超空间的讯号——一种对应这艘太空艇的特定讯号——端点星当局就一直能知道我们位在何方。懂了吗，这也等于回答了你的问题。这样一来，我们在银河中就无所遁形，不论做多少次超空间跃迁，都不可能摆脱他们的追踪。”

“可是，葛兰，”裴洛拉特轻声说，“难道我们不要基地保护吗？”

“当然要，詹诺夫，但只限于我们需要的时候。你刚才说过，文明的进步代表不断剥夺隐私权。哼，我可不想那么进步。我希望有行动自由，不希望随时随地都能被找到，除非我自己请求保护。所以说，假如太空艇上没有超波中继器，我会感到比较舒服，舒服千万倍。”

“你找到了吗，葛兰？”

“还没有。万一给我找到了，我或许有办法令它失灵。”

“如果你看到了，能够一眼认出来吗？”

“这正是我目前的困难之一，我也许根本认不出来。我知道超波中继器大概像什么样子，也知道如何测试可疑的物件。但这是一艘新型的太空艇，专门为了特殊任务而设计。超波中继器也许成了机件的一部分，外表根本看不出来。”

“反之，也可能并没有超波中继器，所以你一直找不到。”

“我不敢这么说，但在弄清楚之前，我不想进行任何跃迁。”

裴洛拉特显得恍然大悟。“原来这就是我们始终在太空飘荡的原因，我一直在纳闷为何还不进行跃迁。你知道吗，我对跃迁略有所闻。老实说，我有一点紧张，不知道你何时会命令我系上安全带，或者吞一颗药丸，或是诸如此类的准备工作。”

崔维兹勉强微微一笑。“根本不必担心，现在不是古时候了。在这种船舰上，一切交给电脑即可。你只要下达指令，电脑便会执行。你根本不会察觉发生了什么事，唯一的变化只是太空景观陡然不同了。如果你看过幻灯片，就该知道当幻灯片跳到下一张的时候，会产生什么样的变化。嗯，跃迁的感觉大同小异。”

“乖乖，竟然毫无感觉？奇怪！我反倒觉得有点失望。”

“根据我自己的经验，从来没有任何感觉，而我所搭乘过的船舰，全部比不上现在这艘太空艇。不过，我们还没有进行跃迁，并不是因为超波中继器的关系，而是我们必须再离端点星远一点，也得离太阳远一点。我们距离巨大天体愈远，就愈容易控制跃迁，也就愈容易抵达预定的普通空间坐标。在紧急状况下，即使距离行星表面只有两百公里，有时也必须冒险一跃，这时只能祈祷自己运气够好。由于在银河中，安全的空间比不安全的多得太多，一般说来运气都不会那么坏。话说回来，总是存在着某些随机的因素，可能使你在重返普通空间时，出现在一颗巨大恒星几百万公里附近，甚至掉进银河核心，你还来不及眨一下眼睛，就发现已经被烤焦了。我们距离各个天体愈远，那些因素的影响就愈小，不幸的事件就愈不可能发生。”

“这样的话，我很赞赏你的谨慎，我们并非十万火急。”

“一点都没错。尤其是我在行动之前，很想先找到那个超波中继器，或是设法说服自己超波中继器并不存在。”

崔维兹似乎又陷入了沉思冥想，裴洛拉特不得不略微提高音量，以超越那道无形的障碍。“我们还有多少时间？”

“什么？”

“我的意思是，我亲爱的兄弟，如果不考虑那个超波中继器，你准备在什么时候进行跃迁？”

“根据我们目前的速度和轨迹，我估计要等到出发后的第四天。我会用电脑算出正确的时间。”

“好吧，那么你还可以找两天。我能提供一个建议吗？”

“请说。”

“我从工作中体会出一个心得——我的工作当然和你的截然不同，但是这个道理或许可以推广——我的心得是，如果对某个问题猛钻牛角尖，反倒会弄巧成拙。何不把心情放轻松，跟我谈点什么别的，这样一来，你的潜意识在没有密集思考的压力下，也许就会帮你解决这个难题。”

崔维兹先是露出厌烦的神情，随即哈哈大笑。“嗯，有何不可？告诉我，教授，你为何会对地球那么感兴趣？你怎么会想到那种古怪的念头，认为人类全都发源于某一颗行星？”

“啊！”裴洛拉特点了点头，沉浸在回忆中。“说来话长，那是三十多年前的事了。我刚进大学的时候，本来想成为一位生物学家，因为我对不同世界的物种变异特别感兴趣。你应该知道，这种变异非常小——嗯，也许你并不知道，所以想必不介意我从头说起。银河各处所有的生命形态，至少目前我们接触到的一切生命，都是以水为介质的蛋白质／核酸生化结构。”

崔维兹说：“我读的是军事学院，课程偏重核子学和重力子学，但我并非那种知识狭隘的专才，我对生命的化学基础略有所知。我们以前学过，水、蛋白质以及核酸，是唯一可能的生命基石。”

“我认为那个结论并不恰当。比较安全的说法，是至今尚未发现其他形式的生命，或者应该说，还没有辨识出来，反正你知道这点就成了。更令人惊讶的是，所谓的原生物种，也就是除了某颗行星之外，其他世界都不存在的物种，数目竟然都非常少。现今存在的大多数物种，特别是‘智人’，在银河所有的住人世界几乎都能发现，而且无论就生物化学、生理学或形态学而言，彼此都有密切关联。另一方面，原生物种之间的特征却有很大差异，不同行星上的原生物种也几乎没有交集。”

“嗯，这又怎么样？”

“结论就是银河中某个世界——单独一个世界——和其他世界截然不同。银河中有数千万个世界——没有人确定究竟有多少——都发展出了生命，但都是些简单的、纤弱的、稀稀落落的生命，没有什么变化，不容易存续，更不容易扩散。可是有一个世界，那个唯一的世界，轻而易举发展出几百万种生物，其中有些非常专化，而且高度发展，非常容易增殖和扩散，最后的结果就包括我们在内。我们有足够的智慧形成文明，发展超空间飞行，殖民整个银河系。而在扩展到整个银河的过程中，我们随身带着许多其他的生物，那些生物彼此间都有渊源，也和人类多少有些亲戚关系。”

“仔细想一想，”崔维兹以相当平淡的口气说，“我认为这种说法站得住脚。我的意思是，这是个充满人类的银河，如果我们假设人类起源于单一的世界，那个世界就必定与众不同。有何不可呢？生命能够那么多样化发展的几率一定很小，也许只有一亿分之一；在一亿个能产生生命的世界当中，才出现一个那样的世界。所以说，顶多只能有一个。”

“但究竟是什么因素，使得那个世界和其他世界如此不同？”裴洛拉特十分激动，“是什么条件使它变得独一无二？”

“大概只是偶然吧。毕竟，目前在数千万颗行星上，都存在有人类以及人类带去的其他生命形态，那些行星既然都能维持生命，所以条件一定都差不多。”

“不对！人类这个物种一旦演化成功，一旦发展出科技，一旦在艰难的生存斗争中浴火重生，就会具有很强的适应力，即使最不适宜生存的世界，人类也一样能征服，端点星就是很好的例子。可是你能想象，端点星会演化出什么智慧生物吗？当人类初到端点星时，也就是百科全书编者掌权的时代，端点星上最高等的植物，是生长在岩石上的藓类；而最高等的动物，海中的是珊瑚类生物，陆上的则是类似昆虫的飞虫。我们来到之后，将那些生物一扫而光，同时在海洋中放生大量鱼类，又在陆地上繁殖兔子、山羊、草本植物、木本植物、五谷杂粮等等。当地的固有生命如今全部绝种，只有在动物园和水族馆才看得见。”

“嗯——嗯。”崔维兹无言以对。

裴洛拉特瞪了他足足一分钟之久，然后发出一声长叹，这才说：“你并非真的感兴趣，对不对？怪啦！我发现好像谁都没有兴趣。我想，这是我自己的错。虽然自己被这个问题深深吸引，我就是无法说得引人入胜。”

崔维兹说：“这个问题很有趣，真的。可是……可是……又怎么样呢？”

“难道你没有想到，这会是个很有趣的科学研究题目？想想看，一个银河中独一无二的世界，只有在那个世界上，才能产生真正丰富的固有生态。”

“对一位生物学家而言，也许有趣。可惜我不是，你懂了吧，所以你得原谅我。”

“当然啦，亲爱的伙伴。只不过，我也从未发现这样的生物学家。我刚才说过，我本来主修的是生物。我曾经拿这个问题请教我的教授，他同样兴趣缺缺，还劝我应该找些实际的问题。这令我十分反感，我索性转攻历史，反正我十几岁的时候，就很喜爱阅读历史书籍。从此以后，我就从历史的角度，来钻研‘起源问题’。”

崔维兹说：“可是这样一来，至少让你找到一个毕生志业，所以你该感谢那位教授的冥顽不灵。”

“对，我想这样说也有道理。而且这项毕生志业的确有趣，我始终乐此不疲。但我实在很想挑起你的兴趣，我不喜欢永远这样自言自语。”

崔维兹突然仰头大笑，笑得极为开心。

裴洛拉特平静的面容，露出几许被刺伤的神情。“你为什么嘲笑我？”

“不是你，詹诺夫，”崔维兹说，“我是在笑我自己的愚蠢。我十分感激你的关心，你知道吗，你完全说对了。”

“人类起源是个重要的课题？”

“不，不——喔，对，那也重要。但我的意思是，你刚才叫我别再拼命想那个问题，应当把心思转移到别处去，这个建议真的有效。当你在讲述生命演化方式的时候，我终于想到了怎样寻找那个超波中继器——除非它不存在。”

“喔，那件事！”

“对，那件事！我刚才犯了偏执狂。我原先一直用传统方式寻找，好像还在当年那艘老旧的训练舰上。我用肉眼查看每个角落，试着寻找各种可疑的物件。我忘了这艘太空艇是数万年科技进化的结晶。你懂了吗？”

“不懂，葛兰。”

“太空艇上有电脑，我怎么忘了？”

他立刻钻进自己的舱房，同时挥手叫裴洛拉特一道来。

“我只要试验它的通讯功能就行了。”他一面说，一面将双手放到电脑感应板上。

他试着联络端点星，如今他们已经飞出数万公里。

联络！通话！他的神经末梢仿佛长出新芽，不断向外延伸，以不可思议的速度（当然就是光速）伸展到太空，尝试进行接触。

崔维兹感觉自己正在触摸。嗯，不完全是触摸，而是感触。嗯，又不完全是感触，而是……这并不重要，因为根本没有语言可以形容。

他“感到”与端点星取得了联络。虽然两者的距离，正以每秒约二十公里的速度愈拉愈远，联系却始终持续不断。仿佛行星与太空艇都静止不动，而且相距仅数米而已。

他一句话也没说，便将联系切断了。他只是在测试通讯的“原则”，并非真正想做任何通讯。

安纳克里昂在八秒差距之外，是距离端点星最近的一颗较大行星。就银河尺度而言，它就是端点星的后院。若是仿照刚才联络端点星的方式，以光速送出一道讯号，想要收到回讯，必须等上五十二个年头。

联络安纳克里昂！想象安纳克里昂！尽可能想象清楚。你知道它和端点星以及银河核心的相对位置；你研究过它的历史和它的行星表面学；服役期间，你曾经推演过如何夺回安纳克里昂（如今，它绝不可能遭敌人占领，那只是个假想状况罢了）。

太空啊！你曾经到过安纳克里昂。

想象它！想象它的模样！利用超波中继器，营造置身其上的感觉。

什么也没有！他的神经末梢在太空中不停飞舞，却找不到任何栖身之所。

崔维兹收回意念。“远星号上没有超波中继器，詹诺夫，我现在可以肯定了。假如我没有听从你的建议，不晓得要多久之后，才能得到这个结论。”

裴洛拉特的面部肌肉虽然没有动作，却明显露出喜色。“我真高兴能帮得上忙。这是否表示我们可以跃迁了？”

“不，为了安全起见，我们还得再等两天。我们必须远离各个天体，还记得吗？这是一艘实验中的新型太空艇，而且我对它完全没有认识，通常在这种情况下，我也许得花两天时间来计算正确的程序，尤其是首度跃迁的恰当‘超推力’。不过，我现在有个感觉，电脑将会完全代劳。”

“乖乖！看来，我们会等得无聊死了。”

“无聊？”崔维兹露出灿烂的笑容，“绝不可能！你我两人，詹诺夫，要好好聊一聊地球。”

裴洛拉特说：“真的吗？你是想逗老头子开心吧？你心地真好，真的。”

“乱讲！我是想逗我自己开心。詹诺夫，你终于说服了一个人。从你刚才那番话中，我了解到地球是宇宙间最重要、最有趣无比的一个题目。”

02

当裴洛拉特在讲述他对地球的看法时，崔维兹一定就有了体悟，只是因为超波中继器的问题萦绕心中，所以并未立即作出回应。在那个问题迎刃而解之后，崔维兹果然马上有所反应。

哈里·谢顿最常为人引述的一句话，大概就是他对第二基地的描述。他曾说第二基地位于“银河的另一端”，甚至还曾为该处命名，称之为“群星的尽头”。

这句话收录在盖尔·多尼克的记述中。“在银河的另一端……”根据多尼克为谢顿所著的传记，谢顿在接受帝国法庭审判之后，曾经亲口对他这么说。从那一天开始，这句话的含意始终为人争论不休。

银河某一端与“另一端”究竟靠什么相连？一条直线，一条螺线，一个圆，还是其他的线条？

现在，崔维兹突然间恍然大悟，了解到那既不应该、也不可能是银河地图上的任何直线或曲线。真正的答案，其实更加微妙。

端点星是其中的一端，这是毫无疑问的一件事。没错，端点星位于银河的边缘——甚至在基地的边缘——因此“端点”具有字面上的意义。然而，在谢顿说那句话的时候，它也是银河中最新的世界。严格说来它当时尚未存在，只是一个即将建立的世界。

根据这个观点，银河的另一端又在何处？基地的另一个边缘吗？哈，银河最古老的世界在哪里？照裴洛拉特刚才的说法——尽管他自己并不知道这重意义——唯一的答案就是地球。第二基地当然就在地球上。

虽然谢顿曾经说过，银河的另一端叫做“群星尽头”，谁又能断言这不是一种隐喻呢？如果像裴洛拉特那样回溯人类的历史，想象时光不断倒流，便能看到每个住人星系中的人类，逐渐回流到其他的行星系，也就是第一代移民原先的出生地，然后人潮继续不断回流——直到最后，所有的人类都退回到某颗行星，那里便是人类的发源地。而照耀地球的那颗恒星，正是所谓的“群星尽头”。

崔维兹露出微笑，用近乎崇拜的口吻说：“再多说些有关地球的事，詹诺夫。”

裴洛拉特摇了摇头。“我知道的都已经告诉你了，真的。我们要到川陀去，才能找到更多资料。”

崔维兹说：“不会的，詹诺夫，我们不会在那里找到任何东西。为什么呢？因为我们并不打算去川陀。太空艇由我驾驶，我向你保证我们不会去。”

裴洛拉特的嘴巴立刻张得老大。他好一会儿才喘过气来，用悲凄的语调说：“喔，我亲爱的伙伴！”

崔维兹说：“拜托，詹诺夫，别这样子。我的意思是，我们要直接去找地球。”

“可是只有川陀才有……”

“没有，那里什么也没有。你到川陀去，只能找到尘封的档案，还有变脆的胶卷，到头来自己也会灰头土脸，甚至一捏就碎。”

“几十年来，我一直梦想……”

“你梦想能找到地球。”

“可是只有到了……”

崔维兹突然站起来，倾身向前，一把抓住裴洛拉特的短袖袍。“别再说了，教授，别再提那个地方。在我们还没登上太空艇之前，当你第一次告诉我，说我们要去寻找地球时，你说我们一定找得到，因为，让我引述你自己的话：‘我已经胸有成竹’。现在，我不要再听到你提起川陀，我只要你告诉我这个胸有成竹的答案。”

“可是必须先证实啊。目前为止，它还只是一种想法，一线希望，一个模糊的可能性。”

“好！就告诉我这些！”

“你不了解，你根本就不了解。除了我，没有任何人研究过这个题目。完全没有历史依据，没有可信的理论，也没有任何真凭实据。当人们谈到地球时，总是抱着半信半疑的态度。至少有一百万种互相矛盾的传说……”

“好吧，那么，你自己的研究又是怎么做的？”

“我不得不搜集每一项传说，每一点可能的历史，每一件传闻轶事，每一个扑朔迷离的神话，甚至包括虚构的故事。无论任何资料，只要提到地球这个名字，或是涵盖起源行星的概念，我都不会放过。三十多年来，我从银河中每一颗行星上，尽一切可能搜集各种资料。现在，我只需要到银河图书馆，去查阅一些最权威可靠的资料。偏偏那座图书馆在……但你不准我说那个地名。”

“对，别提那个地方。我只要你告诉我，在你所搜集的资料中，哪一条特别吸引你的注意，并且告诉我，你是基于什么理由，认为那是一条可靠的资料。”

裴洛拉特摇了摇头。“帮个忙，葛兰，请别介意我说句老实话，你的口气听来像个军人和政客。研究历史可不能用这种方法。”

崔维兹做了一个深呼吸，忍下了这口气。“那就告诉我该用什么方法，詹诺夫。我们有两天的时间，你教教我吧。”

“绝对不能只靠某一个或几个神话传说。我必须将它们搜集齐全，然后分析整理。我还创立了一些符号，用来代表内容的各种特色，例如不可能存在的气候、不符实际情况的行星天文数据、文化英雄并非源自本土等等，总共好几百项之多，这么说绝不夸张。没有必要跟你讲所有的细目，两天时间一定不够。我告诉过你，我花了三十多年的时间。

“后来我设计出一个电脑程序，能自动搜寻那些神话传说，找出其中的共同点，还能删除绝对不可能的部分。我慢慢建立起一个地球模型，包含了地球应有的各种条件。毕竟，如果人类的确发源自单一的行星，那么该行星的特征，必定会反映在所有的起源神话，以及每一个文化英雄故事中。嗯，你要不要我讲解数学上的细节？”

崔维兹说：“谢谢你，暂时不必。可是你又怎么知道，没有被数学模型误导呢？我们确知端点星是在五百年前才建立的，第一批移民名义上来自川陀，可是他们真正的星籍如果没有上百，也至少包括几十个世界。但某人若不知道这段历史，或许就会假设哈里·谢顿来自地球，因为他并不是在端点星出生的，进而会认为川陀其实就是地球。当然，如果根据谢顿时代的川陀景观——一个表面覆满金属的世界——去寻找川陀，那就一定找不到，而川陀也许就被视为不可能的神话。”

裴洛拉特显得很高兴。“我收回刚才那番军人和政客的批评，我亲爱的伙伴。我现在才发现，你具有了不起的直觉。当然，我得设定一些控制方法。我根据正史以及搜集来的神话传说，穿凿附会了一百组假的历史，其中一组甚至取材自端点星的早期发展史。然后，我试着将这些创作代入地球模型，结果电脑全部加以否决，没有一组例外。老实说，这也许代表我欠缺幻想的天分，没法子编出合理的故事，但我已经尽了全力。”

“我相信你尽了全力，詹诺夫。根据你的模型，地球又应该是什么样子？”

“我推算出地球的许多特征，每个特征的可能性不尽相同。比方说，银河中大约有百分之九十的住人行星，自转周期都介于二十二到二十六银河标准小时。这……”

崔维兹突然插嘴道：“我希望你没有在这上面花工夫，詹诺夫，这点毫无神秘可言。一颗适宜住人的行星，不可能自转得太快或太慢，前者会使大气环流产生强烈的风暴，后者会使温度呈现极端变化。这其实是人类刻意选择的结果，由于人类喜欢住在条件宜人的行星上，因此所有适宜住人的行星都具有相同的特点。可是有人却说：‘这是多么惊人的巧合！’其实一点都不惊人，甚至不能算巧合。”

“这一点，”裴洛拉特心平气和地说，“事实上是社会科学中众所周知的现象。我相信在物理学中也是一样，但我并非物理学家，所以不太敢肯定。总之它称为‘人择原理’。观测者在观测过程中，无可避免会影响到被观测的事件，有时观测者的存在就足以产生影响。我们现在的问题是，那颗合乎模型的行星在哪里？哪一颗行星的自转周期，刚好是一个银河标准日，也就是二十四个银河标准小时？”

崔维兹努起下唇，显得若有所思。“你认为那就是地球吗？银河标准时间的订定，当然有可能以任何世界的特征时间作标准，对不对？”

“不大可能，这不符合人类的习性。过去一万两千年来，川陀一直是银河的首都；而且足足有两万年的时间，它都是银河中人口最多的世界，可是川陀并没有将它的自转周期——1.08个银河标准日——强行推广到银河各处。端点星的自转周期则是0.91个标准日，我们也没有强迫各行星用这个时间当做一天。每一颗行星都有本身的当地行星日，用它作为计时的标准，而在处理星际间的重要事务时，就会借助于电脑，将行星日和标准日彼此互换。所以说，银河标准日必然源自地球！”

“为什么必然呢？”

“最重要的一个理由，地球曾经是唯一的住人世界，因此地球上的日和年，自然就会成为标准。而人类殖民到其他世界时，由于社会惯性，这两个单位很可能继续被当做标准。所以我建立的地球模型，自转周期刚好是二十四个银河标准小时，而它围绕太阳公转的周期，则刚好是一个银河标准年。”

“这难道不会是巧合吗？”

裴洛拉特哈哈大笑。“现在轮到你认为巧合了。你想不想打赌，赌这件事真是巧合？”

“这……这……”崔维兹吞吞吐吐。

“事实上，除此之外，还有一个古老的时间单位，称为

‘月’……”

“我听说过。”

“它显然就是地球卫星环绕地球的公转周期。然而……”

“怎么样？”

“嗯，我的模型中有个相当惊人的特点，就是那颗卫星实在太大，它的直径超过地球的四分之一。”

“从没听过有这种事，詹诺夫。放眼银河，不论哪个住人行星，都没有一颗那么大的卫星。”

“但这可是好现象，”詹诺夫手舞足蹈地说，“如果只有地球才能产生各式各样的物种，还能演化出智慧生物，它就应该具有独一无二的自然条件。”

“可是产生各式各样物种和智慧生物，以及其他一切特点，又跟一颗大卫星有什么关联？”

“好啦，现在你问倒我了，我也不知道答案。不过这点很值得深入探讨，你难道不觉得吗？”

崔维兹站了起来，双手抱在胸前。“可是这又有什么困难呢？你只要查查住人行星统计表，找一颗自转周期等于银河标准日、公转周期等于银河标准年的行星。如果它刚好拥有一颗巨大的卫星，你就等于找到了。你说过你‘已经胸有成竹’，我猜这就代表你已经这么做了，也已经找到了那个世界。”

裴洛拉特露出困窘的表情。“嗯，这个，不是如你想象的那样。我的确查过统计资料，至少曾经请天文学系帮我查过，结果——嗯，让我直说吧，根本没有那样的世界。”

崔维兹又猛然坐下来。“但这就意味着你的整个推论都失败了。”

“我倒觉得并不尽然。”

“什么叫并不尽然？你建立了一个模型，囊括所有详尽的细节，结果却找不到实际符合的行星。这就代表你的模型毫无用处，你必须从头来过。”

“不，那只代表住人行星统计表并不完整。毕竟，住人行星总共有几千万颗，其中一些位置非常偏僻隐匿。比方说，有将近一半的行星，其中人口数目并不精确。此外，还有六十四万个住人世界，除了名称之外，有些顶多再附上方位，其他资料一律空白。根据银河地理学家的估计，未登录于统计表的住人行星也许上万。想必那些世界是故意这样做的，在帝政时期，这样做可能有助于逃税。”

“而之后的几个世纪，”崔维兹以嘲讽的语气说，“这样做则可能有助于把自己的世界当成贼窝。有些时候，干强盗比正经买卖更容易致富。”

“这我就不晓得了。”裴洛拉特以怀疑的口吻说。

崔维兹又说：“无论如何，不论地球上的居民作何打算，我认为住人行星清单都该包括地球。根据定义，它是最古老的世界，早期的银河文明不可能将它遗漏。而一旦登录在统计表上，它就不会再消失了。这一点，我们当然可以相信社会惯性的效应。”

裴洛拉特露出了犹豫和为难的神情。“事实上，还真有呢——在住人行星清单中，真有一个叫地球的。”

崔维兹瞪大眼睛。“我以为你刚才明明告诉我，地球并不在那份清单上？”

“清单上并没有‘地球’这个名字。然而，有个叫做‘盖娅’的行星。”

“盖压？它跟地球又有什么关系？”

“盖子的‘盖’，女字旁的‘娅’，它的意思就是地球。”

“詹诺夫，为什么它的意思就是地球，而不是其他的东西？这个名字在我听来毫无意义。”

裴洛拉特的脸孔原本难得有什么表情，此时却好像扮了一个鬼脸。“我不知道你会不会相信——根据我对那些神话传说所作的分析，当年在地球上，存在有好几种不相同的、彼此无法沟通的语言。”

“什么？”

“你没听错。毕竟，在整个银河中，也有上千种不同的腔调……”

“银河各处当然有许多种方言，彼此却不是无法沟通的。有些方言即使不容易听懂，仍未脱离银河标准语的范畴。”

“当然，但如今星际间保持着持续不断的交流。倘若某个世界孤立了很长一段时间，又会如何呢？”

“但你讲的可是地球本身。那是单一的一颗行星，哪来的什么孤立？”

“别忘了，地球是人类起源的行星，必然有过一段难以想象的原始时期，没有星际旅行，没有电脑，甚至没有任何科技。经过了无数的生存竞争，我们的哺乳类祖先才脱颖而出。”

“这太荒谬了。”

裴洛拉特因而露出窘迫的神态。“老弟，讨论这个问题也许根本没用。我从来没有利用它说服过任何人，我可以肯定，这是我自己的错。”

崔维兹随即感到后悔。“詹诺夫，我郑重道歉，我刚才是脱口而出。你告诉我的这些观念，毕竟都是我不熟悉的。你花了三十多年的时间，才慢慢建立起这些理论，我却得一下子照单全收，你必须考虑到这一点。听我说，我可以想象地球上出现过原始人，他们发展出两种完全不同、彼此无法沟通的语言……”

“或许有六七种之多。”裴洛拉特没什么自信地说，“地球可能分成好几个庞大陆块，起初，各陆块间也许没有任何联系。每个陆块上的居民，都有可能发展出独特的语言。”

崔维兹刻意以严肃认真的口气说：“各个陆块上的居民，一旦知晓了彼此的存在，可能也会开始争辩‘起源问题’，争论究竟在哪个陆块上，最早出现从动物演化而来的人类。”

“非常有可能，葛兰。他们那么做，会是一件非常自然的事。”

“而在那些语言中，有一种以‘盖娅’代表地球，但是‘地球’这个名称则是源自另一种语言。”

“对，对。”

“那个将地球称作‘地球’的语言，后来发展成银河标准语。可是地球的居民，由于某种原因，却用另一种语言中的‘盖娅’，来称呼他们自己的行星。”

“完全正确！你学得真快，葛兰。”

“但是，我觉得没必要把它想得多玄。如果盖娅真是地球，虽然名称不同，可是根据你先前的论点，这个盖娅的自转周期应该刚好是一个标准日，公转周期正是一个标准年，还具有一颗巨大的卫星，以恰好一个月的公转周期环绕这颗行星。”

“对，一定应该是这样。”

“好啦，请告诉我，它到底符合还是不符合这些条件？”

“其实我不敢说，统计表上并没有这些资料。”

“真的吗？好吧，那么，詹诺夫，我们是不是该飞到盖娅，去测一测它的自转和公转周期，并且看一看它的卫星呢？”

“葛兰，我是很想去。”裴洛拉特相当迟疑，“问题是，它的位置也没有精确的记载。”

“你的意思是，你掌握的光是一个名字，除此之外一无所有，而这就是你所谓的胸有成竹？”

“但这正是我想去银河图书馆的原因！”

“慢着，你说统计表中没有精确位置，究竟有没有其他任何资料？”

“它被列在赛协尔星区之下，旁边还加上一个问号。”

“好啦，詹诺夫，别再垂头丧气了。就让我们飞到赛协尔星区，我们总有办法找到盖娅的！”

第七章

农 夫

01

史陀・坚迪柏正沿着大学外围的乡间小路慢跑。通常，第二基地分子很少到川陀的农业世界冒险。他们当然可以这样做，不过他们出来的时候，绝不会走得太远，也不会耽搁太久。

坚迪柏却是个例外，过去他也经常寻思为何如此。寻思的意思就是探索自己的心灵，这是发言者日常的重要功课。他们的心灵兼具矛与盾的功能，必须随时锻炼攻击与防御的能力。

至于他为何与众不同，坚迪柏帮自己找到的满意答案，是他出身于一个特殊的世界，那里比一般的住人行星更为寒冷，而且质量更大。十岁那年，他被（第二基地在整个银河悄悄布下的寻才网络）带到川陀来的时候，便发现川陀的重力场较弱，而且气候温和宜人。因此，他自然比其他人更喜欢到户外来。

他来到川陀之后，就意识到自己的身材瘦弱矮小，担心在这个温暖舒适的世界住久了，会变成温室里的花朵。因此，他一直规定自己做许多运动。经过多年持之以恒的锻炼，虽然身材仍旧矮小，他却练就一身铜筋铁骨与庞大的肺活量。慢跑与散步便是他的两大健身秘诀，关于这一点，已经有发言者在圆桌会议上说闲话，坚迪柏却完全置之不理。

他始终我行我素，从不顾虑自己只是个“第一代”，而圆桌会议的其他成员，一律是第二或第三代，换句话说，他们的父祖辈已经是第二基地分子。此外，他们也全部比他年长，所以除了招惹闲话，他还能指望得到什么？

根据一项悠久传统，在发言者圆桌会议上，所有的心灵都必须敞开。理论上是要完全敞开，不过实际上，鲜有发言者不保留一个隐私的角落。久而久之，这项传统当然便形同虚设。因此，坚迪柏知道他们感到的是嫉妒，而他们自己也心知肚明；正如同坚迪柏了解自己旺盛的企图心是出于自卫和过度补偿的心理，而这点他们也一清二楚。

此外，（坚迪柏的思绪又回到他喜欢出来冒险的原因）自己的童年在一个无拘无束的世界度过。那是个广大开阔的世界，拥有壮观而变化多端的自然景观。他的家乡位于一个肥沃的谷地，在他心目中，谷地周围的山脉是全银河最最美丽的。每当酷寒的冬季，群山更显现出难以想象的壮丽景色。故乡世界的风貌，以及遥远的童年美景，他至今记忆犹新，而且常在梦中重温昔日的欢乐。所以说，他怎能让自己关在几十平方英里大的古代建筑中？

他一面跑，一面以轻蔑的目光四处打量。川陀是个温和舒适的世界，却缺少了壮美的崎岖地貌。虽然是个农业世界，但它从来不是一颗肥沃的行星。

或许就是由于这个缘故，再加上其他的因素，使得川陀成为泛银河的行政中心。当年范围广大的行星联盟，与其后涵盖整个银河的帝国，两者皆定都于此。川陀没有其他方面的优良条件，也没有强烈动机向其他方面发展。

大浩劫之后，川陀还能撑下去的原因之一，是它所拥有的大量金属资源。这是个巨大的“矿藏”，能为五十几个世界提供廉价的钢、铝、钛、铜、镁。上万年所搜集的各种金属，就这样子流散出去，算起来，比当初积聚的速度快上几百倍。

川陀仍然保存着大量金属，但全都埋在地底，不再唾手可得。那些阿姆农民（他们从来不会自称“川陀人”，认为那是不吉利的名字，因此第二基地分子将它保留给自己）不愿意再打金属的主意，而这无疑是出于迷信。

他们是一群笨蛋。留在地底的金属，很可能会不断毒害土壤，使原本不肥沃的土地变得更加贫瘠。然而，另一方面，由于人口相当稀疏，再贫瘠的土地也足以养活他们。事实上，金属的买卖也从未真正中断。

坚迪柏的目光盘桓在平直的地平线上。就地质学而言，川陀跟绝大多数的住人世界一样，是一颗活生生的行星。可是上次大规模的造山运动期，距今至少已有一亿年的历史，因此高山已被侵蚀成低缓的丘陵。事实上，在川陀历史上所谓的金属包覆期，那些丘陵也大多遭到铲平。

“首都湾”位于南方，远在目力不可及的位置，而再向南便是“东洋”。在地底水产养殖场毁坏殆尽之后，海湾与海洋遂再度重见天日。

向北遥望，可以看到银河大学的尖塔建筑，相较之下低矮宽广的图书馆（大部分结构位于地底）全部被尖塔遮掩。而再往北走一点，就是皇宫的遗迹。

小路两旁紧邻着许多农场，其间偶尔会有一栋建筑物。他经过了许多牛群、羊群、鸡群，都是川陀农场最常见的家畜与家禽。它们的心灵一律没有注意到他。

坚迪柏忽然想到，不论在银河哪个角落，只要是有人类居住的世界，都能看到这些动物，却没有任何两个世界的品种完全一样。他还记得家乡的那些山羊，以及自己豢养并曾挤奶的那头母羊。它们似乎比川陀的山羊大许多，个性也比较坚决；川陀上的山羊都是大浩劫之后引进的，属于体型较小、性情较为沉稳的品种。在银河各个住人世界上，每一类动物都有不同的变种，种类几乎不可胜数。而各个世界的上流社会，都发誓他们最喜欢本地品种，不论是肉类、乳品、蛋类或羊毛，都是自己家乡的最好。

跟往常一样，一个阿姆人也看不到。坚迪柏感到农民们是有意躲避，因为他们不愿意被所谓的“邪者”看见。他们的方言把“学者”念成“邪者”，也许还是故意的。这又是另一个迷信。

坚迪柏抬头看了看川陀的太阳。现在日头已经爬得很高，但不会使人感觉闷热。在这个地带，这个纬度上，气候一向四季如春，从来没有炙人的烈日或刺骨的寒风。坚迪柏有时甚至怀念酷寒的天气，至少在想象中十分怀念。他一直没有再返回母星，大概就是不希望使美梦幻灭，这点他自己也承认。

他全身的肌肉都感到舒畅，那是一种磨利与绷紧的感觉。他断定自己跑得够久了，便逐渐改为步行，同时做着深呼吸。

对于即将召开的圆桌会议，他已经作好完善的准备。他准备发出最后一击，一举改变第二基地的政策；他要让所有的发言者了解到，第一基地与另一个对手都将带来重大威胁，还要让他们觉悟，绝不能再依赖“完美的”谢顿计划，因为那会带来致命的危险。他们究竟什么时候才能明白，完美无瑕正是一种最肯定的警讯？

他心知肚明，若由其他发言者提出这个议题，绝不会遇到什么问题。而由他提出来，虽然难免会有麻烦，但最后仍旧能够过关，因为老桑帝斯会支持他，而且无疑将支持到底。桑帝斯不会希望成为历史的罪人，让第二基地毁在他这位第一发言者手里。

阿姆人！

坚迪柏猛然一惊。在看到那人之前，他早已感应到那个遥远的心灵触须。那是一个阿姆农夫的心灵，粗糙而率直。坚迪柏小心翼翼地撤回精神感应力，他仅仅轻触一下对方的心灵，不会引起任何感觉。在这方面，第二基地的规定非常严格。农民们在不知不觉间，为第二基地提供了最好的屏障，所以必须尽量避免打扰他们。

凡是到川陀来旅行或做生意的人，除了这些农民之外，顶多只能见到几个活在过去的无名学者。如果赶走这些农民，甚至只是干扰到他们纯朴的心灵，就会使学者变得引人注目，进而引发不堪设想的结果。（这是个典型的心理史学问题，初进银河大学的弟子都要自行证明一次。他们都会发现，只要稍微扰动一下农民的心灵，元光体便会显出惊人的偏逸现象。）

现在坚迪柏看到他了，的确是一名农夫，彻头彻尾的阿姆人。他几乎是典型的川陀农夫模样——身材又高又壮，皮肤晒成褐色，衣着简陋随便，双臂裸露在外，黑头发，黑眼珠，走起路来步伐又大又不雅观。坚迪柏仿佛已能闻到一股谷仓的味道。（但不该因此蔑视对方，他这么想。当年，普芮姆·帕佛为了计划的需要，常常心甘情愿扮演农夫的角色。他又矮又胖又松垮，哪里像个农夫。他绝不是靠外表骗倒年少的艾卡蒂，而是凭借心灵的力量。）

那个农夫踏着沉重的步伐走过来，大剌剌地瞪着他，令坚迪柏不禁皱起眉头。从来没有阿姆人用这种目光望着他，即使是小孩子，也会先跑得老远，才敢对他露出好奇的目光。

坚迪柏并未放慢脚步。反正路很宽，两人交会时，不必跟对方啰唆，也用不着看他一眼，而且这样最好。因此，他决定不碰触那个农夫的心灵。

坚迪柏挪到路边，那农夫却不吃这一套，反而停了下来，张开两腿，伸出双臂，好像故意挡住去路。然后他说：“喂！你系邪者吗？”

虽然尽量收敛精神力量，坚迪柏仍然从欺近的心灵中，感受到好勇斗狠的狂乱情绪。他也停下脚步，现在这种态势，想要不讲几句话就走过去，已经不可能了，可是对他而言，这是一件烦人的差事。像坚迪柏这种人，早已习惯第二基地的沟通方式，也就是通过声音、表情、思想与精神状态的繁复组合，构成一种迅疾而微妙的心理语言。因此，单纯使用声音来表达意念，总是令他格外厌烦。就像是想撬起一块大石头，放着旁边的铁棍不用，偏偏要徒手行事一样。

坚迪柏终于开口，他以平稳而不带一丝情绪的口气说："没错，我正是一名学者。"

"呕！你正是一名邪者。我们现在讲外国话吗？老子看不出你系不系邪者吗？"他低下头，戏谑地一鞠躬。"你，系又小又干又苍白，鼻孔又朝天的邪者。"

"你想要怎么样，阿姆人？"坚迪柏镇定地问道。

"老子姓氏系鲁菲南，大名系卡洛耳。"他的阿姆口音愈来愈重，舌头卷得非常厉害。

坚迪柏问道："你想要怎么样，卡洛耳·鲁菲南？"

"邪者，你姓啥名啥？"

"这有什么关系吗？你叫我'邪者'就行了。"

"老子问你，老子就要得到答案，鼻孔朝天的小小邪者。"

"好吧，我的姓名是史陀·坚迪柏，现在我要去办自己的事了。"

"你要办啥事？"

坚迪柏突然觉得背上的汗毛竖了起来，因为附近出现了其他心灵。他根本不必回头，就能知道后面还有三个阿姆男子，而远处还有更多人。农夫特有的味道愈来愈浓了。

"卡洛耳·鲁菲南，我的事当然与你无关。"

"你竟敢如此说？"鲁菲南提高音量，"伙计们，他说他的事同咱们无关。"

身后顿时响起一阵笑声，然后传来几句话："他说的系对的，他的事系啃书本和擦电脑，并非男子汉的工作。"

"不管我的工作是什么，"坚迪柏以坚定的口吻说，"我现在要走了。"

"你打算如何走，小小邪者？"鲁菲南问道。

“从你身边走。”

“你想试试看？你不怕遭到手臂拦阻？”

“你和所有的伙计一起上？还是你一个人？”坚迪柏突然改用道地的阿姆方言说，“汝不惧单打独斗？”

严格说来，他不该这样向对方挑衅。可是这样一来，至少可以防止他们一拥而上。群殴是绝对要避免的，否则他将被迫采取更轻率的措施。

这句话果然生效了，鲁菲南皱起了眉头。“此地若有惧怕，蛀书虫，惧怕全在你心中。伙计们，闪开点，站到后头去，让他走过来，他将明了老子惧不惧单打独斗。”

鲁菲南举起一双粗大的拳头，不停使劲挥舞着。坚迪柏并不把农夫的拳击功夫看在眼里，但仍有可能重重挨上一拳。

坚迪柏谨慎地发出精神力量，迅疾接触鲁菲南的心灵。他并没有做太多手脚，只是轻轻接触一下，对方完全没有感觉，但是反射机制已经遭到抑制。然后他又将力量延伸出去，探进周围愈聚愈多的心灵中。坚迪柏的发言者心灵发挥了高超的技艺，不断迅速来回游走，在每个心灵中停留的时间恰到好处，并未留下任何痕迹，却足以侦测到是否藏有可资利用的念头。

他轻巧而警觉地向鲁菲南逼近，注意到没有其他人准备插手，才总算松了一口气。

鲁菲南突然击出一拳，坚迪柏在他牵动肌肉之前，早已看清他心中的企图，得以及时闪到一旁。拳头卷着一阵风声打过来，差一点就避不开，坚迪柏却泰然自若地站在那里。人群中立时发出一连串叹息声。

坚迪柏未曾试图招架或还击。想要招架，难保自己的手臂不会痛得发麻，而还击则毫无用处，对方可以轻易承受他的拳头。

他只能像斗牛般对付这个莽汉，让他每次都落空。如此便能渐渐挫尽对方的锐气，这是直接还手绝对无法做到的。

鲁菲南果然像疯牛般高声怒吼，再度发动攻击。坚迪柏又及时往旁边一闪，正好让农夫扑了个空。鲁菲南又发动第三波攻势，结果照样未能得逞。

坚迪柏开始感到呼吸急促。虽然体力消耗不多，但他必须施展似有若无的精神控制力，那是极其困难的一件事。他实在撑不了多久了。

于是他又开口，尽量以最平静的口吻说：“我要去办自己的事了。”与此同时，他轻拍着鲁菲南的“恐惧抑制机制”，试图以最不干扰其心灵的方式，唤起农夫对学者的迷信式敬畏。

鲁菲南因愤怒而脸孔扭曲，一时之间却没有任何动作。坚迪柏能够感知对方的想法：小小邪者会凭空消失，好像在变戏法。此外，坚迪柏还感觉到他的恐惧逐渐增强，有那么片刻……

不料这个阿姆人的怒意又陡然高涨，将恐惧感瞬间淹没。

鲁菲南大声吼道：“伙计们！这邪者会跳舞，脚趾头很滑溜，瞧不起阿姆人光明正大一拳换一拳的规矩。逮住他，抓牢他，好让老子跟他换换拳头。来者是客，他能先打老子，老子——老子再回敬他。”

坚迪柏发现周围人群中有些空隙。他现在唯一的机会，是设法让某个空隙保持原状，以便从那道缝钻出去，然后拔腿就跑。仗着自己的肺活量，加上足以化解农民意志的精神力量，自己也许能逃过一劫。

他不停地闪躲挪移，不断发出抑制性的精神力量。

办不到了，对方的人实在太多，而第二基地的戒律又太严格。

他感觉双臂被许多只手抓住，他被逮到了。

现在，他至少得干扰几个人的心灵。这可是大忌，会葬送掉他的前途。但是他的性命——他宝贵的生命——已经岌岌可危。

怎么会发生这种事？

02

圆桌会议的成员尚未到齐。

一般说来，如果有任何发言者迟到，会议仍会准时召开。而且，桑帝斯想，在场成员无论如何不愿再等下去。史陀·坚迪柏是最年轻的发言者，但是他对这个事实却不够了解。他的言行举止，在在暗示年轻就是最大的本钱，而年长者应该随时提醒自己年事已高。其他的发言者都不欣赏坚迪柏，事实上，桑帝斯自己也并非百分之百欣赏他。可是目前的问题，并不是欣赏与否。

他的沉思被黛洛拉·德拉米打断，她正用一双又大又蓝的眼睛望着他。她的圆脸总是带着纯真友善的表情，恰好掩饰了精明的心灵（只有与她地位相同的第二基地分子看得穿）以及凶残的本性。

她带着微笑说："第一发言者，我们还要等下去吗？"由于会议尚未正式召开，因此严格说来，她的确可以首先打破沉默。不过，其他的发言者或许都会等桑帝斯先开口，因为根据头衔，他总是有这个权利。

桑帝斯以宽容的目光望着她，对她的轻微失礼并不在意。"德拉米发言者，通常我们不会再等下去。但这次召开圆桌会议，正是为了听取坚迪柏发言者的意见，最好稍微放松一点规定。"

"第一发言者，他到哪里去了？"

"这一点，德拉米发言者，我并不知道。"

德拉米望了望四周的脸孔。除了第一发言者，应该还有十一位发言者。也就是说，总共只有十二位。五个世纪以来，第二基地的势力与职责扩张了无数倍，但是增加圆桌会议席次的各种尝试，却始终没有成功。

谢顿死后，第二代第一发言者（谢顿本人一向被奉为第一代第一发言者）就作出明确的规定，将发言者的名额定为十二名，从此一直沿袭至今。

为什么是十二名呢？因为十二个人很容易等分成几组。而且这个数目不多不少，集体开会不至于乱成一团，也足够分成几组分别行事。再多一些就会大而无当，再少一点则将失去弹性。

这只不过是后人的解释罢了。事实上，谁也不知道选取这个数字的真正原因，也不懂为何应该一成不变。但即使是第二基地的成员，也难免成为传统的奴隶。

当德拉米环视每一张脸孔，接触每一个心灵时，这个问题在她心中一闪即逝。最后，她以嘲讽的目光，凝视着那个空置的座位——那个地位最低的座位。

她发现没有人对坚迪柏表示同情，这点令她十分满意。她始终觉得这个年轻人像蜈蚣一样可憎，早该一脚踩死。只是由于他具有显著的能力与才干，因此直到目前为止，还没有人公开提议将他交付审判，以取消他的发言权。在第二基地五百年的历史中，只有两位发言者遭到纠举，不过都没有被定罪。

今天坚迪柏无故不出席，显然是蔑视圆桌会议，这可要比其他犯众怒的举动更糟。此时，想要审判坚迪柏的意识陡然高涨，令德拉米觉得很高兴。

她继续说："第一发言者，您若不知坚迪柏发言者的下落，我很乐意告诉您。"

"请说，发言者。"

"我们之间，有谁不知道这个年轻人，"她没有用正式的头衔称呼他，当然，这点大家都注意到了，"总是跟阿姆人牵扯不清？至于是些什么牵扯，我并不想过问，但他此刻正跟他们在一起，而且显然很关心他们，甚至将他们看得比圆桌会议更为重要。"

"我相信，"另一位发言者说，"他只是到外面去散步或慢跑，做做运动而已。"

德拉米再度展露笑容，她很爱笑，反正无需任何成本。"大学、图书馆、皇宫，以及周围这一大片领域，都是我们的地盘。虽然跟整个行星比较起来，范围并不算大，可是要做做运动，我认为应该足够宽敞了。第一发言者，我们还不开始吗？"

第一发言者在心中叹了一口气。他有全权让圆桌会议继续等待，甚至可以宣布暂时休会，直到坚迪柏出现了再说。

然而，身为第一发言者，必须得到其他发言者的支持，如果连消极的支持都没有，工作不可能会一帆风顺，因此得罪他们绝非明智之举。即使是普芮姆·帕佛，当年为了贯彻自己的计划，有时也不得不甜言蜜语一番。何况，坚迪柏的缺席确实令人恼火，连第一发言者自己都有这种感觉。这个年轻人应该受点教训，好让他知道不能为所欲为。

因此，身为第一发言者，他率先正式发言："我们开会吧。坚迪柏发言者从元光体资料中，推导出一些惊人的结果。他相信另外还有一个组织，以更高明的方法在维护谢顿计划，而且他们这么做，是为了他们自己。因此他的看法是，出于自卫，我们必须对这个组织多加了解。你们都已经收到这份报告，而召开这次会议的目的，正是让诸位有机会当面质询坚迪柏发言者，以便我们达成某种结论，作为未来政策的指导方针。”

事实上，桑帝斯根本不必说那么多。他已经敞开自己的心灵，与会人士都能一目了然。开口发言只不过是一种礼貌。

德拉米飞快环顾四周，其他十个人似乎都同意让她担任反坚迪柏的发言代表。于是她说：“但坚迪柏——”她又省掉了头衔，“并不知道也说不出那个组织是何方神圣。”

这是一句不折不扣的直述句，而且语意已经接近无礼的程度。这句话的意思等于是说：我能分析你的心灵，你用不着费心多作解释。

第一发言者体会到她的言外之意，立刻决定不予理会。“虽然坚迪柏发言者不知道，”他一丝不苟地使用这个正式称谓，甚至并未故意加重语气来强调，“也说不出那个组织的究竟，这并不代表它不存在。第一基地的成员，在他们的历史上，大部分时间都对我们一无所知，事实上，现在也几乎不晓得我们的真相，难道你认为我们自己也不存在吗？”

“虽然我们的存在是个秘密，”德拉米答道，“并不代表说，任何东西想要存在，也必须跟我们一样不为人知。”她轻轻笑了几声。

“有道理。这就是为什么坚迪柏发言者的推论，必须以最审慎的态度加以检验。他的结论是基于严格的数学推导，我自己从头到尾看过一遍，我奉劝诸位也都能认真研究一下。它是，”他寻思着一个适当的心灵表达，“相当具说服力的。”

“那个第一基地人葛兰·崔维兹，他一直盘踞在您心中，您为何却只字不提？”（又一次无礼的冒犯，第一发言者这回有点光火）“他又是怎么回事？”

第一发言者答道：“坚迪柏发言者认为这个人，崔维兹，是那个组织的工具，也许连他自己都蒙在鼓里，我们绝不能对他掉以轻心。”

“如果这个组织，”德拉米靠向椅背，将灰白的头发从眼前拨开，顺手推到脑后，“不管它是什么，如果的确存在，又具有恐怖的强大精神力量，而且如此隐密，那么，它有可能用这样公开的手段，假手一个相当抢眼的人物，一名遭到第一基地放逐的议员吗？”

第一发言者严肃地说：“照理应该不会。但我注意到一件令人极为不安的事，连我自己也不大了解。”他好像不知不觉将思绪埋藏起来，羞于让其他发言者看见。

每位发言者都注意到了这个无形的举动，根据一项严格的要求，他们都对这种愧意表示尊重。德拉米也照做了，但是感到很不耐烦。然后，她遵循既定的公式说："既然我们明白并且谅解您的愧意，可否请您让我们知道您的想法？"

于是第一发言者说："我跟你一样，看不出有什么理由，可以假设崔维兹议员是另一个组织的工具。即使他真是工具，我也看不出他能达到什么目的。但是坚迪柏发言者好像十分肯定，而对于一位有资格担任发言者的人，我们绝对不能忽视他的直觉。因此，我做了一个尝试，将心理史学套用在崔维兹身上。"

"套用在单独一个人身上？"某位发言者以低沉惊讶的口气问道，同时心中伴随着一个想法，那等于是清清楚楚的一句：真是个笨蛋！但他立即表示了悔意。

"套用在单独一个人身上。"第一发言者说，"你的想法没错，我真是个笨蛋！我自己应该非常清楚，心理史学绝不可能用到个人身上，甚至对一小群人也不灵光。然而，我无法按捺自己的好奇心。我将'人际交点'外推到超过极限很远的区域，可是我总共用了十六种不同的方法，而且选择的是一个区域，并非只是一个点。然后，我又分析了我们手中有关崔维兹的所有资料——第一基地的议员多少会受到我们的注意——此外再加上基地市长的资料。最后我将这些结果综合起来，只怕过程有些乱七八糟。"说到这里他突然住口。

"怎么样？"德拉米追问，"我猜想您……结果出人意料之外吗？"

"正如诸位预料的一样，根本没有任何结果。"第一发言者答道，"单独一个人的行为绝对无法预测，但是……但是……"

"但是什么？"

"我在心理史学上花了四十年的时间，在分析任何问题之前，我都能对结果先有一个相当明确的预感，而且很少猜错。眼前这个问题，虽然没有答案，我却产生一种强烈的感觉，认为坚迪柏说对了，我们不能对崔维兹置之不理。"

"为什么呢，第一发言者？"德拉米问道。第一发言者心中强烈的情绪，显然令她大吃一惊。

“我感到很羞愧，”第一发言者说，“自己竟然无法抗拒诱惑，将心理史学用在不适用的问题上。而更令我感到羞愧的是，我还允许纯粹的直觉左右我自己。但是我身不由己，因为这种感觉非常强烈。假如坚迪柏发言者说对了，如果我们正遭受到不知名的威胁，那么根据我的感觉，当我们的危机降临时，崔维兹将是扭转乾坤的决定性人物。”

“您这种感觉有什么根据呢？”德拉米十分惊讶。

第一发言者桑帝斯愁眉苦脸地环视众人。“我毫无根据，心理史学的数学没有给出任何结果。可是我观察各种关系的交互作用，便感到崔维兹是一切事物的关键。对这个年轻人，我们一定要密切注意。”

03

坚迪柏心里明白，他无法及时赶回参加圆桌会议，还有可能永远回不去了。

他的四肢都被牢牢抓住，但他仍然拼命测试四周的心灵，试图找出迫使他们释放自己的最佳方案。

这时，鲁菲南正站在他面前耀武扬威。“邪者，你准备好没？一拳换一拳，一掌换一掌，阿姆传统方式。来吧，你个子小，你先来打。”

坚迪柏说：“那么，是否有人同样抓住阁下？”

鲁菲南则说：“放开他。非也非也，光放开手臂，让他能挥动拳头。两只脚要抓牢，我们不要他再跳舞。”

坚迪柏觉得双脚好像钉在地上，但是两只手可以活动了。

“打呀，邪者。”鲁菲南说，“打一拳给咱们看。”

此时，坚迪柏向四处探出的精神感应，突然间发现一个合适的心灵，其中充满着愤怒、不平与怜悯的情绪。他毫无选择余地，必须冒险增强精神力量，然后随机应变……

他随即发觉没有这个必要！他尚未碰触这个新出现的心灵，它的反应却和他的预期一样，完全一模一样。

他眼前突然出现一个较小的身形——结实健壮，一头黑发又长又乱，两只手臂举在前面——疯狂地冲过来，疯狂地推开那名阿姆农夫。

那是一个女人。由于坚迪柏太过紧张，一心一意只想脱困，因此刚才浑然不觉，直到现在才凭视觉发现她是女人。想到这里，他不禁埋怨起自己来。

“卡洛耳·鲁菲南！”她对农夫尖声叫道，“系大欺小的懦夫！一拳换一拳，哪门子阿姆传统方式？你系那邪者的两倍大，你打我都比打他危险多。揍一顿那可怜小子你很有名望吗？我想你不要脸。会有一大堆人指着你鼻子，大家全会说：‘那边有个鲁菲南，出了名的大欺小。’我想人人会笑你，再没一个要脸的阿姆男子会跟你喝酒，再没一个要脸的阿姆女子会跟你有牵扯。”

鲁菲南忙着阻止这一轮猛攻，一面挡开她落下的拳头，一面不停地讨饶：“好啦，苏拉。好啦，苏拉。”

坚迪柏感到抓着自己的手通通松掉了，鲁菲南不再对他横眉竖眼，每个人的心思都从他身上移开。

苏拉同样没有理睬他，她的怒火全部集中在鲁菲南身上。坚迪柏此时回过神来，开始设想怎样才能一直维持那股怒火，并且更加增强鲁菲南心中的羞愧，而两者必须做得恰到好处，不能留下丝毫痕迹。不过，他再度发现这根本没有必要。

那女人又骂道：“你们全站远点，听好。假若大块头卡洛耳还对付不了这个营养不良的家伙，你们这五六个狐群狗党一定一起不要脸。你们等一下回到农场，一定会大大吹嘘这件大欺小的英勇行为。你会说：‘我抓住那小子的手臂，大块头鲁菲南打他的脸，他不敢还手。’你会说：‘可是我负责抓他的脚，所以光荣也有我一份。’大块头鲁菲南会说：‘我没法子逮到他，所以我的农友把他抓牢，有他们六个帮忙，我就在他身上获得胜利。’”

“可是苏拉，”鲁菲南以近乎呜咽的声音说，“我告诉邪者，他可以先打。”

“你会怕他那两只细手臂的重拳头才怪，笨头鲁菲南。好啦，让他爱到哪儿就到哪儿，你们这些人赶紧爬回家，这样你们的家还会欢迎你们。你们最好祷告今日这件伟大事迹被人忘掉，假如你们要把我的火气再升高，那么你们就甭指望，因为我一定会把这个消息传到远方。”

农夫们没有再说什么，全都垂头丧气，头也不回地离开了。

坚迪柏看他们走远了，才转过头来盯着那个女人。她穿着宽松的工作服与长裤，脚上套着一双粗制的鞋子，满脸都是汗水，正在使劲喘气。她的鼻子稍嫌大些，胸部很厚实（由于她穿着宽大的工作服，坚迪柏无法百分之百确定），裸露在外的双臂肌肉发达。这是当然的事，阿姆女子总是跟男人一块下田干活。

她双手叉腰，以严肃的目光瞪着他。“好啦，邪者，干吗拖拖拉拉？赶快回到‘邪者之地’。你惧怕吗？想我陪你走吗？”

她身上的衣服显然好久没洗了，坚迪柏闻得到上面的汗酸味。但在目前的情况下，露出任何嫌恶的表情，都会是最失礼的行为。

“我很感谢你，苏拉小姐……”

“我的姓氏系诺微，”她粗声说，“全名苏拉·诺微。你可以叫我诺微，不必多加什么。”

“我很感谢你，诺微，你帮了我一个大忙。欢迎你陪我走一趟，并非系我惧怕，系有你作伴我感到荣幸。”他优雅地鞠了一个躬，如同对大学里的女郎致意一般。

诺微涨红了脸，似乎不知所措，只好也模仿他的动作。“荣幸，系我的。”她仿佛在脑海中翻找许久，才找到这句足以表达喜悦，又显得很有教养的话。

于是他们一道往回走。坚迪柏很明白，每跨出悠闲的一步，就代表他会在圆桌会议上多迟到几秒钟，这是不可饶恕的行为。但是他现在有很好的机会，可以想想刚才的变故究竟有何深意，因此他镇定异常，并不在意时间一分一秒溜走。

当大学的建筑遥遥在望之际，苏拉·诺微停下脚步，以迟疑的口气说：“邪者师傅？”

坚迪柏想，显然是因为渐渐接近她口中的“邪者之地”，她的谈吐因此愈来愈文雅。他心中突然冒出一个冲动，想要说：“你不再叫我可怜小子？”可是那会害得她无地自容。

“什么事，诺微？”

“邪者之地非常美观、非常豪华吗？”

“是很不错。”坚迪柏说。

“我曾经做梦我在邪者之地，而且……而且我系一个邪者。”

“改天，”坚迪柏客气地说，“我带你参观一下。”

由她望向他的眼神，看得出她绝不认为那只是客气话。“我会写字，学校师傅教过我。假如我写信给你，”她假装只是随口问问，“我该怎样标示，才能到你手上？”

“只要写‘发言者之家，第二十七栋’，我就能收到。但我得赶紧走了，诺微。”

他再向她鞠了一躬，而她又试着模仿了一次那个动作，两人就往相反的方向分道扬镳。坚迪柏很快便将她从心头挥去，现在他心中只有圆桌会议，尤其是黛洛拉·德拉米发言者。想到这里，他的心情突然分外沉重。

第八章

农 妇

01

发言者们围坐在圆桌周围，个个都在精神屏蔽的掩护下。仿佛他们不约而同，全都将心灵隐藏起来，以免对第一发言者有关崔维兹的陈述，做出难堪的侮辱。他们唯一的举动，只是偷偷向德拉米看去，即使只是这样，也已经泄露了他们的态度。在所有的发言者中，德拉米的无礼是出了名的。就连坚迪柏，开会时偶尔也会说些应酬话。

德拉米注意到投向自己的目光，知道她已经没有选择的余地，只好挺身面对这个难局。事实上，她并不想逃避这个问题。在第二基地的历史上，从来没有第一发言者因为“错误分析”而遭到纠举（她故意发明这个说法当做掩饰，其实言外之意就是“无能”）。现在却有了这个可能，因此她绝不会犹豫畏缩。

“第一发言者！”她以柔和的语气说，她脸上毫无血色，苍白的薄嘴唇看来更像是隐形的。“这可是您自己亲口说的，您的意见没有任何根据，心理史学的数学未曾导出任何结果。您是要我们根据玄奥的直觉，作出一个重大无比的决策？”

第一发言者抬起头来，双眉紧紧锁在一起。他注意到众人都将心灵屏蔽起来，也明白这代表什么意思。他以冷静的口吻说：“我并不讳言缺乏证据，也没有提出任何伪造的结果。我向诸位报告的，是一位第一发言者强烈的直觉——这位第一发言者一生都在钻研谢顿计划，累积了数十年的经验。”他带着鲜有的孤傲神情环视众人，令他们的精神屏蔽一一软化并解除。德拉米（当他的目光转向她的时候）是最后软化的一位。

她赶紧在心中注满毫无敌意的坦然情绪，仿佛什么事都未曾发生。“第一发言者，我当然接受您的说法。然而，我想您大概愿意重新考虑一下。既然您对求助直觉这件事，已经表示羞愧之意，您会不会希望将这段发言从记录中删除。如果，根据您的判断，应该……”

坚迪柏的声音突然插了进来："什么发言该从记录中删除？"

所有的目光几乎同时转向。若非在先前那个紧要关头，他们都将心灵屏蔽，那么早在坚迪柏进门之前，大家就该感到他已经接近。

"刚才大家的心灵都封闭了？全部不知道我走进来？"坚迪柏以讽刺的口吻说，"我们这个圆桌会议，今天开的是同乐会吗，竟然没有人警觉到我的出现？还是你们全都认定我无法出席？"

这一连串的惊人之语，公然破坏了所有的规矩。迟到已经是很糟的事，未经通报闯入会场更是罪加一等，而在第一发言者准许他与会之前，坚迪柏竟然擅自发言，简直就是罪不可赦。

第一发言者转头望向他。其他的问题暂时都不重要了，纪律问题必须最先解决。

"坚迪柏发言者，"他说，"你迟到了，你未经通报就进入会场，并且擅自发言。我若中止你三十天的发言权，你有任何抗辩的理由吗？"

"当然有。我们应该先来讨论，究竟是谁设法让我迟到，以及原因何在。弄明白这个问题之后，再来讨论停权处分的动议。"坚迪柏说得既冷静又谨慎，不过思绪中夹杂着怒火，他也不在乎有谁会感觉到。

德拉米当然察觉了，她高声说："这个男人疯了。"

"疯了？这个女人这么说才疯了呢，还是因为她心虚了？第一发言者，我现在向您提出一项攸关个人权益的动议。"坚迪柏说。

"发言者，什么样的个人权益？"

"第一发言者，我指控在座某一位企图谋杀。"

所有的发言者都跳了起来，会场响起了由语言、表情与精神状态构成的聒噪，几乎将屋顶都掀翻了。

第一发言者举起双手，大声喝道："我们必须给这位发言者一个机会，让他陈述他的个人权益。"他发现必须借助精神力量增强自己的威权，虽然这样做极不合宜，但也没有其他选择。

聒噪渐渐止息了。

坚迪柏默默等待，直到会场完全恢复宁静，没有一点普通噪音或精神噪音之后，他才说："刚才，我从阿姆人的道路走回来的时候，照我当时所在的位置，以及行进速度，都绝对不可能迟到。但我在半途被几个农夫拦住去路，差点挨了一顿揍，甚至可能被打死。由于这个缘故，我才耽搁了，直到现在才赶来。首先请容我指出，据我所知，自大浩劫之后，从来没有任何阿姆人对第二基地分子出言不逊，动粗就更不用说了。”

“我也没听说过。”第一发言者说。

德拉米突然叫道：“第二基地分子向来很少单独走到阿姆人的地盘！你偏偏这么做，这叫咎由自取！”

“没错，”坚迪柏说，“我经常单独走到阿姆人的地盘。每条路我都走了几百遍，可是从来没有遇上麻烦。其他人虽然不像我这样到处走，却也没有人自我放逐，把自己永远关在大学里，可是没听说有谁遭到过阻拦。我记得德拉米有时候——”此时，他好像才想起来该加上头衔，可是为时已晚，索性决定趁机羞辱她一下。“我的意思是，我记得德拉米‘女发言者’有时也会到阿姆人的地盘，可是从来没有人跟她搭讪。”

“或许，”德拉米将眼睛瞪得跟铜铃一样大，“因为我不主动跟他们攀谈，因为我总是保持安全距离。换言之，因为我举止合宜，所以受到他们的尊敬。”

“怪了，”坚迪柏道，“我正想说，是因为你看起来比我可怕。毕竟，即使在我们这里，也很少有人敢接近你。可是请告诉我，过去有那么多次机会，为何阿姆人从来未曾拦阻我的去路，却偏偏选择今天，当我正赶回来参加一个重要会议的时候？”

“若非由于你举止失当，那就一定是巧合。”德拉米说，“我从来没听说过，谢顿的数学能取消几率在银河中扮演的角色，个人事件尤其如此。或者你的这番话，也是根据直觉而来的灵感？”这话旁敲侧击地攻击了第一发言者，令一两位发言者在心中轻叹一声。

“并非我举止失当，也不是什么巧合，这是早就计划好的行动。”坚迪柏说。

“我们又怎能确定呢？”第一发言者温和地问道。由于德拉米刚才的讽刺，他对坚迪柏的态度不免缓和许多。

“我将心灵向您敞开，第一发言者。我把刚才那件事的记忆，全部传递给您，以及圆桌会议每一位成员。”

记忆传递只花了极短暂的时间，然后第一发言者说："真可怕！在那么大的压力下，发言者，你表现得非常有分寸。我同意那个阿姆人的行为的确反常，保证会下令调查。现在，请加入我们的讨论……"

"且慢！"德拉米突然插嘴道，"我们如何肯定这位发言者的陈述尽皆属实？"

面对这样的侮辱，坚迪柏气得几乎鼻孔冒火，但他仍然勉力维持着镇静。"我的心灵是敞开的。"

"我知道有些心灵看似敞开，其实不然。"

"这点我倒并不怀疑，发言者，"坚迪柏说，"因为你跟大家一样，一定随时随地检视自己的心灵。然而我跟你不同，当我打开心灵，它就完全敞开。"

第一发言者说："我们不要再……"

"我也要提出一项有关个人权益的动议，第一发言者，同时我要向您道歉，请原谅我刚才打岔。"德拉米说。

"发言者，什么样的个人权益？"

"坚迪柏发言者指控我们其中一人企图谋杀，教唆那个农夫攻击他。在这项指控尚未撤回之前，我必须被视为凶嫌，在座每一位也都一样。包括您在内，第一发言者。"

第一发言者说："你愿意撤回这项指控吗，坚迪柏发言者？"

坚迪柏坐到自己的座位上，两手紧紧抓住扶手，仿佛要将座椅据为己有。他说："我愿意，可是得有人先解释一下，在我赶来参加会议的时候，为什么会有一个阿姆农夫，伙同其他几个同伴，竟然故意要拦阻我。"

"这也许有上千个原因，"第一发言者说，"我重申一遍，这件事一定会详加调查。现在，坚迪柏发言者，为了讨论得以继续进行，可否请你撤回指控？"

"不行，第一发言者。刚才，我花了好几分钟时间，尽可能以最精妙的手法探索对方的心灵，设法转变他的行为，又不至于造成伤害，结果我失败了。他的心灵缺乏应有的弹性，他的情绪全被定型，仿佛受到外在心灵的控制。"

德拉米突然挤出一丝笑意，接口道："而你认为那个外在心灵，正是我们其中之一？难道就不会是你所谓的神秘组织，那个和我们对立、比我们更强大的组织干的吗？”

“有这个可能。”坚迪柏说。

“这样的话，我们这些人都是清白的，因为我们都不属于那个只有你才知道的组织，所以你应该立刻撤回指控。难道说，你是想指控在座某个人，受到了那个神秘组织的控制？也许我们其中某一位成员，已经不完全是他自己了？”

“或许吧。”坚迪柏冷冷地答道，他很清楚德拉米正在把他引进一个圈套。

“不过也有可能，”德拉米准备开始收紧圈套，“你所幻想的这个既秘密又隐密的神秘组织，只是一个妄想症患者的恶梦。根据你的被迫害妄想，阿姆农夫们受到影响，发言者也都受到秘密控制。然而，我愿意暂且迁就你的奇特思路。发言者，你认为我们中间，哪一个人受到控制？会不会就是本人？”

坚迪柏回答说：“我倒不这么想，发言者。你若试图用这么迂回的方式铲除我，就不会如此公然对我表示憎恶。”

“也许是负负得正的结果吧？”德拉米柔声说，口气得意之至，“妄想症患者很容易得出这种结论。”

“既然你这么说，那就有此可能。你的妄想经验比我丰富多了。”

另一名发言者列斯提姆·吉安尼，突然怒声插嘴道：“听好，坚迪柏发言者，如果你洗刷了德拉米发言者的嫌疑，就等于指控我们其他人嫌疑更重。我们其中无论哪一个，又有什么理由要阻延你参加会议，更遑论要置你于死地？”

坚迪柏好像就是在等这个问题，他立刻答道：“我刚才进来的时候，你们正在讨论将某些发言从记录中删除。那是第一发言者的发言，而我是唯一未能听到的发言者。请让我知道它的内容，相信我就能找出某人阻延我的动机。”

第一发言者说：“我刚才在陈述——结果德拉米发言者和其他人都表示强烈反对——我根据直觉以及心理史学的不当应用，断定谢顿计划未来的成败，全系于遭到放逐的第一基地人葛兰·崔维兹身上。”

坚迪柏说：“其他发言者怎么想，那是他们的事。就我自己而言，我完全同意这个假设。崔维兹是关键所在，他突然被第一基地放逐到太空，我认为内幕绝不单纯。”

德拉米说：“坚迪柏发言者，你是不是想讲，崔维兹——或是放逐他的那些人——已在那个神秘组织的掌握中？也许每一个人和每一件事都受到了他们的控制，只有你、第一发言者，还有我是例外，因为你已经宣称我并未受到控制。”

坚迪柏答道：“这些疯言疯语我根本不必回答。接下来我想要问的是，在座的发言者当中，有谁愿意对第一发言者和我的观点表示赞同？我经过第一发言者的许可，分发给各位的那些数学推导，想必各位已经看过了。”

接下来是一片死寂。

“我再重复一遍我的问题，”坚迪柏说，“有谁赞同？”

仍是一片死寂。

坚迪柏说：“第一发言者，现在您该知道阻延我的动机了。”

第一发言者说：“请明讲。”

“您曾经表示过，我们需要对那个第一基地人崔维兹，采取因应对策。这就代表我们务必采取积极主动。诸位发言者若看过我的报告，就该对我的想法至少有个概念。然而，假使全体发言者一致反对您——全体一致反对，那么，根据固有的权限，您就无法作出任何改变。可是只要有一位发言者支持您，您就能够施行新的政策。而我就是那位会支持您的发言者，任何人只要读过我的报告，都可以了解这一点。因此，必须不计任何代价阻止我出席圆桌会议。这个诡计几乎得逞，但我现在还是赶来了，而我表明支持第一发言者的立场。既然我赞同他的观点，那么根据固有的惯例，他就能对其他十位发言者的反对置之不理。”

德拉米使劲敲了一下会议桌。“这就代表，某人事先知道第一发言者准备讨论的内容，并且事先知道坚迪柏发言者会支持这个提案，而其他人全部会反对。换句话说，这个人能获悉他不可能知晓的事。我们还可以进一步推论，这个先发制人的计划，是坚迪柏发言者妄想出的那个组织所不喜欢的，因此他们才会出面阻挠，而且我们当中的一位或几位，已经在那个组织控制之下。”

“这些推论都很正确。”坚迪柏表示同意，“你的分析实在极为精辟。”

“你指控的到底是谁？”德拉米大声叫道。

“我不想指控谁，这件事我想请第一发言者处理。现在事态已经很明显，我们当中的确有人暗中和我们为敌。我在此提出一项建议，每一个为第二基地工作的人，都接受一次彻底的精神结构分析。每一个人，包括所有的发言者，甚至包括我自己和第一发言者。”

圆桌会议的秩序立时失控，出现了史无前例的混乱场面与激动情绪。

等到第一发言者终于正式宣布休会，坚迪柏没有跟任何人打招呼，径自回到自己的房间。他心中很明白，其他发言者都不是他的朋友，就连第一发言者所能提供的支持，也顶多算是半推半就。

他自己也无法分辨，他究竟是为自己担心，还是在忧虑整个第二基地的安危。末日即将降临的感觉，令他满嘴苦涩。

02

当天晚上，坚迪柏睡得很不好。不论在清醒的思绪中，或是睡眠的梦境里，他都跟德拉米争吵不休。在某个梦境中，她竟然和那个阿姆农夫鲁菲南融成一体，于是，坚迪柏眼前出现一个比例怪异的德拉米，一步步向他逼近。她抡着两个巨大的拳头，脸上带着甜美的微笑，还露出许多细长的尖牙。

直到床头柜上的蜂鸣器发出微弱的声音，他才总算醒了过来。现在早已过了他平日的起床时间，他却一点也没有歇息过的感觉。他赶紧转过身来，按下对讲机的键钮。

“喂？什么事？”

“发言者！”说话的是那层楼的舍监，语气中欠缺应有的尊重。“有个访客希望见你。”

“访客？”坚迪柏按了按行事历的开关，屏幕显示中午以前并无任何约会。他再按下时间显示键，现在是上午八点三十二分。他没好气地问道：“究竟是什么人？”

“发言者，那人不愿通报姓名。”然后，舍监用明显不以为然的口气说：“是个阿姆人，发言者，说是应你之邀来的。”最后半句话的口气更加不以为然。

“让他到会客室等我，我还要一阵子才能下来。”

坚迪柏一点也不急。沐浴的时候，他一直陷入沉思。有人利用阿姆人来阻挠他的行动，这个假设愈想愈合理，但他更想知道究竟是何方神圣。现在这个登堂入室来找他的阿姆人又是谁？这是另一个精心布置的陷阱吗？

谢顿在上，一个阿姆农夫到大学来做什么？他能有什么借口？真正的来意又是什么？

有那么一瞬间，坚迪柏想到是否应该携械防身。但他几乎立刻打消这个念头，因为他充满高傲的自信，确定自己在大学校园中不会有任何危险。在这里，他能轻而易举控制任何一个农夫，却不会在阿姆人心灵中留下过深的痕迹。

坚迪柏判断，一定是由于昨天卡洛耳·鲁菲南带来的麻烦，令他受到强烈的震撼，才会变得这般疑神疑鬼。对了，会不会就是那个农夫呢？或许他已不再受到干扰——不论是什么人或什么组织的干扰——他当然会担心受到惩罚，因而主动前来道歉。可是鲁菲南怎么知道该到这里来？又怎么会找到自己呢？

坚迪柏大摇大摆走过回廊，打定主意兵来将挡。他刚踏进会客室，立刻大吃一惊，连忙转身去找那名舍监。后者坐在玻璃围成的隔间中，正在假装埋头办公。

“舍监，你没说访客是个女的。”

舍监沉着地回答说：“发言者，我说是个阿姆人，你就没有再问下去。”

“问一句答一句是吗，舍监？我得记住这是你的特点。”此外，还得查一查他是不是德拉米的眼线。而且从现在开始，必须记得注意身边每一名工作人员。这些“低层人员”很容易被他这种人忽视，虽然他才刚刚升任发言者不久。“哪一间会议室空着？”

舍监答道："只有四号会议室空着，发言者，有三小时的空档。"他装着一副老实的模样，瞥了瞥那个阿姆女子，又瞥了瞥坚迪柏。

"那我们就用四号会议室，舍监，我还要劝你一句话，别多管他人的心灵。"坚迪柏投射出并不算弱的精神力量，舍监根本来不及防御。如此对付一个弱势的心灵，实在有损身份，这点坚迪柏很明白。可是像他这种人，既然无法掩饰心中的下流揣测，就不该一直乐此不疲。舍监至少要头疼好几个小时，那是他罪有应得。

03

坚迪柏并未立刻想起她的名字，也没有心情费神去想。无论如何，她也不可能指望他记得。

他没好气地说："你是……"

"我系诺微，邪者师傅。"她几乎是喘着气说出这句话的，"我的名系苏拉，但我只用诺微称呼。"

"对了，诺微，我们昨天见过面，现在我记起来了。我没有忘记你跳出来保护我。"在大学校园中，他实在无法改用阿姆腔调说话，"你是怎么找到这里来的？"

"师傅，你说我可写信给你。你说要写'发言者之家，第二十七栋'。我自己送信来，我拿给他们看。系我自己写的，师傅。"她流露出掺杂着害羞的骄傲，"他们问：'写这信给谁？'邪者师傅，你对那笨头鲁菲南说话的时候，我听到你讲自己的姓名，所以我说系送给史陀·坚迪柏。"

"他们就这样让你进来，诺微？他们没有要求看那封信吗？"

"我非常惊吓，我想也许他们感受轻微抱歉。我说：'坚迪柏邪者答应带我参观邪者之地。'他们都笑起来，大门口一个人对另一个人说：'他还会带她参观别的。'他们指出我该哪里走，说不可走到别的他处，否则一下子把我赶出去。”

坚迪柏的双颊泛红。谢顿在上，他若需要找阿姆女子寻欢作乐，绝不会如此明目张胆，也不会这么饥不择食。他再看了这个阿姆女子一眼，不禁在心中暗自摇头。

她似乎相当年轻，也许风吹日晒使她看来比实际年龄还大。反正她不会超过二十五岁，这种年龄的阿姆女子通常已经嫁人。而她将黑发扎成辫子，这就代表她依然未婚，而且还是处女，这点他倒并不惊讶。从她昨天的表现，看得出她有当泼妇的足够本钱。坚迪柏甚至怀疑，是否有任何阿姆男子，胆敢消受她的伶牙俐齿再加上重拳。她的外表也不吸引人，虽然她已经费尽心血装扮，脸蛋看来仍旧瘦削而平庸，双手则是又红又肿，骨节粗大。她的身材天生就是吃苦耐劳型，没有半分婀娜多姿的美感。

在他仔细的打量下，她的下唇开始微微发颤。他能清楚地感知她的尴尬与恐惧，同情心油然而生。昨天她的确帮了大忙，他可不能知恩不报。

坚迪柏试着用温和的话语抚慰她，他说：“所以你是来参观……喔……学者之地？”

她将眼睛睁得老大（那双黑眼珠倒满秀气），回答说：“师傅，别生我的怒气，但我来系自已要做邪者。”

“你想做一个学者？”坚迪柏感到这句话像晴天霹雳，“我的好姑娘——”

他说不下去了。她只是个完全不通世故的农妇，自己究竟该如何向她解释，想要成为阿姆人口中的“邪者”，必须具备怎样的智慧与精神耐力，还必须接受多少训练。

可是苏拉·诺微却拼命强调：“我会写字，也会读书。我读完好些书本，都是从尾读到头。我永远希望做邪者，我不希望做农夫老婆，我不系该待在农场的人。我不会嫁农夫，生下许多农夫娃娃。”她突然抬起头，骄傲地说，“我被人求婚，有很多次，我总说‘不要’。我系客气地说，但不要就不要。”

坚迪柏一眼就能看出她在骗人，根本没有人向她求过婚。可是他装着一副严肃的表情，对她说：“如果你不结婚，你这辈子想做什么？”

诺微伸出一只手来按在桌上。“我要做邪者，我不做农妇。”

“万一我不能使你成为学者呢？”

“那我什么都不做，我就等死。若我不做邪者，我这辈子没有意义。”

坚迪柏突然有一个冲动，想要探索她的心灵，弄清楚她的动机究竟有多强。可是这样做是不对的，身为一名发言者，不能为了满足自己的好奇心，就随便进入他人毫无抵抗力的心灵，在里头肆意翻找答案。与其他各行各业一样，精神控制这门科技——所谓的精神力学——也自有一套规范，至少各人心中都有一把尺。他忽然对攻击舍监的举动感到后悔。

他又说：“为什么不愿意做个农妇呢，诺微？”他只需要动一点手脚，就能使她对这个命运心满意足，然后再影响一个阿姆乡巴佬，让他乐意把她娶回家，并且让她死心塌地跟着他。这样做不会有任何害处，而且是一种善举。但这是违反法律的行为，因此连想都不该想。

她回答说：“我不做。农夫系大老粗，每日在泥巴里打滚，自己也变成一团泥巴。若我做农妇，我也变成一团泥巴。我会失去时间读书写字，我会遗忘。我的脑袋，”她伸出手来指着太阳穴，“会变馊和腐坏。不！邪者系不一样的人，系有心人！”坚迪柏明白，她其实是指“聪明人”，而不是“思虑周到的人”。

“邪者身边全系书本，”她继续说，“还有……还有……我忘掉它称什么名字。”她比划了一个动作，有点像在操作什么仪器。若是没有接收到她的精神辐射，坚迪柏根本猜不出她的意思。

“微缩胶卷。”他说，“你怎么听说过微缩胶卷？”

“从书本里头，我读到许多东西。”她得意地说。

坚迪柏再也按捺不住好奇心。这是一个不寻常的阿姆女子，他从未听说过有人像她这样。第二基地一向不吸收阿姆人，可是诺微若再年轻一点，比如说只有十岁……

真可惜！他不愿骚扰她，绝对不愿意。可是，如果不能观察一个不寻常的心灵，从中学到更多的精神力学知识，又怎么配做一名发言者？

于是他说：“诺微，我要你在这里坐一会儿。心情尽量放平静，一句话也别说，也别想要说什么。只要想着睡着了，你懂吗？”

她的恐惧感立刻复发。“为何要我这样做，师傅？”

“因为我想考虑一下，怎样才能使你成为学者。”

毕竟，无论看过多少书，她终究不可能了解身为“学者”的真正意义。因此有必要了解一下，她心目中的学者到底是什么样子。

他开始探入她的心灵，手法无比精妙又极度谨慎，并没有真正接触，却能感知其中的内容。就像将手掌放在光滑的金属表面，而不留下任何指纹。结果他发现，她以为学者就是永远在读书的人，至于为什么读书，她却连丝毫概念都没有。对于她自己成为学者这件事，她心中的图像是继续日常的工作，煮饭、洗衣、擦地、搬运东西、听从吩咐。只不过是换成在大学里干活，因此可以接触许多书籍，而她也能有闲暇读书，然后就能“变得有学问”，但那只是非常模糊的念头。将这些想法加在一起，等于她想在这里做个仆人——他自己的仆人。

坚迪柏不禁皱起眉头。一名阿姆女仆——平庸、粗俗、无知、迹近文盲——简直难以想象。

他只需要改变她的想法就行了。一定有办法能调整她的欲望，让她心甘情愿当个农妇。这必须做得不着痕迹，要让德拉米也无从挑剔。

或者她正是德拉米派来的？这会不会是个精心策划的阴谋，目的是引诱自己去干扰一个阿姆心灵，然后就被抓个正着并遭到纠举？

荒唐，他果真出现了妄想症的迹象。在她单纯心灵的某个角落，精神细流需要稍加转向。只要轻轻推一下就行了。

这样做是违反法律的，但是，不会有什么害处，也不会有任何人注意到。

他陡然停下来。

向后退，向后退，向后退。

太空啊！他差一点就没注意到！

难道自己真的产生了幻觉？

不可能！现在他的注意力集中在那里，他能辨识得清清楚楚。有一根最细微的精神纤维显得凌乱——一种不正常的乱象，可是又过分细致，几乎没有分歧。

坚迪柏赶紧钻出她的心灵，轻声说：“诺微。”

她的目光重新聚焦。“什么事，师傅？”

坚迪柏说：“你可以在我手下工作，我会让你成为一名学者……”

她眼睛一亮，兴奋地叫道：“师傅——”

他随即察觉她要跪在自己脚下，连忙伸出双手，使劲抓住她的肩膀。“别动，诺微。待在原处，不要动！”

他好像在跟一只稍微受过训练的动物讲话。直到看出命令贯穿她的心灵，他才松开手。刚才抓着她的时候，他感觉到她的上臂肌肉好结实。

他说：“假如你想成为学者，就要表现得有学者的模样。这就代表说，你随时要保持肃静，随时要轻声细语，随时要听从我的指导。此外，你必须试着学习我的说话方式，还得和其他的学者接触。你会害怕吗？”

“我不会惊吓——不会害怕的，师傅，只要你跟我一起。”

“我会跟你在一起的。不过，我得先为你找一个房间，替你安排盥洗室、餐厅座位和适当的衣着。你必须穿得像个学者才行，诺微。”

“这些系我全部……”她的口气突然变得哀伤。

“我们会帮你找些合适的衣服。”

坚迪柏知道必须找个妇人帮忙，请她替诺微准备一些衣物。他还得再找一个人，教导这个阿姆女子基本卫生习惯。毕竟，她现在穿的衣服可能是她最好的行头，而且她显然刻意梳洗过，但她身上仍旧有一股异味，闻起来有些不舒服。

除此之外，他还得跟她划清界线，不能让人产生误会。第二基地的男人（女人也如是），有些偶尔会出去找阿姆人寻欢作乐，这已经是公开的秘密。只要从头到尾没有干扰阿姆人的心灵，绝不会有人对这种事大惊小怪。坚迪柏自己从来不喜欢这样做，他认为校园中的男女关系就能满足自己，所以不必再去寻找或许更狂野、更有味的性爱。跟阿姆女子比较起来，第二基地的女性显得苍白瘦弱，可是她们个个都很干净，而且皮肤光滑细嫩。

不过即使引起误会，让人暗笑他这个发言者做得太过分，不但爱打野食，还把一个阿姆女子带到自己的房间来，他也必须忍受这种尴尬。因为，德拉米发言者与圆桌会议的其他成员，势必会跟自己决裂，而在那场即将来临的对决中，这个农妇——苏拉·诺微——将是自己致胜的关键。

04

坚迪柏整天都没有再见到诺微，直到晚餐后，帮诺微打点的那位妇人才又将她带到他面前。今天早上，坚迪柏曾对那妇人一而再、再而三地解释——至少要她相信，他们两人没有肉体关系。妇人似乎听懂了，或者应该说，起码不敢表现出不解的模样，这样也许就够了。

此时诺微站在他面前，脸上同时流露出害羞、骄傲、困窘、得意等等错综复杂的表情。

坚迪柏说："你看来真不错，诺微。"

她们帮她找的衣服竟然极为合身，而且她穿起来一点也不显得滑稽。她们是否帮她束过腰？帮她把胸部托高？还是她穿着农妇服装时，这些部分无法突显出来？

她的臀部十分突出，但是不至于难看。当然，她的面容仍然平庸，不过等到被晒黑的肤色褪去，她又学会如何打扮之后，看起来就不会太丑了。

一定是旧帝国的幽灵作祟，那妇人还是把诺微当成了他的情妇，挖空心思让她显得好看一点。

他随即想：嗯，有何不可呢？

诺微终将出现在发言者圆桌会议上。她看起来愈吸引人，自己的立论就愈容易被接受。

他刚想到这一点，第一发言者的讯息便飘然而至。在这个精神挂帅的社会，这是一种理所当然的联络方式，通称为"偶合效应"，但并非十分正式的名称。假如某甲模糊地想到某乙，某乙同时也模糊地想到某甲，便会产生一种相互提升的刺激，几秒钟之内，就能使两人的念头都变得清晰、明确，而且显然彼此同步。

这种效应有时会让人吓一跳，即使了解来龙去脉的人也不例外。尤其是原先那个念头如果十分含糊——不论是哪一方，或者双方皆然——连当事人也没有意识到的时候。

“诺微，今晚我不能陪你了。”坚迪柏说，“我还有学者的工作要做。我会带你到你的房间，那里有一些书籍，你可以开始练习阅读能力。我也会教你如何使用讯号器，这样你就能随时找人帮忙。我明天会再来看你。”

05

坚迪柏很礼貌地说：“第一发言者？”

桑帝斯只是点了点头。他显得郁郁寡欢而老态龙钟，看来好像需要喝杯烈酒提振精神。他终于开口道：“我‘召唤’你来……”

“没有派信差，而是直接‘召唤’，我猜一定有重要的事。”

“没错。你的猎物，那个第一基地人崔维兹……”

“怎么样？”

“他不会来川陀了。”

坚迪柏并未显出惊讶的神色。“他为什么要来？根据我们获得的情报，他是跟一名古代史教授同行，那名教授打算寻找地球。”

“对，就是那颗传说中的太初行星，这正是他该来川陀的原因。毕竟，那个教授知道地球在哪里吗？你知道吗？我知道吗？我们能确定它存在，或者曾经存在吗？他们当然应该前来此地，寻找必要的资料——如果还有任何资料留下来，一定都藏在银河图书馆。在此之前，我一直认为情况尚未达到危机的程度；我以为那个第一基地人会到这里来，而我们可以从他身上，打探出我们想知道的一切。”

“正是由于这个原因，对方绝不会让他到这里来。”

“那么，他又要到哪里去呢？”

“我懂了，原来我们还没有查到。”

第一发言者以不悦的口气说："你好像很冷静。"

坚迪柏答道："我不懂为何不该冷静。您希望他来到川陀，认为这样就能稳住他，并且从他身上挖取情报。然而，如果让崔维兹去他想去的地方，办他想办的事情，只要我们不把他跟丢了，那么他就可能引出其他方面的情报，而且比他原本所能提供的更为重要。您难道不这么认为吗？"

"这还不够！"第一发言者说，"你已经说服我接受有新敌人出现这个想法，现在我根本放不下这件事。更糟的是，我又说服自己一定要锁定崔维兹，否则我们会全盘皆输。他是独一无二的关键，我已经无法摆脱这个看法。"

坚迪柏慷慨激昂地说："不论发生任何状况，第一发言者，我们都不会输的。除非那些反骡——让我再次借用您发明的称呼——继续潜伏在我们当中，而我们却不知不觉。但我们已经知道他们的存在，再也不会盲目行事。下一次的圆桌会议，如果大家通力合作，我们就能展开反击。"

第一发言者说："我召唤你来，其实并不是为了崔维兹这档事。我先跟你提这个问题，只是因为我觉得这是我个人的失败，我对当前的情况作出错误分析。我向你致歉，我不该将个人的好恶置于政策之上。除此之外，还有一件事。"

"更严重的事吗，第一发言者？"

"更严重的事，坚迪柏发言者。"第一发言者长叹一声，不停用手指敲着桌面。坚迪柏则耐着性子，站在书桌前默默等待。

第一发言者终于再度开口，语气很温和，仿佛如此便能减缓冲击的力道。"德拉米发言者发起了一次紧急圆桌会议……"

"第一发言者，未经您的同意？"

"她只需要获得其他三名发言者同意，不必包括我在内。在这个紧急会议中，你遭到纠举，坚迪柏发言者。你被指控不配担任发言者的职务，而且必须接受审判。三个多世纪以来，这还是头一次通过发言者的纠举案……"

坚迪柏强忍着，不让任何一点怒火冒出来。"您自己当然并未投下赞成票。"

“我没有，可是我人单势孤。圆桌会议的其他成员看法一致，因此纠举案以十票对一票通过了。你也知道，纠举案成立的条件，是包括第一发言者在内的八票，或者不包括他在内的十票。”

“但是我并未出席。”

“你根本没有表决权。”

“至少我可以为自己辩护。”

“但不是在这个阶段。前例虽然很少，可是很明确，你在审判时才有答辩的机会。自然，审判将尽快举行。”

坚迪柏低头沉思了一会儿，然后说：“我倒不怎么担心这件事，第一发言者。我认为您最初的直觉很正确，崔维兹这件事得优先处理。基于这个理由，我能否建议您将审判延期？”

第一发言者举起右手。“我不怪你不了解状况，发言者。纠举案实在太过罕见，我自己都得查阅相关的法定程序。它有最高优先权，我们不得不直接准备审判，而将其他的问题通通延后。”

坚迪柏双手握拳抵着桌面，上身倾向第一发言者。“您这话当真吗？”

“这是法律。”

“我们不能碍于法律，而忽视眼前一个明显的威胁。”

“对圆桌会议而言，坚迪柏发言者，你正是眼前那个明显的威胁。别插嘴，听我说！其中所牵涉的法律，立法精神在于一个坚实的信念：没有任何问题，比发言者的腐化或滥用职权更为严重。”

“可是两者我都没犯，第一发言者，而您也很清楚。这只是德拉米发言者和我的私人恩怨，如果真有滥用职权的行为，那也是她而不是我。我唯一的罪过是从不在乎人际关系，这点我承认。对于那些还没老到无法掌权，却早就变成老糊涂的笨蛋，我在他们身上花的心思太少了。”

“我就是其中之一，发言者？”

坚迪柏叹了一声。“您瞧，我又得罪人了。我指的不是您，第一发言者。好吧，那么，让我们立即开庭，我们明天就举行审判，或者今晚更好。让我们趁早把它做个了结，然后赶紧处理崔维兹的问题。我们不能再冒险多等片刻。”

第一发言者说："坚迪柏发言者，我想你还不了解目前的状况。我们过去也有过纠举案——不多，仅仅两桩而已，但都没有定罪。然而，这回你会被定罪！你将被逐出圆桌会议，对第二基地的政策再也没有机会发言。事实上，甚至在周年集会中，你也不会再有表决权。"

"而您不会出面阻止？"

"我无能为力。其他人会一致否决我，然后我就得被迫辞职，我想发言者们都希望看到这种结果。"

"而德拉米就会成为第一发言者？"

"这个可能性当然很大。"

"但是绝不能让这种事发生！"

"完全正确！因此我也必须赞成定你的罪。"

坚迪柏深深吸了一口气。"我要求立即举行审判。"

"你需要时间来准备答辩。"

"什么答辩？他们不会想听任何辩词。立刻举行审判！"

"圆桌会议也需要时间准备起诉书。"

"他们没有起诉书，也不想提出任何起诉书。他们心中早已将我定罪，其他什么都不需要。事实上，他们希望尽快将我定罪，后天不如明天，明天不如今晚。这就通知他们。"

第一发言者站了起来，两人隔着书桌对视良久。然后第一发言者说："你为何那么急？"

"崔维兹那件事可不会等。"

"一旦你被定罪，圆桌会议其他成员将联手反对我，我一定会被架空，那时我们又能做什么呢？"

坚迪柏压低声音，坚定地说："不用怕！无论如何，我绝对不会被定罪的。"

第九章

超空间

01

崔维兹说：“你准备好了吗，詹诺夫？”

正在读书的裴洛拉特抬起头来。“你是指跃迁吗，老伙伴？”

“对，超空间跃迁。”

裴洛拉特咽了一下口水。“这个，你确定不会有任何不舒服的感觉？我知道害怕是件蠢事，可是每当想到，自己将被转换成无质无形的‘迅子’，谁也没有见过或侦测过那东西……”

“得了吧，詹诺夫，这是完全成熟的科技，我以名誉担保！你曾经说过，跃迁的应用已经有两万两千年的历史，而我从未听说在超空间里出过人命。当我们脱离超空间时，也许会出现在不妙的地方，但意外仍是发生在普通空间，而不是我们化作迅子的阶段。”

“这似乎不算什么安慰。”

“我们脱离时也不会出任何差错。老实告诉你，我本来打算瞒着你进行，这样你就不会知道已经做过跃迁。不过为了以后着想，我认为应该让你亲身体会一下，让你明白并不会有任何问题，今后你就再也不会担心了。”

“这——”裴洛拉特迟疑道，“我想你说得对，不过说老实话，我并不着急。”

“我向你保证……”

“不，不，老伙伴，我衷心接受你的保证。只不过……你读过《圣特瑞斯提·玛特》这本书吗？”

“当然读过，我又不是文盲。”

“没错，没错，我不该多此一问。你记得它的内容吗？”

“我也没有健忘症。”

“我似乎有得罪人的天分。我要说的是，我一直在想其中一个片段：圣特瑞斯提和他的朋友班恩，从十七号行星出发，然后迷失在太空里。我想到那些具有催眠魔力的场景，身处于群星之间，在深邃幽静、一成不变的太空中缓缓运动……你知道吗，我从不相信那些描述。我很喜欢那个故事，也深深受到感动，但我从来没有当真。可是现在，当我习惯了置身太空这个事实之后，我真的体会到那种感觉——我也知道，这是个傻念头——可是我不想放弃。好像我就是圣特瑞斯提……”

“而我就是班恩。”崔维兹话中带着一丝不耐烦。

“可以这么说。外面那些稀落迷蒙的星辰，全部静止不动，当然我们的太阳例外，虽然我们没看见，但它一定不断缩小。银河也维持着朦胧的雄伟壮丽，仿佛亘古不变。寂静的太空令我没有任何纷扰……”

“除了我。”

“除了你。不过，葛兰，亲爱的兄弟，跟你谈谈地球，试着教你一点史前史，其中自有乐趣。所以，我不希望一切这么快结束。”

“不会的，反正不会立刻结束。你总不至于认为，我们经过一次跃迁，就功德圆满地出现在某颗行星表面吧？跃迁几乎会在瞬间完成，而我们依旧会在太空中。至少要再过一个星期，我们才有可能着陆，所以请你放心吧。”

“你所谓的着陆，当然不是指盖娅。我们结束跃迁后，不太可能就出现在盖娅附近。”

“这点我知道，詹诺夫，但我们会抵达正确的星区，只要你的资料正确。万一资料有误，那就……”

裴洛拉特板着脸猛摇头。“如果我们不知道盖娅的坐标，即使抵达正确的星区，又有什么帮助呢？”

崔维兹答道：“詹诺夫，假设你在端点星上，想要前往阿基若普镇，可是你只知道那个小镇在地峡中。当你抵达地峡之后，你会怎么办？”

裴洛拉特谨慎地思考了半天，仿佛认为正确答案必定微妙无比。最后他却不得不放弃，回答说：“我想我会找个人问问。”

“完全正确！除此之外还有什么办法？现在，你准备好了吗？”

“你是说，现在？”裴洛拉特连忙站起来，原本欠缺表情的脸孔，此时现出几许忧虑的神情。“我该怎么做？坐着？站着？还是做些什么？”

“时空啊，裴洛拉特，你什么也不必做，只要跟我到我的舱房去，好让我能操作电脑。然后你爱坐、爱站、爱翻筋斗都行，反正怎么舒服怎么做。我的建议是，你最好坐到显像屏幕前，仔细盯着看，一定会很有趣。来吧！”

他们沿着短廊走到崔维兹的舱房，崔维兹立刻坐到电脑前面。“要不要由你来操作，詹诺夫？”他突然问道，“我把数据告诉你，你只需要默想一遍，电脑就会处理其他的工作。”

裴洛拉特说：“敬谢不敏，这台电脑似乎跟我不怎么投缘。我知道你会说只需要多加练习，但是我可不相信。你的心灵一定有什么过人之处，葛兰……”

“别傻了。”

“不，真的。电脑好像只跟你合得来，当你搭上线之后，你和电脑好像融为一体。可是我搭上的时候，却还是两个独立的个体——一个詹诺夫·裴洛拉特和一台电脑，反正不是那么回事。”

“胡说。”崔维兹虽然这么讲，心里却有一种模糊的成就感。他轻抚着电脑感应板，好像抚摸一件心爱的玩具。

“我宁可袖手旁观。”裴洛拉特说，“我的意思是，这一切能免则免，但既然势在必行，我就宁可袖手旁观。”他显得有些焦虑，两眼紧盯着显像屏幕。画面的主体是朦胧的银河，前景则是薄粉状的幽暗星辰。“快开始的时候告诉我一声。”他慢慢退到舱壁旁，绷紧神经做好准备。

崔维兹微微一笑，将双手放到感应板上，随即感到精神与电脑合而为一。这种接触一天比一天容易，感受也日益亲切。不论他对裴洛拉特的说法如何嗤之以鼻，他的确有这种感觉。他发现几乎不再需要刻意想那些坐标；电脑好像知道他要做些什么，他根本不必驱动意识“告诉”电脑，电脑就会自动从他脑中“读取”那些资料。

但崔维兹仍将跃迁指令“告诉”电脑一遍，然后要它在两分钟后开始进行。

“好啦，詹诺夫。我们还有两分钟：120……115……110……注意看显像屏幕。”

裴洛拉特依言行事，他的嘴角绷紧了些，还不知不觉屏住呼吸。

崔维兹轻声倒数："15……10……5、4、3、2、1、0。"

他们没有察觉丝毫的运动，也没有丝毫其他感觉，显像屏幕的画面却陡然起了变化。星像场明显地变得稠密，银河则消失无踪。

裴洛拉特吓了一跳，问道："怎么回事？"

"什么怎么回事？你穷紧张，但那是你自己吓自己。你根本没有任何感觉，承认吧。"

"我承认。"

"这就对了。在遥远的过去，当超空间旅行相当新颖的时候——总之是根据书上的记载——在跃迁过程中，乘客体内会出现一种古怪的感觉，有些人还会感到头晕或想吐。这也许是心理作用，但也可能不是。不管怎么说，随着超空间经验持续累积，以及设备不断改良，那种效应就逐渐降低了。借着像我们这台电脑的帮助，任何效应都会远低于感觉的阈值。至少，我自己这么认为。"

"我必须承认，我也一样。现在我们在哪里，葛兰？"

"只不过才跨出一步，来到卡尔根星域而已，前面还有一段漫长的路程。在我们进行另一次跃迁之前，得先检查一下这次跃迁的准确性。"

"我担心的是，银河到哪里去了？"

"在我们四面八方，詹诺夫，如今我们已经身在其中。我们只要调整显像屏幕的焦距，就能看到银河更遥远的部分，它看来好像一条横跨天空的亮带。"

"所谓的'星桥'！"裴洛拉特兴高采烈地叫道，"几乎在每个住人世界上，都有人如此描述夜空的银河，但在端点星上就是见不到。让我看看吧，老伙伴！"

显像屏幕突然向一方倾斜，星像场随之倾泻而下，不久之后，一个发出珍珠般光芒的天体几乎占满整个画面。那个天体逐渐变得狭窄，接着再度膨胀，画面则始终锁定它。

崔维兹说："靠近银河中心的星像场较密。然而，如果旋臂中没有那些暗云，它看起来还会更稠密、更明亮。在大多数的住人世界上，都能看到类似的夜空景象。"

“在地球上也是一样。”

“没有什么特别，不能用来作为辨识地球的一种特征。”

“当然不能。但你可知道——你没研究过科学史吧？”

“没有真正研究过，不过自然还略知一二。话说回来，如果你真想问任何问题，可别指望我是专家。”

“由于进行这次跃迁，使我又想到那个一直困扰着我的问题。我们可以建立一个宇宙模型，在这个宇宙中不可能有超空间旅行，而真空中的光速就是速度的绝对极限。”

“的确如此。”

“这种宇宙的几何结构，使得任何物体的速度都小于光速，也就是说，我们刚才那个位移所需要的时间，不可能比光线行进相同距离的时间更短。假如我们真是以光速运动，我们所体验到的时间，将和宇宙中一般的时间不同。比方说，假设此地距离端点星四十秒差距，那么我们若以光速飞来这里，就完全不会感到时光的流逝，但是在端点星以及银河其他各处，已经过了大约一百三十年。而我们刚才完成的跃迁，速度还不只是光速，实际上等于光速的千倍万倍，但其他各处的时间几乎没有变化，至少我希望没有。”

崔维兹说：“别期望我能告诉你‘欧朗京超空间理论’的数学架构。我只能这么说，如果你在普通空间中以光速运动，那么每走一秒差距，外界的时间就会流逝3.26年，正如你刚才所说的。这就是所谓的‘相对论性宇宙’，人类很早就有所了解，甚至能回溯到史前史的时代——我想，那是你的学术领域——这些物理定律至今未被推翻。然而，当我们进行超空间跃迁时，并未受到那些条件的限制，也就是说狭义相对论并不适用，物理法则也因此有所不同。就超空间的观点而言，银河只是一个微小的物体——理想状况是一个零维度的点——根本不会产生任何相对论性效应。

“事实上，在宇宙学的数学表述中，有两种不同的银河符号：Gr代表‘相对论性银河’，其中光速是速度的极限；而Gh代表‘超空间银河’，其中速度并没有真正的意义。就超空间的观点而言，所有的速度都等同于零，因此我们并未运动；而相对于普通空间，运动速度则是无限大。除了这些，我无法再作更多的解释。

“喔，我还可以告诉你一点，在理论物理学中，有个捉弄人的精彩把戏，就是把只有在Gr才有意义的符号或数值，代进处理Gh的方程式中——反过来也行——然后叫学生去解出答案。学生极有可能坠入陷阱，而且通常无法察觉，因此算得汗流浃背，气喘如牛，就是算不出结果，直到哪位好心的学长一语道破，他才能脱离苦海。我就曾经着实被这样捉弄了一番。”

裴洛拉特严肃地考虑了一阵子，然后一头雾水地问道：“可是究竟哪个才是真正的银河？”

“都是，端视你的行为而定。假设你想从端点星的甲地到乙地，你可以坐车走陆路，也可以坐船走海路。不同的路途有不同的情况，那么到底哪个才是真正的端点星，陆地还是海洋？”

裴洛拉特点了点头。“类比总是有危险的，”他说，“但我宁可接受这个类比，也不要再去钻研超空间的意义，否则会有精神错乱的危险。从现在起，我要把注意力集中在目前的工作上。”

“我们刚才的跃迁，”崔维兹说，“可以视为前往地球的第一步。”

但他暗自想道：我怀疑，终点可能并不是地球。

02

“嗯，”崔维兹说，“我浪费了一天的时间。”

“哦？”裴洛拉特正在为藏书编索引，“此话怎讲？”

崔维兹两手一摊。“我并不相信电脑，因为我不敢，所以我作了一次比对，比较我们目前的位置和跃迁的预定位置。结果差异在测量误差之下，也就是说侦测不到任何误差。”

“那太好了，不是吗？”

“不只是太好了，简直是不可思议，我这辈子还没听过这种事。我经历过许多次跃迁，也曾经用各种方法和各式设备亲自操作过。在学校的时候，我只能用掌上型电脑进行计算，然后送出一个超波中继器来检验结果。我自然无法用太空船做实验，因为除了经费不允许，我也很可能会让它在跃迁后，出现在一颗恒星的肚子里。

“当然，我从来没有那么差劲，”崔维兹继续说，“可是每次都会有相当大的误差。即使由专家来操作，误差也在所难免。这是无法避免的，因为变量实在太多。这样讲吧，空间的几何已经复杂得难以处理，再加上超空间，两者的复杂度相加相乘，使我们想要装懂也做不到。这就是为什么我们必须一步一步走，而不能凭借一个大跃迁，从这里直接跳到赛协尔去。因为距离愈远，误差就会愈大。”

裴洛拉特道：“可是你刚才说，这台电脑没有造成任何误差。”

“是它自己说的。我命令它比对目前‘真正的位置’和当初‘预定的位置’，结果它说在测量误差范围之内，两者完全一致。于是我想：万一它在说谎呢？”

原本一直捧着打印机的裴洛拉特，直到这时才将它放下来，并露出震惊的表情。“你在开玩笑吧？电脑是不会说谎的。除非你的意思是，你认为它可能故障了。”

“不，我不是那个意思。太空啊！我真的认为它在撒谎。这台电脑实在太先进了，我认为它简直就是个活人，也许还是超人。它像人一样拥有自尊，因此就可能说谎。我当初给它的指令，是要它算出一条航线，经由超空间抵达赛协尔行星，也就是赛协尔联盟的首府。它照做了，画出一个包含二十九个跃迁的航线，这种高傲自大是最要不得的。”

“为什么说它高傲自大？”

“第一次跃迁所产生的误差，会令第二次跃迁的准确性大幅下降，而两者的误差加在一起，就使得第三次的跃迁更不稳定，更不可靠。依此类推，谁能一下子算出二十九次跃迁？最后一次跃迁之后，我们可能出现在银河任何一处，任何一处都有可能。所以我命令它只做第一个跃迁，这样我们就能先来检查一下结果，然后再作打算。”

“步步为营，”裴洛拉特赞赏道，“我完全赞成！”

“没错，但我只让电脑做一次跃迁，它会不会由于我不信任它，而觉得伤心呢？在我要它进行比对时，它会不会为了保住面子，被迫告诉我根本没有误差？它会不会感到无法承认错误，无法坦承自己并不完美？果真如此，我们还不如没有电脑呢。”

裴洛拉特沉静的长脸罩上愁云惨雾。“这样的话，我们能做些什么呢，葛兰？”

“我们能做的，就是我所做的——浪费掉一天的时间。我使用几种最原始的方法，包括望远镜观测、照相测量以及人工测量，检查了附近几颗恒星的位置。我将这些测量出来的位置，跟毫无误差的理论值一一比较。这个工作花了我一整天的时间，累得我筋疲力尽。”

“好，但结果如何？”

“我找出两个天大的误差，但仔细检查之后，发现问题出在我的计算，是我自己犯的错误。于是我改正了那些计算，然后让电脑从头自行跑一遍，想看看它会不会自行得出一致的答案。结果它除了多算出几位小数，跟我的答案没有其他出入，这也就证明了跃迁没有任何误差。这台电脑也许是个骡娘养的自大狂，但它的确拥有自大的本钱。”

裴洛拉特这才嘘了一口大气。“嗯，好极了。”

“的确如此！所以我准备让它进行另外二十八个跃迁。”

“一次做完？可是……”

“不是一次做完，别担心，我还没有变得那么视死如归。电脑会让跃迁一个接一个进行，但每次的跃迁完成后，它会自动检查周围的星空，如果太空艇位于误差范围之内，它就可以进行下一个跃迁。不论哪一次，只要它发现误差过大——相信我，我设定的限度都很严苛——它就必须停下来，重新计算后面的每一步。”

“你打算何时进行？”

“何时进行？说做就做。听我说，你不是正在编你的藏书索引……”

“喔，葛兰，现在可是做这件事最好的时机。过去许多年来，我一直打算做，但总是有一些事挡在前面。”

“我绝不反对。你继续做你的，根本不用操心，专心去编你的索引，其他事情都交给我吧。”

裴洛拉特摇了摇头。“别傻了，在这件事结束之前，我不可能放松心情。我吓得全身都僵硬了。”

“那么，我实在不应该告诉你，但我又非得找个人讲一讲不可，而这里除了你就没有别人。让我坦白地解释一番，我们在跃迁过程中，总有可能刚巧来到星际间某一处，那里正好有个高速流星体，或者微黑洞，于是太空艇便遇难了，而我们则一命呜呼。理论上，这种事是有机会发生的。

“然而，这种机会非常之小。毕竟，当你待在家里的时候，詹诺夫——当你在书房整理微缩胶卷，或者在卧室呼呼大睡之际——也可能有个流星体穿过端点星的大气层，一路风驰电掣，不偏不倚正中你的脑袋，你就绝对活不成了。不过这种可能性也实在很小。

“事实上，我们在重返普通空间时，想要刚好撞上一个足以要命却小到电脑侦测不到的天体，这种事情发生的机会，比你在家中被流星打中还要小得太多太多倍。在超空间旅行的历史上，我从未听说过任何船舰是这样失事的。而其他的风险，例如出现在恒星的正中央，几率就更微小了。”

裴洛拉特问道：“那你为何还要跟我说这么多，葛兰？”

崔维兹顿了一下，又低头沉思了一会儿，才终于回答：“我不知道——不，我知道。我所想到的是，不论发生灾祸的机会多么小，只要有许多人尝试许多次，灾祸早晚也会发生一回。不论我多么有把握，确定不会有任何差池，我心里总有个微弱的声音在嘀咕：‘也许这次就会出事了。’这使我有罪恶感，我想就是这个道理。詹诺夫，万一发生什么差错，请原谅我！”

“可是，葛兰，我亲爱的兄弟，如果真有什么差错，我俩都会在瞬间报销。我不可能有机会原谅你，你也没有机会接受我的谅解。”

“这点我了解，所以请你现在就原谅我，好不好？”

裴洛拉特微微一笑。“不晓得怎么回事，可是我感到快活多了，这里头一定有些有趣之处。葛兰，我当然会原谅你。在各个世界的文学中，有许多关于死后世界的神话传说，万一真有那种地方——我想，机会跟我们落在一个微黑洞差不多，也许还更小——而我们刚好又在同一个阴间，那么我一定会为你作证，你真的已经全力以赴，我的死不该算到你的账上。”

“谢谢你！现在我终于轻松了。我自己愿意冒这个险，可是一想到你要陪我冒险，我心里就不大好受。”

裴洛拉特紧紧抓住对方的手。“你知道吗，葛兰，我认识你还不到一个星期，有些事不应该忙着下定论，但我的确认为你是个杰出的兄弟。我们现在就开始吧，把这件事早点了结。”

“正是如此！现在，我只要轻轻碰一下那个感应板就行了。电脑早已接到指令，就等着我说：‘出发！’你想不想……”

“不想！它只属于你！它是你的电脑。”

“很好，这是我的职责。你瞧，我还在试图推诿呢。你好好盯着屏幕！”

崔维兹伸出沉稳无比的手掌，带着全然诚挚的笑容，开始与电脑进行接触。

短暂静止之后，星像场便开始发生变化，一而再、再而三变个不停。在显像屏幕上，四散的星辰变得愈来愈浓密，愈来愈明亮。

裴洛拉特默数着跃迁的次数。当他数到“十五”的时候，显像屏幕的变化忽然中止，仿佛某个机件卡住了。

裴洛拉特悄声问道：“出了什么问题？发生了什么事？”他显然是担心声音如果太大，机件便会永远卡死。

崔维兹耸了耸肩。“我猜它正在重新计算，一定是附近太空中的某个天体，使整体重力场产生了不可忽略的形变。电脑原先未将那个天体考虑在内，可能是星图上所没有的矮星，或是独立的行星……”

“有危险吗？”

“既然我们还活着，就几乎能确定没有危险。一颗行星即使位于一亿公里之外，仍然能产生足够大的重力微扰，使电脑必须重新算一遍。而一颗远在百亿公里外的矮星，也可以……”

显像屏幕的画面又开始变化，崔维兹立即住口。画面一变再变，直到裴洛拉特数到“二十八”的时候，运动才陡然终止。

崔维兹向电脑查询了一下。“我们到了。”他说。

“我把首次的跃迁当做‘一’，而在刚才的连续跃迁中，我是由‘二’开始数的。我们总共只做了二十八个跃迁，可是你说过应该有二十九个。”

“第十五次之后，电脑重新算了一遍，也许因此替我们省掉一次跃迁。如果你想弄清楚，我可以跟电脑查一下，不过实在没有必要。我们已经到了赛协尔行星附近，这是电脑告诉我的，而我毫不怀疑。我们若将显像屏幕正确定向，就能看到一个又大又亮的太阳，但我认为不该无谓增加显像屏幕的负担。赛协尔行星是该行星系的第四颗，目前和我们的距离大约是3.2百万公里，差不多是跃迁后剩余的最短距离了。我们能在三天之内抵达，快一点的话，两天也可以。”

崔维兹做了一下深呼吸，让紧绷的神经松弛下来。

“你了解这代表什么意义吗，詹诺夫？”他说，“我生平搭乘过的，或者听说过的任何船舰，若想完成这一连串的跃迁，那么每次跃迁之后，至少都得花上一天的时间，费尽心力进行计算和复查，即使有电脑帮忙也不例外。整趟行程得花上近一个月，就算他们愿意鲁莽行事，最快也要两三个星期，我们却在半小时内就完成了。等到每艘船舰都装设了这样的电脑……”

裴洛拉特说：“我想不通市长为何会让我们用这么先进的太空艇，它的造价一定高得难以想象。”

“它只不过是个实验品。”崔维兹冷冰冰地说，“也许那位好心的婆婆，十分乐意让我们试飞，以确定有没有什么毛病。”

“你这话当真吗？”

“你别紧张，总之，没什么好担心的。目前为止，我们没有发现任何毛病。不过，我对她不会有任何奢望，这种事不需要她花费多少菩萨心肠。何况她不敢提供我们攻击性武器，这就节省了一笔可观的经费。”

裴洛拉特意味深长地说：“我只是在想这台电脑。它似乎被调整得十分适合你——它不可能和每个人都那么有默契，我跟它就几乎无法合作。”

“我们已经够好运了，至少它跟我们其中之一很合得来。”

“没错，但这只是一种巧合吗？”

“还有什么可能呢，詹诺夫？”

“显然市长对你相当了解。”

“那艘高龄母舰，我想她的确如此。”

“她会不会专门设计一台电脑给你？”

“为什么？”

“我只是怀疑，电脑不想带我们去的地方，不知道我们是否也能去。”

崔维兹两眼圆睁。“你的意思是，当我跟电脑联系的时候，真正控制一切的是电脑，而不是我？”

“我只是怀疑而已。”

“这种想法实在荒谬，简直就是妄想。得了吧，詹诺夫。”

崔维兹转身操作电脑，将赛协尔行星显示在屏幕上，并画出一条飞往该处的普通空间航线。

实在荒谬！

可是，裴洛拉特的观念怎么会钻进他脑子里了呢？

第十章

圆桌会议

01

整整两天过去了，坚迪柏虽然感到愤怒，心情却并不怎么沉重。审判竟然并未立即举行，实在没有什么道理。假使他毫无准备，假使他需要时间，那么他可以确定，他们一定早就逼他出庭。

可是自从击败骡之后，第二基地从未面临更严重的危机。因此他们故意拖延时间，目的只是要激怒他。

他们的确激怒他了。谢顿在上，这只会使他的反击更加强力，他已经下定这个决心。

他环顾四周，休息室中空无一人，两天来都是如此。大家都知道他已是待罪之身，是一个即将遭到革职的发言者。在第二基地五个世纪的历史中，这将是史无前例的创举。他将遭到罢黜的处分，贬为一名普通而平凡的第二基地分子。

其实，身为第二基地分子便是一件非常光荣的事，何况坚迪柏在遭到纠举后，也许仍能保有一个可敬的头衔。然而，一位曾经担任过发言者的人被贬到那样的地位，可又另当别论了。

不过这种事并不会发生，坚迪柏愤愤地想，虽然两天以来，周围的人都在回避他。只有苏拉·诺微态度始终不变，但那是由于她太过憨直，不了解目前的状况。对她而言，坚迪柏仍旧是她的“师傅”。

他发现自己竟然有点喜欢她的奉承，不禁十分恼怒。每当她流露出崇敬的目光，他便会有一种莫名的兴奋，一想到这种反应，坚迪柏就觉得羞愧。难道自己对那么小的恩惠，都变得如此感激不已吗？

一名书记从会议厅走出来，告诉坚迪柏圆桌会议请他出席，他马上昂首阔步走进去。坚迪柏对这位书记有很深刻的认识：他对每一位发言者应当受到何等殷勤侍奉，心里有个精确无比的标准。此时此刻，坚迪柏受到的待遇差到极点。即使只是一名书记，也认为他等于已被定罪。

其他的发言者全部围桌而坐，他们身穿开庭专用的黑袍，表情分外严肃。第一发言者桑帝斯看起来有点不自在，但他还是避免显露丝毫友善的表情。而三位女性发言者之一的德拉米，甚至根本没有看他一眼。

第一发言者开始说："史陀·坚迪柏，身为发言者的你，由于行为不当而遭到了纠举。你曾经当着我们的面，以含糊的言语，指控圆桌会议有人涉嫌叛逆与谋杀，却提不出任何实证。你曾经提议要所有的第二基地分子——包括第一发言者与每一位发言者——全都接受彻底的精神结构分析，以确定究竟何人不再可信。这种言行足以分化我们的社会，破坏我们的团结，第二基地将因此无法控制复杂而带有潜在敌意的银河，更无法确保第二帝国能够如期建立。

"这些犯了大忌的言语，既然我们都亲耳听到过，我就略去宣读正式起诉书的程序。因此，我们直接进入下一个程序。史陀·坚迪柏发言者，你有任何答辩吗？"

这时德拉米仍然没有望向坚迪柏，只是露出一个耐人寻味的笑容。

坚迪柏说："如果能将事实视同辩词，那我就有话要说。我有充足的理由，怀疑我们的安全体系出现漏洞。可能已经有一个乃至数个第二基地分子，遭到外在精神力量的控制——在座诸位也不例外——这就对第二基地造成空前的危机。如果说，诸位急于举行这场审判，真是因为不敢浪费时间，那么诸位可能也模糊地体察到了严重性。可是，倘若果真如此，在我正式要求立即举行审判之后，你们为何又拖延了两天？在此我特别声明，正是由于这个致命的危机，我才不得不说出那番惹祸的话。我如果不这样做，才真的不配当一名发言者。"

"他只是在重复那些大逆不道的话，第一发言者。"德拉米轻声说。

坚迪柏的座位被刻意搬动过，使他比其他人距离圆桌更远，代表他已经矮了一截。他索性将座椅再往后挪，仿佛自己毫不在乎，然后猛然起立。

他说："你们是否准备不顾法定程序，此刻便要定我的罪，还是准许我提出详细的答辩？"

第一发言者答道："这并非一个没有法律根据的集会，发言者。由于没有多少前例可循，我们愿意采取倾向你的立场，因为大家都明白，如果我们这些平凡的心灵，有可能偏离绝对的公正，那么宁可让罪人逍遥法外，也要避免冤枉任何无辜。因此之故，尽管目前这件案子事关重大，绝不能让罪嫌轻易过关，我们仍准许你依照自己的方式陈述辩词，而且你有充分的时间，直到包括本席在内，”这几个字他特别提高音量，“全体一致决意你已经说得够多了。”

坚迪柏说：“那么，我首先向诸位报告，最近被逐出端点星的第一基地人葛兰·崔维兹——第一发言者和我都相信，他就是那个潜在危机的先头部队——他所驾驶的太空船，突然无缘无故转向了。”

“发言者应公布情报来源，”德拉米轻声说，“发言者怎么会知道的？”根据她的语调判断，她口中的“发言者”并不是指他的头衔。

“我是从第一发言者那里获悉这个消息的，”坚迪柏说，“可是我自己也查证过。然而，在目前这种情况下，由于我对会议厅的安全防范不太放心，请准许我对情报来源保密。”

第一发言者说：“对于这个动议，本席暂时不作裁决。让我们暂且不过问情报来源，继续进行原先的程序。不过，假如圆桌会议决议要获得答案，坚迪柏发言者不得拒绝。”

德拉米又说：“倘若这位发言者不愿提供答案，那么我想唯一合理的假设，就是他手下有一名特工——一名他私下雇用、无需对圆桌会议负责的特务。这样的特工，是否会遵守第二基地的行为规范，我们实在无法确定。”

第一发言者有点不高兴地说：“你的言外之意我全明白了，德拉米发言者，不需要再一字一句说给我听。”

“我提到这一点，只是想列入记录，第一发言者，因为这样等于罪上加罪，而在原先的纠举案中并没有这一条。我想顺便提一下，纠举议案一直未曾逐条宣读。我正式提议，将这一条也加进去。”

第一发言者说：“请书记将这一条加上，等到适当的时候，再来修饰正式的措辞。坚迪柏发言者，”至少他是指坚迪柏的头衔，“你这么答辩其实是在帮倒忙，请继续。”

于是坚迪柏说：“这位崔维兹不但飞向意料之外的目标，飞行速度也是前所未见的。根据我的情报——这点连第一发言者也还不知道——他在不到一小时内，走了将近一万秒差距。”

“通过一次跃迁？”某位发言者用难以置信的口气说。

“通过将近三十次跃迁，一次接着一次，中间根本没有任何停顿，”坚迪柏答道，“这比单独一次跃迁更加难以想象。我们现在即使找到他的下落，也需要花一段时间才跟得上；万一被他发觉，而他又有心逃脱，我们就不可能再追上他。你们却把时间花在纠举案这种游戏上——只为了帮这个案子添油加醋，就让两天的时间白白溜走。”

第一发言者勉力隐藏起恼怒。“请告诉我们，坚迪柏发言者，你认为这代表什么意义。”

“这就是一个警讯，第一发言者，代表第一基地的科技突飞猛进，如今他们比普芮姆·帕佛的时代强大太多了。万一他们发现我们，又能自由采取行动，我们绝对无法对抗。”

德拉米发言者突然起立发言：“第一发言者，我们把时间都浪费在无关紧要的问题上。我们都不是小孩子，不该被这种‘老掉牙的曲速故事’吓到。不论第一基地的机械装置如何惊人，反正一旦危机来临，他们的心灵都会在我们控制之下。”

“你对这点有何解释，坚迪柏发言者？”第一发言者问道。

“等一下我们自然会讨论到心灵的问题。此刻我只想强调，第一基地的科技力量不但占了绝对优势，而且还在持续增强。”

第一发言者说：“开始陈述下一条，坚迪柏发言者。我必须告诉你，你的第一条答辩，我认为与纠举案本身并没有太大关联。”

根据圆桌会议其他成员的动作与姿势，他们全部赞成这个说法。

坚迪柏说：“我这就跳到下一条。在这趟旅程中，崔维兹还有一个同伴，”他顿了顿，在心中搜寻着那个名字，“一个名叫詹诺夫·裴洛拉特的人。他是一个没什么作用的学者，一生致力于探讨有关地球的神话与传说。”

德拉米说：“你对他这个人那么清楚吗？我猜，又是那个秘密情报来源提供的？”她俨然成了这次审判的检察官，显出一副当仁不让的样子。

“没错，我对他这个人的确那么清楚。”坚迪柏冷冷地答道，“几个月前，端点市长，一位精力充沛而能干的女性，不知道为了什么，突然对这名学者产生兴趣，我也理所当然开始注意他。我并未将这些情报据为己有，我所获得的所有情报，全都转呈了第一发言者。”

“我可以证明这件事。”第一发言者低声说。

一名年老的发言者问道："你所谓的地球到底是什么？是不是传说中常常提到的起源世界？也就是在旧帝国时代，那个曾经轰动一时的题目？"

坚迪柏点了点头。"根据德拉米发言者的说法，的确是'老掉牙的曲速故事'中常提到的地球。我怀疑裴洛拉特的梦想，是要到川陀的银河图书馆来，仔细查阅有关地球的资料。因为他在端点星上，无法借着馆际合作借阅这里的藏书。

"当他和崔维兹从端点星出发时，他一定以为毕生的梦想就要实现了。我们原来也在等待这两个人，期望借着这个机会查清他们的底细，这是为了我们本身着想。结果，诸位现在都已经知道，他们不会来了。他们改变了目的地，我们还不清楚他们准备去哪里，也还不了解他们为何这样做。"

德拉米的圆脸看起来像天使一般纯真，她说："这有什么好大惊小怪的？他们不来，我们当然不会有任何损失。其实，既然他们那么轻易就忽略我们，便可推知第一基地还不知道川陀的真面目，所以我们应该为普芮姆·帕佛的成就再度喝彩。"

坚迪柏说："假使我们不加深思，也许真会得到这个令人欣慰的结论。不过，他们这次突然转向，有没有可能并非未曾看出川陀的重要性？有没有可能是有人从中作梗，不让我们有机会调查这两个人，以免我们知晓地球的重要性？"

圆桌会议顿时起了一阵骚动。

"任何人，"德拉米冷冰冰地说，"都可以发明一些骇人听闻的说法，然后洋洋洒洒地娓娓道来。可是你杜撰的这些又有什么意义？谁管我们第二基地如何看待地球呢？它是不是真正的起源行星或者只是神话，以及人类究竟有没有单一发源地这些问题，当然应该只有历史学家、人类学家，以及民间故事搜集者，比如你提到的这位裴洛拉特才会感兴趣。这关我们什么事呢？"

"关我们什么事？"坚迪柏说，"那么请告诉我，为什么图书馆里没有地球的资料？"

现在，圆桌会议首度出现敌意以外的气氛。

德拉米问道："真的没有吗？"

坚迪柏以相当冷静的口气说：“一听说崔维兹和裴洛拉特可能会来这里，寻找有关地球的资料，我自然立刻采取行动，叫图书馆电脑列出这些资料的完整目录。结果电脑什么都没找到，当时我就感到事有蹊跷。不是资料不多，不是非常少，而是什么都没有！

“可是你们坚持要我再等两天，才要举行这次审判。与此同时，我又听说那两个第一基地人不会来了，于是我更加好奇，必须设法满足这份好奇心。当你们还浑浑噩噩，就像俗语所说的那样，屋顶塌了还在品尝美酒，我翻阅了几本自己收藏的历史书籍。我读到一些章节，里面提到帝国末期有关‘起源问题’的研究，并且列出和引用到一些文献，字体书和影视书都有。然后我又回到图书馆去，亲自动手寻找那些文献，我向诸位保证，的确什么也没有。”

德拉米说：“即使如此，也没什么好惊讶的。如果地球的确是个神话……”

“那我应该在神话参考书中找到这个名字。如果地球只是‘老掉牙的曲速故事’，我就应该在《老掉牙的曲速故事集》中找到它。如果地球只是精神病患的无稽之谈，我就应该在病态心理学之下发现一点资料。事实上，有关地球的传说确实存在，否则你们不会全都听过，而且立刻想到就是传说中的人类发源地。可是，图书馆里为何没有地球的资料，任何角落都没有？”

德拉米这回保持沉默，另一位发言者趁机插了进来。这位发言者名叫李奥尼斯·郑，是个身材相当瘦小的人，对谢顿计划的细节有着百科全书般的知识，对真实的银河却抱持着短视态度。他说话的时候，两只眼睛总是眨个不停。

他说：“大家都晓得，帝国在苟延残喘的那段日子，曾经试图建立本身的神话，因此刻意淡化前帝国时代的一切。”

坚迪柏点了点头。“郑发言者，淡化这个词用得万分恰当，它并不等于毁灭证据。你应该比其他人都更了解，帝国衰落的另一个特征，就是人们突然开始怀古，并且认为古代比现代更好。正如我刚才提到，在哈里·谢顿的时代，许多人都对‘起源问题’产生了兴趣。”

郑发言者使劲清了清喉咙，打断了对方的发言。“我对这点非常清楚，年轻人，对于帝国衰落所伴随的社会问题，我的了解远超过你的想象。‘帝国化’运动的兴起，压制了人们对于地球的玩票式研究。谢顿死后两百年，在克里昂二世领导下，帝国有了最后一次的中兴，帝国化运动在那时达到巅峰，对于地球的研究则完全终止。针对这一点，克里昂还曾经颁布一道谕令，将人们对这方面的兴趣称为 ‘迂腐而无建设性的臆测，易于腐蚀百姓对大帝的赤忱忠心’，我想我的引述应该正确。”

坚迪柏微微一笑。“那么，郑发言者，你认为有关地球的所有参考资料，是在克里昂二世时期被毁掉的？”

“本人没有作出任何结论，只是就事论事而已。”

“你不作出任何结论，的确高明之至。在克里昂二世时期，帝国虽然经历短暂的复兴，可是，至少大学和图书馆已经在我们手中，或者应该说，在我们的先辈掌握之中。想要从图书馆移走任何资料，不可能瞒得过第二基地的发言者。事实上，如果真有这种企图，奉命执行的人一定就是当时的发言者，只不过垂死的帝国不知道他们的底细。”

坚迪柏顿了顿，郑发言者却不吭声，只是睁大眼睛瞪着他。

于是坚迪柏继续说：“在谢顿的时代，图书馆里一定还藏有地球的相关资料，因为当时‘起源问题’的研究十分盛行。此后第二基地便接掌图书馆，也不可能有机会让人把资料搬走。如今，图书馆里却没有任何相关资料，这究竟是怎么回事？”

德拉米不耐烦地插嘴道：“你的两难命题可以到此为止，坚迪柏，我们都听懂了。你心目中的答案是什么？是你自己把那些资料搬光的？”

“正如往常一样，德拉米，你的确一语中的。”坚迪柏对她点头致敬，极尽讽刺之能事（她的反应则是微微扬起嘴角）。“可能的答案之一，是第二基地某位发言者监守自盗。这个人知道如何支配图书馆员，而不会在他们心中留下记忆；也知道如何使用电脑，而不会在其中留下记录。”

第一发言者桑帝斯涨红了脸。“荒唐，坚迪柏发言者，我无法想象有任何发言者会这么做。他的动机又是什么呢？即使基于特殊原因，某位发言者将地球的资料移到别处，又为何要隐瞒圆桌会议其他成员？不论是谁想对图书馆动手脚，被发现的机会都相当大，他为什么要冒这种葬送前途的危险？更何况，我认为即使是本领最高强的发言者，也不可能做得天衣无缝，不留下一点蛛丝马迹。”

“这样说来，第一发言者，德拉米发言者认为是我自导自演的这种说法，您必然不会同意。”

“我当然不同意。”第一发言者说，“我有时难免怀疑你的判断力，但我尚未认为你已经完全疯狂。”

“那么，第一发言者，这件事就应该从未发生过。有关地球的资料应该仍在图书馆里，并未被人取走，因为我们已经否定了一切可能——可是那些资料的确不见了。”

德拉米故意装出厌烦的模样说：“好啦好啦，我们快点结束这个问题吧。我再问你一遍，你心目中的答案是什么？我肯定你心中必定有个答案。”

“只要你能肯定，发言者，我们也都能够肯定。我的看法是，图书馆曾遭到某个第二基地成员洗劫，当时此人受到某种神秘外力的控制。由于有那个力量暗中襄助，一切过程才会神不知鬼不觉。”

德拉米哈哈大笑。“结果还是被你发现了。你——不受控制又无法控制的你。假如这个神秘力量的确存在，你怎么会发现那些资料失踪了？你为何不会受到控制？”

坚迪柏严肃地说：“这可不是好笑的事，发言者。他们的想法也许跟我们类似，认为一切干涉都必须尽量节制。几天前，当我的生命受到威胁时，我首先想到的不是保护自己，而是避免碰触那个阿姆人的心灵。他们也可能抱持着同样的态度，一旦感到安全无虞，就会停止一切干涉。这才是真正的危险，是致命的危险。我之所以能发现这件事，或许意味着他们不再有所顾忌。而他们之所以不再有所顾忌，或许就代表他们认为已经赢了。而我们，还在这里继续玩我们的游戏！”

“可是他们如此大费周章，目的究竟何在？有任何可能的目的吗？”德拉米追问道。她一面说，一面双脚搓着地板，还不自觉地咬着嘴唇。随着圆桌会议对这个问题愈来愈有兴趣，愈来愈关心，她感到自己的势力在渐渐消退。

坚迪柏答道：“假设——第一基地仗着强大的有形力量，正在全力寻找地球的下落，却故意做得像是将那两人放逐，希望我们误以为事实仅是如此。但是，如果只是遭到放逐，那两个人为何拥有如此不可思议的太空船，能在一小时之内，航行一万秒差距？”

“至于我们第二基地，我们一直未曾试图寻找地球，而且显然有人暗中动了手脚，阻止我们接触任何有关地球的资料。第一基地眼看就要找到地球了，我们却连第一步都没有跨出去，这样……”

坚迪柏顿了一下，德拉米就抢着说：“什么这样那样？赶紧把你的童话说完。你到底知不知道任何真相？”

“我并非无所不知，无所不晓，发言者。对于扑天盖地而来的阴谋，我至今尚未完全参透，但是我确实知道有阴谋存在。我不知道寻找地球有什么意义，但能肯定第二基地正面临极大的危险，而谢顿计划和全体人类的未来也遭到波及。”

德拉米猛然起立，脸上毫无笑容。她用激动却勉力控制住的声音说：“废话！第一发言者，赶快制止他！现在所讨论的是被告的不当言行，他却讲些不仅幼稚而且毫不相干的话。他编出一堆令人费解的理论，只有他自己才觉得有道理，但他休想借此脱罪。我主张对此项议题立即进行表决，一致赞成定罪！”

“且慢！”坚迪柏厉声道，“据我所知，我有机会为自己辩护，而我还剩下一条辩词——只剩最后一条。请让我先提出来，然后你们就可以进行表决，我不会再有任何异议。”

第一发言者揉了揉疲倦的双眼。“你可以继续，坚迪柏发言者。让我提醒圆桌会议成员——将遭到纠举的发言者定罪，是一件重大的决定，而且根本没有前例可循。我们的做法，不能显得没有给被告充分答辩的机会。此外别忘了，即使我们对裁决感到满意，后人却不一定会这么想。我不相信任何阶层的第二基地分子，会对历史评价有丝毫的忽视，更遑论圆桌会议的发言者。让我们树立一个典范，以便确定在未来的许多世纪，后代的发言者都会赞同我们的做法。”

德拉米尖刻地说：“我们这样做很可能会丢脸，第一发言者，后人会讥笑我们多此一举。允许被告继续答辩，只是您个人的决定。”

坚迪柏深深吸了一口气。“第一发言者，既然您作出如此的决定，那么我希望传唤一名证人。她是我三天前遇到的一名年轻女子，如果不是她见义勇为，当天我根本无法出席圆桌会议，而不只是迟到而已。”

“你提到的这名女子，圆桌会议的成员认识吗？”第一发言者问道。

“不认识，第一发言者，她是这颗行星的原住民。”

德拉米的双眼立刻睁得老大。“一、个、阿、姆、女、子？”

“没错！正是！”

德拉米叫道：“我们跟这种人有何干系？他们讲的话通通毫无用处。他们简直不存在！”

坚迪柏咬住紧抿着的双唇，这种表情绝不会被误认为是笑容。他厉声说道：“所有的阿姆人，肉身当然都存在。他们也是人类，在谢顿计划中扮演自己的角色。第二基地间接受到他们的保护，因此他们的角色极为重要。德拉米发言者竟然说出这么没人性的话，在此我要跟她划清界线，并且希望她的发言能保留在会议记录中，以便日后作为她不适于担任发言者的佐证。圆桌会议其他成员，是否也同意她的惊人之语，反对我的证人出席？”

第一发言者说：“发言者，传唤你的证人。”

坚迪柏的表情这才松弛下来，回复到发言者遭受压力时应有的冷漠。他的心灵早已严阵以待，同时布下重重禁制。但在那道防御工事后面，他意识到最危险的时刻已经过去，自己已经赢了。

02

苏拉·诺微看来十分紧张。她的双眼睁得很大，下唇微微发颤，胸部轻微起伏，双手则慢慢地握紧又松开，松开又握紧。她的头发全部梳到后头挽成一个髻，被太阳晒黑的脸孔不时抽搐着。她还不自主地抚着长裙的裙褶，同时迅速打量着圆桌会议的成员——一位发言者接着一位发言者，大眼睛里充满敬畏之意。

众人也纷纷回望她，眼中透出不同程度的轻视与不自在。德拉米则将目光射向诺微头顶的正上方，故意忽视她的存在。

坚迪柏小心翼翼地轻抚她的心灵表层，让她放松心情。其实轻拍她的手，或者抚摸她的面颊也能达到这个目的，可是此时此地，在这种情况下，他当然不可能那么做。

然后他说："第一发言者，我得降低这名女子的意识灵敏度，以免她的证词受到恐惧的干扰。您想不想观察一下？其他人想不想？诸位若有兴趣，请跟我一起来，以便确定我并没有修改她的心灵。"

诺微被他的声音吓了一大跳，这点坚迪柏倒是不惊讶。坚迪柏知道，她从未听过第二基地高层人士之间的交谈，从来没有体验过那种语音、声调、表情以及思想的迅速古怪组合。然而，她的恐惧来得急去得快，当他收服她的心灵之后，那股恐惧立即消失无踪。

她的脸上现出一片平静。

"你身后有张椅子，诺微，"坚迪柏说，"请坐下来。"

诺微以笨拙的动作，向众人微微屈膝致意，然后便坐了下来，上身仍保持着直挺挺的姿势。

她的发言颇为清楚，不过每当她的阿姆口音太重，坚迪柏就会要她重复一遍。为了表示对圆桌会议的尊重，坚迪柏必须维持正式的言语，所以有时也得重复自己的问题，才能让她会过意来。

坚迪柏与鲁菲南发生冲突的经过，她描述得相当详细。

坚迪柏问道："诺微，这些经过都是你亲眼见到的吗？"

"非也，师傅，不然我早出来阻止了。鲁菲南系一个好汉子，但脑袋不大灵光。"

"可是你把这件事从头到尾讲了出来。你怎么可能没有看到整个过程呢？"

"鲁菲南告诉我的，我逼问他，他感觉惭愧。"

"惭愧？你知不知道，他过去有没有做过这种事？"

"鲁菲南？没有，师傅，他很温和，虽然个子很大。他不系爱打架的人，并且很惊怕邪者，他常常说他们伟大，并且具有力量。"

"当天他遇到我的时候，为什么没有这种感觉呢？"

"这事很奇怪，搞不懂为什么。"她摇了摇头，"他当时不系他自己。我对他说：'你这个大笨头，怎么可以攻打邪者？'他说：'我不知晓怎么回事，我好像系不在那里，站在一旁看着那个不系我自己。"

郑发言者插嘴道："第一发言者，让这名女子转述那名男子的话有什么意义？难道不能把那名男子找来，当面询问他吗？”

坚迪柏说：“当然可以。等到这名女子作证完毕，圆桌会议若想听取更多的证词，我随时可以传唤卡洛耳·鲁菲南——就是最近找我麻烦的那个人——出席作证。但如果认为没有必要，当我问完这位证人之后，圆桌会议即可直接进行判决。”

“很好，”第一发言者说，“继续询问你的证人。”

坚迪柏又问：“而你呢，诺微？你这样出面阻止一场冲突，像不像你平日的作为？”

诺微一时之间并未回答，她的两道浓眉稍微挤在一起。直到眉头再度舒展，她才说：“我不知道，我不希望邪者受到伤害。我不得不做，心里头想也没想，我就站在你们中间。”顿了顿之后，她又说，“下次还有需要，我还会再做。”

坚迪柏说：“诺微，你现在要睡着了。你什么也不会想，你会好好休息，连梦都不会做。”

诺微含糊地说了几句话，然后就闭上眼睛，将头仰靠在椅背上。

坚迪柏等了一会儿，然后才说：“第一发言者，恭请您跟我一起进入这名女子的心灵。您将发现它极为单纯匀称，这是千载难逢的机会，因为您将目睹的现象，也许永远无法在别处见到。这里，还有这里！您观察到了吗？如果其他诸位也有兴趣，一个一个进来会比较容易些。”

会场中不久便响起一片嘁嘁喳喳。

坚迪柏问道：“各位还有任何疑问吗？”

德拉米说：“我怀疑，因为……”她突然打住，因为她看到了连她也无法形容的现象。

坚迪柏替她把那句话说下去：“你认为我为了作伪证，事先重塑过这个心灵？所以说，你认为我有本事进行如此精细的微调——让一条精神纤维显著地变形，但周围的结构完全不受任何影响？我如果能这么做，又何必用这种方式和你们周旋？何必让我自己遭到受审的耻辱？何必苦口婆心地想说服你们？如果这名女子的心灵真是我的杰作，那么除非你们有万全准备，否则全都不是我的对手。事实则是，这名女子的心灵所受到的调整，是你们谁也做不到的，而我自己也一样，但这种事又确实发生了。”

他顿了顿，轮流瞪视每一位发言者，最后将目光停驻在德拉米脸上。然后，他缓缓说道：“现在，如果还有任何需要，我立刻就传唤那名阿姆农夫卡洛耳·鲁菲南。我曾经检查过他，他的心灵被相同的手法调整过。”

“没有这个必要了，”第一发言者露出惊骇的表情，“我们刚才看到的，实在是震撼人心的景象。”

“既然如此，”坚迪柏说，“我可否唤醒这名阿姆女子，然后请她退席？我已经安排好了，外面会有人照顾她。”

坚迪柏轻轻扶着诺微，将她送出会议厅，然后继续进行陈述。他说：“让我很快作个总结。由此可知，心灵能够被如此改造，这种手法是我们望尘莫及的。通过这种方式，就能让图书馆员将地球的资料偷走，他们自己浑然不觉，而我们也一样。我们也已经知道，对方是如何精心安排，令我无法准时出席圆桌会议。我受到生命威胁，然后有人救我脱险，最后的结果是我遭到纠举。这一连串看似顺理成章的事件，最后导致我因此丧失决策权，而我所主张的行动方针，那些会威胁到对方的主张，从此就会胎死腹中。”

德拉米上身前倾，她显然也受到震撼。“如果那个秘密组织真那么高明，你又如何能发现这一切？”

坚迪柏现在有心情笑了。“我没有什么功劳。”他说，“我不敢自夸本事比其他发言者高强，至少绝对比不上第一发言者。然而，那些反骡——这个相当贴切的称呼，是第一发言者发明的——也并非智商无限高或缺点等于零。他们会选取这名阿姆女子当工具，也许正是因为她只需要极小的微调。她原本就不排斥她所谓的‘学者’，而且还对他们万分崇拜。

“可是，这件事告一段落之后，由于她和我有短暂的接触，更刺激了她希望成为学者的幻想。于是第二天，她怀抱着这个愿望来找我。她的企图心令我好奇，因此我检视了她的心灵。如果不是这个原因，我不可能会那么做。然后，几乎可说是出于偶然，我发现了那个微调痕迹，并意识到它的重要性。如果当初被选上的是另一名女子，是个对学者没有多少好感的人，反骡也许得花较多工夫调整她的心灵，但是这样就不会有接下来的发展，而我也会一直被蒙在鼓里。总之，那些反骡计算错误，或说无法充分考虑未知的一切。他们竟然也会犯错，这令人感到振奋。”

德拉米说：“第一发言者和你将这个——这个组织称为‘反骡’，我猜，是因为他们似乎在尽力维护谢顿计划，跟骡的所作所为刚好相反。如果反骡真是这样，他们又有什么危险呢？”

“如果没有任何目的，他们何必这么辛苦？我们还不知道他们的目的为何——一名犬儒可能会说，他们准备在未来某个时刻介入，将历史趋势扭转到另一个方向，当然是对他们而绝非对我们更有利的方向。这是我个人的想法，虽然我并不精通犬儒主义。我们都知道，德拉米发言者具有博爱与诚信的高贵情操，她是否要推己及人，主张这些人是普渡众生的利他主义者，志愿为我们分担工作，完全不求任何回报？”

此话一出，会场顿时响起一阵轻笑声，坚迪柏晓得自己已经赢了。与此同时，德拉米也明白她已一败涂地，一股怒意脱出她的严密精神控制，就像是浓密的树荫中，突然射进一道红色的阳光。

坚迪柏说：“当那个阿姆农夫找我麻烦的时候，我马上想到是某位发言者在幕后指使。等到我发现那名阿姆女子的心灵受过微调，才知道自己虽然料中阴谋的内容，却猜错了主使者。在此，我要为自己的错误诠释郑重道歉，请求诸位从轻发落。”

第一发言者说：“我相信应该可以当作你已经认错……”

德拉米再度插嘴，她又变得相当平静，脸上堆满友善的表情，而且声音极其甜美。“请您务必原谅，第一发言者，但我想打个岔，我主张立刻撤销这项纠举案。事到如今，我不再赞成将坚迪柏发言者定罪，我想其他人也都不会。我还要进一步建议，将这项纠举案，从坚迪柏发言者完美无瑕的记录中删除。他已经用高明的方法证明自己的清白，为此我要恭喜他。此外，我要恭喜他发现了那个危机，否则我们可能永远被蒙在鼓里，因而导致不可预料的后果。我还要为我先前的敌意，向他致上由衷的歉意。”

她甚至对坚迪柏露出微笑。对于她这种能在瞬间见风转舵以减少损失的本事，坚迪柏也不得不感到佩服。同时他还感到，这只是另一波攻势的准备动作，她随时会从另一个方向再度发动攻击。

他可以确定，接下来绝不会有什么愉快的事。

03

当黛洛拉·德拉米发言者努力表现迷人的丰采时，她总是有办法主导发言者圆桌会议。此时，她的声音变得轻柔，她的微笑落落大方，她的眼睛闪闪发光，总之她使出浑身解数。因此谁也不想打断她的话，大家都等着看她如何再度出击。

她说："拜坚迪柏发言者之赐，我想现在大家都了解该怎么做了。我们尚未目睹反骡的真面目，对他们仍旧一无所知，只知道在第二基地的大本营，他们都有办法神出鬼没，接触到许多人的心灵。不晓得第一基地的权力中心如何打算，或许，我们将面对反骡和第一基地组成的同盟。总之，我们什么也不知道。

"我们不知道那个葛兰·崔维兹，还有他的同伴，我一时想不起他的名字，两人究竟准备到哪里去。第一发言者和坚迪柏有个预感，当前这个重大危机，关键就掌握在崔维兹手上。那么，我们该做些什么呢？显然，我们应该尽全力查出崔维兹的底细，他准备去哪里，他打什么主意，他可能有什么目的；或者他到底有没有目标，有没有打算，有没有任何目的；他会不会其实只是工具，背后还隐藏着更大的力量。"

坚迪柏答道："他仍然受到监视。"

德拉米撅起嘴，做出一个夸张的笑容。"被什么人监视？被我们派驻在外星的特务？我们已经目睹对方在此地展现的力量，还敢指望那些特务能对抗他们吗？当然不能。在骡的时代，以及其后数十年间，第二基地总是派出——甚至牺牲由精英组成的志愿军，从来未曾犹豫，因为除此之外无计可施。为了挽救谢顿计划，普芮姆·帕佛本人假扮成一位川陀行商，亲自在银河中东奔西跑，目的就是要带回那个小女孩艾卡蒂。当前这个危机，可能比上述两者更为严重，我们不能在这里坐以待毙，也不能依赖那些低层人员，那些负责跟监和送信的。"

坚迪柏说："你绝不是想建议，让第一发言者此时离开川陀吧？"

德拉米答道："当然不是，这里实在太需要他坐镇了。另一方面，我们还有你，坚迪柏发言者。这次的危机是你发觉的；是你查到有神秘的外力控制了图书馆，以及阿姆人的心灵；是你坚持自己的观点，最后说服了整个圆桌会议。在座没有一位比你更了解目前的状况，今后除了你，也没有谁能洞悉得如此透彻。所以我认为，你责无旁贷，必须到第一线去面对敌人。我可否知道其他人的意见？"

这点根本不需要正式表决，每一位发言者都能感知其他人的心灵。坚迪柏突然震惊不已，在他已经赢得胜利，而德拉米遭到惨败的情况下，这个可怕的女人又在瞬间扭转乾坤，让他无法推卸这个形同放逐的任务。从此，他不知道要在太空中奔波多久，而她则能继续在幕后控制圆桌会议，也就等于控制第二基地，甚至整个银河，迫使所有的人面对危险的命运。

而坚迪柏在流放期间，纵然真能搜集到重要情报，帮助第二基地躲过迫近的危机，功劳也将归于德拉米，因为这都是她安排的。换句话说，他的成功将有助于巩固她的权力。坚迪柏做得愈有效率，愈快获得成功，就愈有可能帮助她巩固权力。

这个反败为胜的行动，实在太精彩又太不可思议了。

即使是现在，她也已经明显地控制圆桌会议，僭取了第一发言者的地位。坚迪柏刚想到这一点，就感受到第一发言者投射出的怒火。

坚迪柏转过身去，看到第一发言者毫不掩饰自己的愤怒。目前的态势十分明显，一个外在危机方才解决，另一个内部危机已经开始酝酿。

04

昆多·桑帝斯，第二十五代“第一发言者”，对自己从未有过特别的幻想。

过去五个世纪的漫长岁月中，第二基地的确出过几位强有力的第一发言者，但桑帝斯了解自己并非这样的人。可是，他也根本不必那样雄才大略。在他主掌圆桌会议这段时期，银河正处于繁荣的太平岁月，纵有雄才大略也无用武之地。这似乎是个适宜守成不变的时代，而他就是扮演这个角色的适当人选。上一代第一发言者选他当继承人，正是由于这个缘故。

“你是一名学者，并不是冒险家。”第二十四代第一发言者曾经这么说，“你会维护谢顿计划，而冒险家却可能毁掉它。维护！你主持的圆桌会议要彻底奉行这两个字。”

他一直如此努力，却因而形成消极被动的领导作风，时常被人解释成软弱无能。他想要退位的传闻从未间断过，也始终有些发言者在公开规划继任人选。

桑帝斯心知肚明，德拉米是这场权力斗争的领导者。在圆桌会议的成员中，她的作风最强悍，就连血气方刚的初生之犊坚迪柏，也会避免与她正面交锋，他现在的表现就是最好的例子。

谢顿在上，自己也许消极被动，甚至软弱无能，但至少有一项特权，历代第一发言者从未放弃，他也绝对要坚持到底。

他起立准备发言，会场顿时鸦雀无声。当第一发言者起立发言时，任何人都不准打岔，即使德拉米或坚迪柏也不敢造次。

他说：“诸位发言者！我同意我们面临一个严重的危机，必须采取强有力的因应措施。本来应该由我出马与敌人交锋，不过宅心仁厚的德拉米发言者，却说需要我留下来坐镇，替我免除了这项艰难的任务。然而，事实上，不论是大本营或最前线，我都无法派上用场。我年事已高，已经力不从心。长久以来，一直有人期望我尽早退位，也许我该这么做了。当这次的危机圆满解决之后，我会立刻退位。

“可是，选择继任者当然是第一发言者的特权，我现在就打算这么做。过去许多年来，有一位发言者长期主导圆桌会议的议程，这位发言者具有强势性格，经常表现出我所欠缺的领导能力。诸位应该都知道，我是在说德拉米发言者。”

他顿了顿，接着又说：“唯独你不表赞同，坚迪柏发言者。我能否请问为什么？”他坐了下来，让坚迪柏有资格开始发言。

“第一发言者，我没有不赞同。”坚迪柏低声回答，“选择继任人选是您至高无上的权利。”

“我会这么做的。当你自太空归来，为消弭当前危机跨出成功的第一步之后，就是我退位的时候。我的继任者将完全接掌指挥权，继续一切必要的行动，以便圆满解决这个危机。你有什么话要说吗，坚迪柏发言者？”

坚迪柏平静地说：“当您指定德拉米发言者作为继任者时，第一发言者，我希望您务必劝戒她……”

第一发言者很不客气地打断坚迪柏。“我只是提到德拉米发言者，并没有指定她做我的继任者。你还有什么话要说？”

“我向您致歉，第一发言者。我应该说：在我完成任务归来之际，假设您指定德拉米发言者作为继任者，可否请您务必劝戒她……”

“将来我也不会让她做我的继任者，绝不会有例外。现在你还有什么话要说？”第一发言者作出这项声明的时候，心中不禁产生一阵快感。这无异向德拉米迎面狠狠击出一拳，他再也想不到更能羞辱她的办法了。

“嗯，坚迪柏发言者，”他又问，“你还有什么话要说？”

“只能说我给搞糊涂了。”

第一发言者再度起立，然后说：“德拉米发言者的确具有领导统御的天分，可是身为第一发言者，光具有这种特质还不够。坚迪柏发言者能见人所未见；他面对圆桌会议的一致敌意，却能迫使大家重新考虑各项决定，最后说服大家同意他的观点。德拉米发言者把追查葛兰·崔维兹的责任，置于坚迪柏发言者肩上，我虽然怀疑她的动机，不过这个重担的确非他莫属。我知道他会成功，我相信自己的直觉。坚迪柏发言者归来后，将成为第二十六代第一发言者。”

说完他立刻坐下来，其他发言者开始急着表达自己的意见，会场充满了由语音、声调、表情及思想汇成的喧嚣。第一发言者毫不理睬各式各样的噪声，只是茫然瞪视着正前方。他心中很清楚，该做的终于做了，而且还有几分出人意表。能够放下这个重责大任，应该算是人生一大解脱。其实他早该这样做，可是以前没有这个机会。

因为直到现在，他才找到一位适当的继任者。

然后，不知不觉，他突然感应到德拉米的心灵，于是抬头向她望去。

谢顿在上！她竟然出奇地平静，脸上还露出笑容。她并未显露失望或绝望，这代表她还没有认输。他不禁怀疑是否被她玩弄于股掌之上，但她还有什么王牌可出呢？

05

表现出悲愤与失望若能有什么用，黛洛拉·德拉米会毫不保留地发泄一番。

那个控制圆桌会议的老笨蛋，还有那个幸运之神宠幸的小白痴，如果能让这两个人吃点苦头，她一定会享受到复仇的快意。但她图的并非一时之快，她还要些更具体的东西。

她要当上第一发言者。

哪怕只剩一张牌可出，她也要打下去。

她淡淡一笑，同时举起一只手表示准备发言。她故意让这个姿势维持一阵子，以便当她发言的时候，其他人不但都会住口，而且会保持绝对肃静。

她说：“第一发言者，正如坚迪柏发言者刚才讲的，我绝不反对您的决定。选择继任人选是您至高无上的权利。我现在发言，是想对那项如今已成为坚迪柏发言者的任务，提供一点浅见，希望能有所贡献。我可否解释自己的想法，第一发言者？”

“说吧。”第一发言者随口答道。他感到她未免太客气、太温顺了。

德拉米严肃地低下头来，脸上的笑容也消失了。她说：“我们也有太空船，虽然不像第一基地的那样先进，仍然可供坚迪柏发言者使用。我相信他和大家一样，懂得如何驾驶太空船。银河中每一颗重要的行星上，都驻有我们的人，不论他到哪里，都会有人负责接待。此外，既然他完全洞悉目前的危险，就连那些反骡也无法再加害他。纵使我们懵懂未觉，我猜他们仍然只会选择低层人员下手，甚至利用阿姆农民。当然，我们将对第二基地所有的心灵，作一次彻底的检查——包括每一位发言者在内，虽然我确定我们都安然无事，因为反骡不敢在我们身上妄动手脚。

“不过，坚迪柏发言者没有理由无谓冒险。他并不打算做冲锋敢死队，因此在执行任务的时候，最好能做某种程度的伪装，以免让对方发现。他若能以阿姆行商的身份出发，将对这项任务有很大的助益。我们都知道，当年普芮姆·帕佛闯荡银河时，便是假扮成一名行商。”

第一发言者说：“普芮姆·帕佛那样做，是因为有特殊的目的，坚迪柏发言者却没有这个需要。如果真有必要采取某种伪装，我相信聪明的他一定乐于采用。”

“对不起，第一发言者，我想提出一个巧妙的伪装。相信诸位都还记得，普芮姆·帕佛的妻子当年总是和他一同旅行。这样子最能彻底表现乡下人的气息，谁都不容易起疑。”

坚迪柏说：“我没有妻子，虽然曾经有几位女伴，可是如今，她们都不会愿意假扮我的配偶。”

“这点我们都晓得，坚迪柏发言者。”德拉米说，“可是只要有个女人在你身边，别人就会理所当然将你们视为夫妻。志愿者一定找得到，如果你认为需要携带书面证明，我们也能为你准备。总之，我认为应该有个女人与你同行。”

一时之间，坚迪柏几乎喘不过气来。她总不至于是指……

这是分享功劳的一种计谋吗？她是否在争取联合领导权，或是两人轮流职掌第一发言权？

坚迪柏绷着脸说："我受宠若惊，德拉米发言者竟然想自己……"

德拉米突然张口大笑，同时双眼直视坚迪柏，露出近乎真挚的眼神。坚迪柏知道又掉进了陷阱，他的表现愚蠢之至，在座众人绝不会忘记这一幕。

她说："坚迪柏发言者，我不会莽撞到想要陪你出这趟任务。这件任务是你的，也只能属于你；正如第一发言者的职位将是你的，也只能属于你。我没想到你会要我跟你作伴，说真的，发言者，我年纪不小了，早就不认为自己是个美娇娃……"

其他发言者全部露出笑容，就连第一发言者都忍俊不禁。

坚迪柏承受了一记重击，为了避免输得更惨，他也学着她故作轻松状。这是知其不可为而为之。

他尽可能用温和的口气说："那么你的建议到底是什么？我可以向你保证，我从未想到你会希望和我作伴。你擅长的是主导圆桌会议，而不是处理纷乱的银河事务，这点我很明白。"

"我同意，坚迪柏发言者，我同意你的说法。"德拉米道，"然而我的建议，跟我刚才提到你该扮成阿姆行商有关。想要百分之百掩人耳目，除了一个阿姆女子，还有什么更适当的旅伴人选？"

"一个阿姆女子？"在极短时间内，坚迪柏连续两次惊慌失措，其他发言者都当成笑话看。

"就是那个阿姆女子。"德拉米继续说，"就是那个救过你一次，使你免遭一顿毒打的女人，也就是那个用崇拜的目光瞪着你的女人。你曾经探查过她的心灵，而她因此不知不觉再次助你脱险，而且是比毒打严重无数倍的危险。我建议你带她一起走。"

坚迪柏的直觉反应当然是拒绝，但他知道她期待的正是这个答案，这就会让其他人看更多的笑话。现在的态势已经很明朗，第一发言者急于打击德拉米，因而迫不及待地任命坚迪柏为继任者，即使这样做本身并没有错，德拉米却一下子使它变成致命的错误。

坚迪柏是最年轻的发言者，他曾经得罪圆桌会议全体成员，却又摆脱了制裁。他这么做，等于将他们羞辱了一番。见到他成为第一发言者的预定人选，谁也咽不下这口气。

本来，想再击败他是很困难的事，但现在他们都会记住，德拉米是多么容易就使他出丑，他们在一旁又看得多么开心。今后，她能轻易用这件事实说服众人，说他既不够成熟又缺乏经验，不配担任第一发言者。当坚迪柏在外执行任务时，他们会联合起来向第一发言者施压，强迫他改变决定。纵使第一发言者坚持初衷，坚迪柏当上第一发言者之后，也将面对一个众叛亲离的圆桌会议，永远不会有任何作为。

一瞬之间，他预见了一切可能的发展，因此他的回答仿佛没有丝毫迟疑。

他说："德拉米发言者，我很钦佩你的洞察力，本来我是想给诸位一个惊奇的。其实，我的确打算带那个阿姆女子同行，但并非完全基于你提出的那个好理由。我想带她一起去，是因为她具有与众不同的心灵。诸位都检查过那个心灵，亲眼目睹了它的结构：难以想象的聪慧，但更重要的是澄澈、单纯，全然没有任何心机。外力一旦碰触到它，一定不会毫无痕迹，我确信诸位都会作出这个结论。

"因此，德拉米发言者，不知道你是否想到过，她可以扮演绝佳的预警系统。我可以通过她的心灵，侦测出异类精神力场出现的征候，我相信，她会比我更早发现敌踪。"

会场顿时呈现诡异的宁静，坚迪柏便以轻松的口吻说："啊，你们全都没有想到。没关系，没关系，这并不重要！现在我要告辞了，我们不能浪费任何时间。"

"慢着。"德拉米第三度由主动转为被动，问道，"你打算如何进行？"

坚迪柏微微耸了耸肩，然后说："何必在此讨论细节呢？圆桌会议知道得愈少，反骡愈不会想侵犯诸位的心灵。"

他这样说，听来像是将圆桌会议的安全摆在第一位。他也使心灵中充斥着这种想法，并且让它显露出来。

这番话让他们十分受用。而他们一旦感到满意，或许就不会怀疑坚迪柏是否真的知道该怎么做。

06

当天傍晚，第一发言者与坚迪柏作了一次晤谈。

“你的想法没有错。”他说，“我忍不住扫过你的心灵表层之下，知道了你认为我不该宣布那件事，这点我不否认。她经常不露痕迹地僭取我的地位，因此我想用同样的手法还击；我操之过急，想尽早将无止无休的笑容从她脸上抹去。”

坚迪柏柔声说：“或许您应该先私下知会我，等我回来之后再正式宣布。”

“那样，我就无法给她来个迎头痛击。这只是第一发言者的一个可怜心愿，我自己也了解。”

“这样做并不能让她死心，第一发言者。她仍旧会设法谋取这个位置，也许还会更加名正言顺。我确定有几位发言者，将公开表示我该婉拒这项任命。他们不难提出许多理由，辩称德拉米发言者是圆桌会议上的佼佼者，能够成为最佳的第一发言者。”

“她是圆桌会议上的佼佼者，离开会场就不是了。”桑帝斯埋怨道，“她看不见真正的敌人，她眼中的敌人只有其他的发言者。当初，根本不该让她成为发言者。听我说，要不要我下一道命令，禁止你带那个阿姆女子同行？我看得出来，德拉米让你没有选择的余地。”

“不必，真的不必。我提出的那个理由，并不是我信口胡诌的，她真的可以当我的预警系统。如果不是德拉米发言者那样逼我，我还想不到这一点，所以我真该感谢她呢。我深信，那女子会派上非常大的用场。”

“那就好。对了，我也没有撒谎，我真的相信你总会有办法解除这个危机——只要你肯相信我的直觉。”

“我想我会相信的，因为我也同意您的看法。我向您保证，不论发生什么事，我都不会让您失望。无论反骡或德拉米发言者搞什么鬼，我都会回来接任第一发言者的职位。”

说这番话的同时，坚迪柏也在检视自己的心灵。对于这次单枪匹马的太空冒险，自己为何那么兴奋，那么急切？当然是因为他怀抱着雄心壮志。普芮姆·帕佛曾经有过类似的行动，所以他要证明史陀·坚迪柏也办得到。等到他凯旋归来，就再也没有人能阻止他就任第一发言者。然而除了雄心，是否还有其他原因？实战的诱惑？还是由于自己成年后，一直锁在这个落后行星的隐匿角落，因而想要寻求一点刺激？他不尽然了解自己的心态，但他知道自己实在太想去了。

第十一章

赛协尔

01

太空艇完成一次所谓的“微跃”之后，原先一颗闪亮的小星星，逐渐变成一个球状天体。詹诺夫·裴洛拉特目不转睛地盯着显像屏幕，这是他生平第一次见到这种景象。他们的第一个目的地——住人的赛协尔行星、该行星系的第四颗——也慢慢变得更大更显眼。

裴洛拉特膝上放着一个手提显像装置，上面映着电脑画出的赛协尔行星地图。

崔维兹曾经访问过数十个世界，因此表现得分外沉着。“别急着拼命看个不停，詹诺夫。我们得先经过报关站，手续可能很冗长。”

裴洛拉特抬起头来。“当然只是例行手续吧。”

“是的，不过仍然可能很花时间。”

“但如今是太平岁月啊。”

“当然，但这只保证我们可以通过。不过，他们至少要注意到生态平衡的问题，每一颗行星都有各自的生态，谁也不希望受到破坏。所以他们有充分的理由检查每艘入境的船舰，看看上面有没有不受欢迎的生物或传染病。这是一种合理的预防措施。”

“我觉得，这些东西我们都没有。”

“没错，我们没有，而他们将会确定这一点。但是你还要记住一件事，赛协尔并非基地联邦的成员，为了展现独立自主的地位，他们一定无所不用其极。”

一艘小型太空船飞了过来，不久，一名赛协尔海关官员登上他们的太空艇，准备进行检查。崔维兹没忘记军旅生涯的训练，用利落的口气说：“这是远星号，来自端点星，相关证件在此。它毫无武装，是私人航具。这是我的护照，还有一名乘客，这是他的护照，我们两人是观光客。”

海关官员穿着一件以深红为主色的俗丽制服。他的两颊与上唇刮得干净，下巴的左右两侧则蓄着两簇短须。他问道："基地的太空船？"

他的发音很不正确，但崔维兹既没有纠正他，也不敢露出笑容。银河标准语分化出许多方言，每颗住人行星都不太一样。大家各有各的口音，只要互相能沟通就行了。

"是的，长官。"崔维兹答道，"基地注册的航具，由私人所拥有。"

"非常好。你的装载呢？请告诉我。"

"我的什么？"

"你的装载，你载了些什么东西？"

"啊，我的货物。这里有一份清单，全是私人用品。我们不是来做生意的，我刚才说过，我们是观光客。"

海关官员好奇地四下打量了一番。"对观光客而言，这艘太空船未免太精巧了。"

"就基地的标准还好。"崔维兹故意表现得兴高采烈，"而且我很富裕，买得起这种好货。"

"你是说，我可能因此致富吗？"官员很快瞥了他一眼，随即移开视线。

崔维兹犹豫了一下，才想通那句话的言外之意。他又考虑了一下，才决定了行动方针，于是说："不，我并不打算贿赂你，也没有理由这样做。即使我真有这个打算，你看来也不像那种金钱能收买的人。若有必要，你可以仔细检查这艘太空船。"

"不必了。"官员一面说，一面收起袖珍记录器，"你们这艘船已经通过检查，上面没有任何法定传染病。我们会指定一个波长给你，再以这个波长送出导航波束。"

说完他就走了，整个程序只花了十五分钟。

裴洛拉特压低声音说："会不会有什么麻烦？他是不是真想要红包？"

崔维兹耸了耸肩。"打赏海关人员是老规矩，这种传统简直跟银河一样古老。他只要再暗示一次，我就马上出手了。结果，嗯，我猜他不敢冒这个险，因为这是一艘基地太空艇，尤其还是新型的。我们那位老市长——银河保佑她死硬的老命——曾说不论我们走到哪里，基地的名号都能保护我们，这句话并没有错。通常，这种手续要花很多很多时间。”

“为什么？他好像把该做的检查都做完了。”

“没错，但是他对我们相当礼遇，只用电波遥测而已。如果他找麻烦，大可用手提仪器从头到尾搜寻一番，这得花上好几个小时。他还能把我们两人送到境外医院，留置我们好几天。”

“什么？我亲爱的伙伴！”

“别紧张，他并没有那么做。我本来以为他会，不过他没有，这就表示我们可以着陆了。我很想用重力推进降落，那只需要十五分钟的时间，但我不知道许可着陆的位置在哪里，而我又不愿意惹麻烦。这代表我们必须跟着导航电波束，花上好几个小时，在大气层中盘旋而下。”

裴洛拉特却显得很开心。“可是这样好极了，葛兰。不知道我们会降落得多慢，能不能趁机看看地形地貌？”他举起手提显像屏幕，屏幕上显示着以低倍率展开的地图。

“多少能看到些。我们得先钻到云层下方，再以每秒几公里的速度运动。虽然不会像乘坐热气球，但你仍然能够观察行星的地貌。”

“太好了！太好了！”

崔维兹又深思熟虑地说：“不过我正在想，我们到底会在赛协尔行星待多久，是否值得把太空艇的时钟调成当地时间。”

“我想，那得看我们打算做什么。你认为我们会做些什么事，葛兰？”

“我们的工作是寻找盖娅，我不知道这要花多少时间。”

裴洛拉特说：“我们可以把腕表的时间调过来，太空艇的时钟则维持不变。”

“好主意。”崔维兹一面说，一面俯视下方逐渐扩展开的行星表面，“不用再等下去了。我会让电脑校准那个属于我们的电波束，它就能用重力推进来模仿传统飞行。就这么办！我们降落吧，詹诺夫，看看我们能找到什么。”

太空艇开始沿着校准的“重力势曲线”运动，崔维兹若有所思地盯着下方的行星。

他以前从未来过赛协尔联盟，可是他晓得，过去一世纪间，它对基地的态度一向不友善。他们能够那么快通关，实在令他感到诧异，甚至有点心虚。

这似乎不太合理。

02

刚才那位海关官员名叫久勾洛斯·索巴达尔萨，他已经在这个报关太空站断断续续干了半辈子。

平均每三个月，他就有一个月待在太空中。他对这种生活并不在意，反正刚好借此机会看看书，听听音乐，并且远离他的老婆，以及愈长愈大的独子。

不料两年前，海关主管换成了一个梦想家，令他感到难以忍受。这位主管常常无缘无故做些惊人之举，理由只是他在梦中接到指示，这种家伙最令人受不了。

索巴达尔萨本人根本不相信这一套，不过他表现得十分谨慎，从不张扬自己的想法，因为大多数赛协尔人都有唯心论的倾向。如果让人认为他是唯物论者，就快到手的退休金也许便会泡汤。

他用双手抚着下巴的两簇胡须，右手抚着右边，左手抚着左边。然后他大声干咳一下，再用很不自然的口气，假装随口问道："就是那艘太空船吗，主管？"

主管也有个典型的赛协尔式名字：纳玛拉斯·盖迪撒伐塔。他正埋首研究电脑中的资料，连头也没有抬起来。"什么太空船？"他问道。

"就是远星号，那艘基地太空船，我刚刚放行的那一艘，我们从各个角度做过全息摄影的那一艘。它是不是你梦见的那艘太空船？"

盖迪撒伐塔马上抬起头来。他身材矮小，双眼几乎被黑眼珠占满，周围布满细碎的皱纹，却没有一条是笑口常开的结果。他又反问："你问这个做什么？”

索巴达尔萨立刻板起脸孔，两道漆黑浓密的眉毛锁在一起。“他们自称观光客，可是我以前从没见过这样的太空船，我认为他们是基地间谍。”

盖迪撒伐塔上身靠向椅背。“听好，小子，不论我怎么努力回想，也想不起来曾经要你提供意见。”

“可是主管，我认为指出这一点，是尽忠爱国的……”

盖迪撒伐塔将双臂交握胸前，以严厉的目光瞪着他的手下。在顶头上司的瞪视下，这位下属（虽然他的外形与仪态都比顶头上司出色）赶紧低下头，装出一副灰头土脸的神情。

盖迪撒伐塔说：“小子，如果你知道好歹，就该多做事少开口，否则就准备提早退休。而如果我再听到你发表事不关己的高论，我保证让你领不到退休金。”

索巴达尔萨低声下气地说：“遵命，长官。”接着，他用不大诚恳的卑微语气补充道：“长官，在我的职责范围内，我是否应该向您报告，又有一艘太空船进入监视幕的范围？”

“算你报告过了。”盖迪撒伐塔没好气地说，便继续原来的工作。

“而且它的特征，”索巴达尔萨用更卑下的声音说，“跟我刚刚放走的那艘非常相似。”

盖迪撒伐塔双手在办公桌上使劲一撑，猛然跳起来。“又有一艘？”

索巴达尔萨在心中暗笑，这个残酷的老杂种（他指的是主管）显然没有梦见会有两艘这样的太空船。他又说：“看来没错，长官！我现在就回到岗位待命，但愿，长官……”

“怎么样？”

索巴达尔萨实在忍不住了，尽管会危及退休金，他还是脱口而出：“但愿，长官，我们没把不该放的放走了。”

03

远星号正急速飞过赛协尔行星上空，裴洛拉特看得如痴如狂。跟端点星比较起来，此地云层较为稀薄和零星，而且正如地图所示，陆地较为辽阔而集中——连沙漠地带都比端点星更广，这可以从大陆中的赭红色部分看出来。

放眼望去不见任何生命迹象，仿佛这个世界只有不毛的沙漠、灰暗的平原，以及山脉所形成的无穷皱褶，此外当然还有海洋。

“看起来好像毫无生气。”裴洛拉特喃咕道。

“在这种高度，别指望看到任何生命迹象。”崔维兹说，“我们再降低些，你就会看到陆地逐渐变成一块块的绿色。但在此之前，你会先看到夜面地表的闪烁光芒。人类有一个共通的倾向，总喜欢在黑夜降临时，用灯火照亮他们的世界，我从来没听过有任何例外。换句话说，你将看到的第一个生命迹象，其实不只是人类，还包含了科技文明在内。”

裴洛拉特意味深长地说：“毕竟，夜伏昼出是人类的天性。我认为，人类最早发展出的科技，就包括了将黑夜变为白昼的方法。事实上，假设某个世界正在发展科技文明，你就可以拿夜间照明的程度，作为它的科技进展指标。将一片黑暗转变为处处灯火通明，你认为得花多久时间？”

崔维兹哈哈大笑。“你常有些古怪的想法，我想这是因为你是神话学家吧。我认为不会有任何世界能变得一片光明。夜间照明随着人口密度而各地不同，所以在各个大陆上，灯光的分布都是块状或条状。即使川陀在发展到巅峰，整个世界成为一个庞大建筑时，也只会露出稀疏的光芒而已。”

陆地果然渐渐变成绿色，跟崔维兹预测的一模一样。在最后一周的环球飞行中，崔维兹指着一些细小的斑点，说那些就是城市。“这不是个非常都会化的世界。我从未来过赛协尔联盟，可是根据电脑提供的资料，他们有抱残守缺的倾向。银河各个角落的居民，都会把科技和基地联想在一起，因此只要是不欢迎基地的地方，必定都有怀古的倾向。当然，跟武器有关的科技例外。我向你保证，赛协尔在这方面绝对十分先进。”

“乖乖，葛兰，不会发生什么不愉快的事吧？我们终究是基地人，却来到敌人的领域……”

“这里并非敌人的领域，詹诺夫。他们会表现得极为客气，你别害怕，他们只是不太喜欢基地罢了。赛协尔并非基地联邦的一部分，不过，由于他们一来对独立的地位感到骄傲，二来又不愿想到自己比基地弱小许多，保持独立只是出于我们的默许，因此才故意极尽能事地讨厌我们。”

“无论如何，我担心还是会不太愉快。”裴洛拉特垂头丧气地说。

“绝对不会。”崔维兹说，“别这样，詹诺夫，我刚才讲的是赛协尔政府的官方态度。这颗行星上的居民也是人，只要我们堆满笑容，不要表现得像银河主宰，那么他们也会笑脸相迎。我们不是来替基地征服赛协尔的，我们只是观光客。我们所问的有关赛协尔的问题，任何观光客都会那么问。

“此外，如果情况许可，我们还能借这个机会轻松一下。我们大可在这里待上几天，体验一下他们的待客之道。他们也许拥有引人入胜的文化、美丽的风景、可口的食物，即使这些都找不到，至少还有可爱的女人。我们的钱足可挥霍。”

裴洛拉特皱起眉头。“喔，我亲爱的兄弟。”

“得了吧。”崔维兹说，“你还没那么老，难道真的不感兴趣？”

“我可没说自己从不来这一套，但当然不是现在。现在我们有任务在身，我们要寻找盖娅。我绝不反对享乐，真的，可是我们一旦开始放纵，也许就会难以自拔。”他摇了摇头，又好言劝道：“我想你当初一定担心，怕我一头栽进川陀的银河图书馆，从此无法自拔。没错，那个图书馆对我的吸引力，就等于一个——甚至五六个黑眼珠的美艳少女对你的吸引力。”

崔维兹说："我并不是花花公子，詹诺夫，但我也不想做苦行僧。好吧，我答应你立刻开始查问盖娅的下落，可是如果刚好碰到什么艳遇，绝对没有理由不准我作正常反应。"

"只要你把盖娅摆在第一位……"

"我会的。不过你得记住，别对任何人说我们来自基地。其实他们都看得出来，因为我们使用基地信用点，而且带有浓重的端点星口音，可是如果我们绝口不提，他们就会把我们当成普通游客，友善对待我们。万一我们表明自己是基地人，他们虽然仍会和颜悦色，却什么都不会告诉我们，也不会让我们看任何资料，或是带我们到哪里去，我们就会变得孤独无助。"

裴洛拉特叹了一声。"我永远无法了解人性。"

"没这回事。你只需要好好观察自己，就能了解每一个人，因为我们彼此没有什么不同。姑且不论谢顿的数学多么精妙，假如他不了解人性，又怎能拟出那个计划呢？再说，假如人性并不容易了解，他又如何能精通呢？无论你告诉我谁不了解人性，我都能证明其实是他并不了解自己——我不是在说你。"

"没关系。我愿意承认自己欠缺这方面的经验，我的生活相当自我中心，而且相当狭隘。或许我从未真正好好检视过自己，所以凡是牵涉到人性之处，我都要让你当我的向导和顾问。"

"好，那么接受我的忠告，安心观赏风景吧。我们很快就要着陆，我保证你不会有任何感觉，我和电脑会负责一切。"

"葛兰，可别不高兴。如果真有妙龄女子……"

"别提啦！让我专心操纵太空艇。"

裴洛拉特转身向外望，太空艇正在进行最后一圈盘旋。他即将首度踏上另一个世界，这个想法带来一种古怪的感觉——虽说事实上，银河中上千万颗住人行星，最初的殖民者都不是当地土生土长的。

只有一颗行星例外，想到这里，他一则以喜，一则以忧。

04

就基地的标准而言，此地的太空航站并不算大，但是维护得相当好。远星号被拖到停泊区并锁牢之后，他们便收到一张印着密码的精致收据。

裴洛拉特低声说："我们就把它留在这里啊？"

崔维兹点了点头，并伸手按在裴洛拉特肩上。"别担心。"他也压低声音说。

他们跨进租来的地面车，崔维兹便将赛协尔城的地图插入车内电脑。远方的地平线上，隐隐浮现城中的一些尖塔。

"赛协尔城，"他说，"这颗行星的首府。城市、行星、恒星，都叫赛协尔。"

"我还是担心那艘太空艇。"裴洛拉特再度强调。

"没什么好担心的。"崔维兹说，"我们晚上就会回来，因为我们得睡在太空艇上，除非我们只想在此地待几个小时。而且你也应该了解，太空航站必须遵循星际间的一个惯例：凡是没有敌意的船舰，就不会遭到任何侵犯。据我所知，从来没有人敢打破这个惯例，即使战时也不例外。否则的话，人人的生命财产都没有保障，星际贸易便无法维持。任何打破这个惯例的世界，都会遭到全银河飞航员的抵制，我向你保证，没有哪个世界敢冒这个险。何况……"

"何况什么？"

"嗯，何况，我已经跟电脑交代过，若有任何外人试图登上太空艇，不论男女老幼，只要容貌或声音不像我们，一律格杀勿论。我还当面向航站指挥官解释过；我用非常礼貌的方式告诉他，说我很想关掉这个特殊装置，因为我敬重赛协尔城太空航站在安全和清廉这两方面的声誉——我还强调全银河数一数二——问题是这艘太空艇过于新颖，我不知道怎样关掉。”

“他不会相信的，一定不会。”

“当然不会！可是他得假装相信，否则就等于被我羞辱了一番。由于他对我根本无可奈何，即使被我羞辱也只好认了。既然他不想白白受辱，最简单的作法就是相信我的话。”

“这也是人性特色的另一个例子？”

“没错，你迟早会习以为常。”

“你又如何确定这辆地面车没有窃听器？”

“我的确想到这种可能，所以并未接受他们为我准备的那辆，故意随便挑了另一辆。万一每辆车都装了窃听器——嗯，我们刚才说了什么不得了的话吗？”

裴洛拉特露出不舒服的神情。“我不知道该怎么说，这样抱怨似乎相当不礼貌，但我并不喜欢这里的气味。有一种——怪味道。”

“车子里面？”

“嗯，在太空航站就有了。我本来以为是航站特有的味道，不料车子带着那种味道一起走。我们能不能开一扇车窗？”

崔维兹哈哈大笑。“我想我可以在控制盘上找到正确的开关，但不会有什么用处，整个行星都有这种味道。真的非常难闻吗？”

“倒不是非常强，不过闻得出来，而且令人不太舒服。难道整个世界都是这种味道吗？”

“我总是忘记你从未到过别的世界。每个住人世界都有特殊的气味，主要是由各种植物散发出来的，不过我猜动物应该也有贡献，甚至人类也不例外。而且据我所知，任何人刚刚踏上别的世界，都绝对不会喜欢当地的味道。但你很快会习惯的，詹诺夫。几小时后，我保证你就不会注意到。”

“你该不会是说，所有的世界都有这种怪味道吧。”

“不是，正如我刚才说的，每个世界都有自己特殊的味道。如果我们真的很留意，或者鼻子再灵敏一点，就像安纳克里昂犬那样，或许我们只要轻轻一闻，就能判断站在哪个世界上。我刚进舰队的时候，每到一个新的世界，头一天一定吃不下东西。后来我学到了太空前辈的绝招，在降落的时候，就拿一条沾了当地气味的手帕捂着鼻子。这样一来，当你走出太空船的时候，就什么也闻不到了。等你在太空中跑久了，对这种事就会麻木，能够置之不理。事实上，最糟的反而是回家的时候。”

“为什么？”

“难道你以为端点星上没有怪味？”

“你的意思是说真有？”

“当然有。一旦你适应了其他世界的气味，比方说赛协尔吧，你就会对端点星上的怪味惊讶不已。从前，每当一次长期任务结束，船舰回到端点星，当气闸打开的那一刻，所有人员都会大叫：‘又回到粪坑啦！’”

裴洛拉特现出恶心的表情。

他们已经可以清楚看到城中的尖塔，裴洛拉特却凝视着周遭的环境。路上有不少来来往往的地面车，偶尔还有飞车从头顶呼啸而过，但裴洛拉特只是专心望着路旁的树木。

他说：“这些植物似乎很奇怪，你猜其中可有原生品种？”

“我猜应该没有。”崔维兹心不在焉地说，他正忙着研究地图，同时试着调整车上的电脑。“凡是有人类居住的行星，固有生物都不太可能还有生存空间。银河殖民者总是引进他们自己的动植物，即使不是在殖民之初，也会在不久之后开始进行。”

“不过，这好像有点奇怪。”

“你总不会认为每个世界的生物品种都一样吧，詹诺夫。我曾经听说，那些编纂《银河百科全书》的学者，出版过一套生物品种地图集，全部资料占了八十七张厚厚的电脑磁碟，但还是不算完整——何况做好的那一刻，就已经过时了。”

地面车继续前进，不久就被城市外环所吞没。裴洛拉特打了个冷战：“我并不太欣赏这个城市的建筑。”

“人人都只欣赏自己的故乡。”崔维兹随口答道，他有丰富的太空旅行经验，早已明白这个道理。

“对了，我们要去哪里？”

“嗯，”崔维兹的声音带着几分懊恼，“我试着让电脑操纵车子，把我们送到旅游中心。我希望电脑懂得交通规则，知道哪些路是单行道，因为我没有任何概念。”

“我们去那里干吗，葛兰？”

“第一，我们既然是观光客，自然会去那种地方，而且我们希望做得尽量自然，不引起任何人的注意。第二，你又打算到哪儿去询问盖娅的资料？”

裴洛拉特说：“到某个大学，或是某个人类学会，或者某个博物馆，总之我不会去旅游中心。”

“哈，那你就错了。到了旅游中心，我们装作是那种很有求知欲的观光客，想要取得一份文化重镇清单，包括城中所有的大学和博物馆等等。然后我们再决定去哪里，而在那里，我们就能找到合适的人，可以询问有关古代史、银河地理、神话学、人类学，或是你想象得到的任何问题。可是，旅游中心必须是第一站。”

裴洛拉特终于闭上嘴，此时车子已经加入市区的车流，跟着其他地面车一起蜿蜒前进。不久他们转到一条小路，一路上有许多可能是指示方向或交通的标志，不过由于上面的字体风格特殊，两人几乎都看不懂。

幸好车子仿佛自己认识路，最后停进一个停车场。入口处有一个招牌，上面用同样古怪的字体写着：赛协尔外星处。下面还有一行字：赛协尔旅游中心，是用浅显易读的银河标准字体写成。

他们走进那栋建筑物，发现它并没有外表看起来那么宏伟，而且显然生意冷清。

大厅中有一排排供旅客使用的小隔间，其中一间坐着一个男子，正在阅读传讯机吐出的新闻报表。另一间被两位女士占据，两人似乎在玩一种复杂的牌戏，桌上摆满纸牌与筹码。此外，有位职员坐在一个稍嫌过大的柜台后面，旁边有个对他而言似乎太过复杂的电脑控制台。这位赛协尔籍职员一脸无聊的表情，身上的花衣服看起来像是五彩棋盘。

裴洛拉特瞪大眼睛，悄声说：“这个世界的衣着显然很夸张。”

“没错，”崔维兹说，“我也注意到了。话说回来，每个世界的时装都各有特色，而且在某些世界上，不同的地区甚至也会各有不同。此外流行还会随着时间改变，说不定五十年前，赛协尔上人人都穿黑色呢。别大惊小怪，詹诺夫。”

“我想我必须克制些。”裴洛拉特说，“但我还是比较喜欢我们的服装，至少不会骚扰别人的视神经。”

“因为我们大多数人，身上除了灰色还是灰色吗？其实有些人很讨厌这种流行，我就听过有人形容为‘穿了一身尘土’。而且，也许正是因为基地流行无色的服装，这些人才故意穿得五颜六色，用以强调他们的独立地位。反正，这些你都得学着适应。来吧，詹诺夫。”

当两人向柜台走去时，原先在隔间里看新闻报表的男子突然起立，向他们迎面走来。他脸上堆满笑容，身上的衣服刚好也是灰色系的。

崔维兹起初并未望向那人，没想到他一转头，整个人就僵住了。

他深深吸了一口气。“银河在上——詹诺夫，是那个叛徒！”

第十二章

特 务

01

端点星议员曼恩·李·康普向崔维兹伸出右手，表情看来有些犹豫。

崔维兹用严厉的目光瞪着那只手，没有作出任何回应。他将脸转向一旁，对着空气说："我明明不该搅扰异邦行星的平静，以免惹上一场牢狱之灾，但是这个人如果再向前走一步，我就顾不得那么多了。"

康普陡然煞住脚步，犹豫了一下，又用迟疑的目光望了裴洛拉特一眼，才终于低声说："能不能给我机会说几句话？作一番解释？你愿意听吗？"

裴洛拉特轮流望着这两个人，长脸稍微绷紧了一点。他说："这是怎么回事，葛兰？我们来到这么远的世界，你竟然立刻碰到熟人？"

崔维兹双眼紧紧盯着康普，却故意稍微转身，表示他是在跟裴洛拉特讲话。他说："这个人类——这点我们可以从他的外形判断——曾经是我在端点星上的朋友。我对朋友一律以诚相待，因此毫不保留地信任他，什么事都对他说，其中有些想法也许并不适合公开。结果，他显然将我说的话一五一十转述给有关当局，却又懒得把这件事告诉我。由于这个缘故，我一步步钻进一个圈套，害得我如今遭到放逐。而现在这个人类，竟然还希望我把他当成朋友。"

他终于转头面对康普，同时伸手梳了一下头发，结果却是把一头鬈发弄得更乱。"你，给我听好，我的确有个问题要问你。你到这里来干什么？银河那么大，你为何刚好在这个世界上？又为何刚好在此时出现？"

康普的右手维持着原来的姿势，直到崔维兹说完这番话才缩了回去，他脸上的笑容也随之消失。原本几乎是如影随形的那股自信也不见了，使他看起来有些忧郁，而且不像已有三十四岁的年纪。"我会解释的，"他说，"可是得让我从头说起！"

崔维兹迅速四下望了望。“在这里？你真想在这里谈吗？在这个公共场所？你要我在听够了你的谎言之后，当场把你打趴下？”

康普举起双手，手掌贴着手掌。“请相信我，这里是最安全的地方。”然后，他立刻猜到对方会如何回应，赶紧补充道：“你也可以不必相信，没有什么关系，反正我说的是实话。我比你们早几个小时抵达这颗行星，已经作过一番调查。在赛协尔，今天是个特殊的日子。不知道基于什么传统，今天是他们的沉思日。几乎人人都待在家里，或说理当如此。你可以看到这里门可罗雀，总不至于天天这样吧。”

裴洛拉特点了点头，然后说：“我本来也在奇怪，这里怎么会如此冷清。”他凑到崔维兹耳旁，悄声道：“为什么不准他说话呢，葛兰？他看起来好凄惨，可怜的家伙，也许他只是想道歉。你不给他机会，似乎有点不公平。”

崔维兹说：“裴洛拉特博士好像很想听听你的说法。我愿意接受他的意见，不过你最好长话短说。今天也许是我发脾气的好日子，既然人人都关在家里沉思，我制造的骚动可能不会引来执法者。明天我大概就不会那么好运，为何白白浪费这个机会呢？”

康普用很不自然的声音说：“听着，如果你想打我一拳，那就来吧。我根本不会出手招架，懂了吗？动手吧，打我啊，可是一定要听我说！”

“既然这样，你就动口吧，我会耐着性子听一会儿。”

“首先我要告诉你，葛兰……”

“请称呼本人的姓氏，我跟你没那么熟。”

“首先我要告诉你，崔维兹，你完全说服了我，使我相信你的说法……”

“你掩饰得太好了，我当初真以为你把它当成笑话。”

“我故意装成在听笑话，才能掩饰心中极度的不安。听我说，我们坐到墙边去。即使这个地方冷冷清清，也难免会有一两个人进来，我不希望引起不必要的注意。”

于是三个人缓缓跨过大厅。此时康普又露出心虚的笑容，但仍旧跟崔维兹保持一臂之遥。

等到他们坐定之后，才发现椅子会随着体重凹陷，重塑成各人臀部的形状。裴洛拉特显得惊讶不已，像是想要赶紧跳起来。

“别紧张，教授。”康普说，“刚才我已经领教过了。这个世界注重生活上的舒适，他们在某些方面比我们进步。”

他将一只手臂搁在自己的椅背上，转身面对崔维兹，改用轻松的口气说：“你令我感到不安，令我相信第二基地的确存在，害得我不知如何是好。想想看，假使一切属实，那会有什么严重后果。难道他们不会设法对付你吗？不会除去你这个心腹大患吗？如果我表现得像是相信了你，我可能也会被一并解决。你了解我的意思吗？”

“我只了解你是懦夫。”

“血气之勇有什么用？”康普的语气十分诚挚，一对蓝眼睛却射出怒火。“那个组织有能力重塑我们的心灵和情感，你我能够抵抗吗？我们若想和他们对抗，首要之务就是不能让搜集到的情报曝光。”

“所以你深藏不露，因而安然无事？但你并没有瞒着布拉诺市长，对吧？这样做难道不冒险吗？”

“没错！但是我认为值得这样做。如果始终只有我们两人私下讨论，可能只会导致我们受到精神控制，或者记忆全被抹除。反之，假如我将整件事告诉市长——你也知道，她跟我父亲很熟。家父和我都是来自司密尔诺的移民，而市长的祖母……”

“是啊，是啊，”崔维兹不耐烦地说，“再往前追溯几代，你的祖先就能追溯到天狼星区，你跟每个人都讲过这些事。言归正传吧，康普！”

“好，我终于让她听进去了。只要我能利用你的论证，说服市长相信危险的确存在，联邦也许就会采取某些行动。如今，我们已经不像骡出现时那般无助。至少，这个危险的讯息可以散播出去，让更多人知道，这样我们两人就不会特别危险。”

崔维兹用讽刺的口吻说：“危及基地来换取自身的安全，真是爱国的最佳表现。”

“那只是最坏的结果，而我当初指望的是最好的结果。”他的额头开始渗出细小的汗珠，对于崔维兹始终不变的冷嘲热讽，他似乎一直咬紧牙关忍耐着。

“而你并未把这个高明的计划告诉我，对不对？”

“对，我没有说，我因此感到十分抱歉，崔维兹。市长命令我不要说，她说她想弄清楚你所知道的一切，可是像你这种人，一旦知道自己的意见传到了他人耳中，就会立刻禁声。”

“她说得可真对！”

“我不知道，也无法猜测，更没想到她计划要逮捕你，并将你逐出端点星。”

“她是在等待适当的时机，等我的议员身份无法保护我的时候。难道你看不出来吗？”

“我怎么看得出来？连你自己也没有看出来。”

“如果当初我知道她获悉了我的看法，我就能预见这一切。”

康普突然不太客气地顶了一句：“说得倒很容易，你这是后见之明。”

“既然你也有点后见之明，请问你到这里来找我，又是什么意思？”

“我想弥补这一切，弥补我的无心之失对你造成的伤害——真的是无心之失！”

“天晓得。”崔维兹冷冷地说，“你可真好心啊！可是你并未回答我原先的问题。你究竟是如何到这里来的？怎么刚好跟我在同一颗行星上？”

康普说：“这个问题的答案简单之至，我是跟踪你来的！”

“经由超空间？在我做了一连串跃迁之后？”

康普摇了摇头。“没什么神秘的，我有一艘一模一样的太空艇，配备着同型号的电脑。你知道我有一种本事，能猜中船舰在超空间跃迁后，会朝哪个方向前进。通常我不能猜得非常准，平均三次有两次会猜错，可是有那种电脑帮忙，我的表现就好得多。此外，你在开始的时候迟疑了一阵子，给了我很好的机会，让我得以估算你进入超空间之际的方位和速度。我将这些资料——连同我自己的直觉式外推——一起输进电脑，其他的工作全部由电脑负责。”

“而你竟然比我更早抵达这座城市？”

“是的，你没有使用重力推进降落，可是我用了。我猜你会来到这个首府，所以我直接落下来，那时你正在——”康普用手指模仿太空艇，从半空中盘旋而下，意指对方是循着定向波束降落的。

“你冒着被赛协尔政府逮捕的危险？”

“这个嘛——”康普绽现灿烂的笑容，谁也无法否认这是个迷人的表情，连崔维兹几乎都要对他产生好感，“我并非永远都是懦夫。”

崔维兹不为所动。“你又是怎样弄到一艘同型号的太空艇？”

“跟你弄到的方式一模一样，是那个老太婆布拉诺市长拨给我的。”

“为什么？”

“我对你完全开诚布公，我的任务就是要跟踪你。市长想知道你到哪里去，还有你打算做些什么。”

“我猜，你一路上都很忠实地向她汇报。还是你对市长也敢阳奉阴违？”

“我的确一路汇报，事实上我毫无选择。她在我的太空艇上装了超波中继器，他们以为我不会发现，但还是瞒不过我。”

“所以呢？”

“不幸的是它被钉死了，如果我想取下来，太空艇一定报废。至少，我自己不知道该如何取下。因此她始终知道我的下落，也就等于始终知道你的行踪。”

“假如你跟不上我呢？那样她就无法知道我身在何处。这点你有没有想到过？”

“我当然想到过。我曾经想，干脆向她报告说我把你跟丢了。可是她不会相信我的，对不对？而且这样一来，我不知道会有多久无法回到端点星。我跟你不一样，崔维兹，我不是那种无牵无挂、逍遥自在的人。端点星上有我的妻子，她怀有身孕，我希望尽快回到她身边。你可以只为自己着想，我却不能。此外，我来也是为了警告你。谢顿在上，我一直想要说，可是你始终不肯听，不停地在说些别的事。”

“你突然对我如此关怀，我实在不敢相信。你又能警告我什么呢？在我看来，你这个人似乎是唯一该提防的东西。你出卖过我，现在你又跟踪我到这里来，准备再出卖我一次。除了你，不会再有谁想要伤害我。”

康普一本正经地说：“老兄，省省这些戏剧性的台词吧。崔维兹，其实你是一根避雷针！你被送到太空，是为了要吸引第二基地的注意——如果真有第二基地的话。我的直觉并不限于超空间竞逐，我肯定那就是她真正的打算。如果你试图寻找第二基地，他们会知晓你的企图，然后对你采取行动。假如他们这样做，就非常有可能暴露行藏，这个时候，布拉诺市长将立刻攻打他们。”

“当初布拉诺打算逮捕我的时候，你那著名的直觉可惜却失灵了。”

康普涨红了脸，喃喃说道：“你也知道，直觉不是永远灵验的。”

“现在直觉又告诉你，她打算进攻第二基地？她才没这个胆子呢。”

“我想她的确有。但重点并不在此，而是她现在把你当成钓饵投了出去。”

“所以呢？”

“所以看在宇宙所有黑洞的份上，千万别去寻找第二基地。她不会在乎你是否因此丧命，可是我在乎。我觉得应该为这件事负责，所以我在乎。”

“我好感动，”崔维兹冷冰冰地说，“但是你白操心了，此时此刻，我刚巧有另一项工作。”

“另一项工作？”

“裴洛拉特和我正在寻找地球，就是某些人认为是人类故乡的那颗行星。对不对，詹诺夫？”

裴洛拉特点了点头。“对，这是一项纯科学性的研究，也是我长久以来的兴趣。”

康普露出茫然的神情，一会儿后才说：“寻找地球？可是为什么呢？”

“为了研究啊。”裴洛拉特说，“理论上，人类是从低等生命演化来的，而地球就是演化出人类的那个世界——不像其他世界，都是演化成功的人类由天而降——这种独特性一定很值得研究。”

“而且，”崔维兹补充道，“在那个世界上，我可能会找到更多第二基地的线索——只是可能而已。”

康普说：“可是地球并不存在啊。你们不知道吗？”

“不存在？”裴洛拉特脸上毫无表情，这代表他又准备坚持到底，“你的意思是，人类这个物种的发源地并不存在？”

“喔，我不是这个意思。地球当然存在过，这点毫无疑问！可是现在，已经没有一颗叫作地球的行星，那个住人的地球早就消失了！”

裴洛拉特仍然毫不动摇。“有许多的传说……”

“慢着，詹诺夫。”崔维兹说，“告诉我，康普，你又是怎样知道的？”

“你所谓的‘怎样’是什么意思？这是我祖上传下来的。我的祖先可以上溯到天狼星区，我不得不再重复一遍，希望你不至于厌烦。那里的人对于地球所知甚详，因为地球就在那个星区，而这就是说它并非基地联邦的一部分，因此端点星上的人显然懒得过问。可是无论如何，地球的确在那里。”

“没错，是有这样的说法。”裴洛拉特说，“在帝国时代，许多人都对所谓的‘天狼假说’相当热衷。”

康普激动地说：“那不是什么假说，而是千真万确的事实。”

裴洛拉特说：“假如我告诉你，我知道银河中有许多行星，附近星空的居民都将之称为地球——或者曾经这样称呼——你又怎么说？”

“但我讲的是真正的地球。”康普说，“在整个银河中，天狼星区是最早有人居住的区域，这点人尽皆知。”

“天狼星区的人当然这么说。”裴洛拉特仍然不为所动。

康普露出受挫的表情。“我告诉你……”

崔维兹却插嘴道：“告诉我们地球发生了什么变故。你说上面已经不再住人，为什么会这样？”

“由于放射性，整个行星表面都具有放射性。可能是由于核反应失控，或者源自一场核爆，我不太确定。如今，上面不可能有任何生命。”

三个人你瞪着我、我瞪着你，过了好一阵子，康普才感到有必要再强调一遍，于是他说：“我告诉你们，地球已经不存在了，没有必要再去寻找。”

02

詹诺夫·裴洛拉特脸上难得出现了表情，不过那并非什么狂热，或者任何更不稳定的情绪。他只是将双眼眯起来，面部每个棱角都显得有些激动。

他的声音也完全不像平常那样犹疑不决："你说你是如何知道这些的？"

"我告诉过你，"康普说，"这是我祖上传下来的。"

"别胡扯了，年轻人。你是一位议员，这就表示你必定生在联邦的某个世界。我记得你刚才说过，是司密尔诺。"

"没错。"

"很好，那么你所谓的'祖上传下来'是什么意思？莫非你是说，由于你具有天狼星区基因，所以生来就熟悉天狼星区有关地球的神话传说？"

康普显然吃了一惊。"不，当然不是。"

"那你到底在说些什么？"

康普顿了一下，似乎是在整理思绪，然后才用平静的口吻说："我的家族保有许多关于天狼星区历史的古籍，我说祖上传下来是这个意思，而不是指遗传。这种事不宜对外张扬，尤其是对一个热衷政治前途的人而言。崔维兹似乎认为我逢人便说，可是请相信我，我只对好朋友才提。"

他的语气中带着一丝悲愤："理论上，基地公民人人平等，可是出身于联邦原始成员的公民，却比其他世界的人更平等些。至于那些跟联邦之外的世界有渊源的人，则是所有的公民中最不平等的。但是，别提这种事了。除了那些古籍，我还曾经走访好些古老世界。崔维兹——喂，回来啊——"

此时崔维兹离开了座位，信步走到大厅一角，透过一扇三角窗向外望去。这种窗子可以让人饱览天空的景色，却不会看到多少街景——一来有助于采光，二来更加保障隐私。崔维兹在窗前踮起脚尖，向下望了望。

不久他又跨过冷清的大厅，回到了原地。“窗子的设计挺有意思。”他说，“议员先生，你在叫我吗？”

“是的，还记得我大学毕业后的那趟旅行吗？”

“刚毕业的时候？我记得非常清楚。我们是哥儿们，永远的哥儿们；义结金兰，两人联手天下无敌。你去做你的长途旅行，我怀着满腔热血加入舰队。不知道怎么回事，我就是不想跟你一块去——有一种直觉叫我别去，但愿那种直觉一直跟着我。”

康普没有上钩，他径自说下去：“我造访了康普隆，根据家族口耳相传，我的祖先就是来自那里，至少父系祖先可以确定。很久以前，该处尚未并入帝国的时候，我们那个家族还是统治阶级，我的姓氏便是源自那个世界，起码先人是这么说的。康普隆所环绕的那颗恒星，有个古老而充满诗意的名字：天苑肆。”

“那是什么意思？”裴洛拉特问道。

康普摇了摇头。“我不知道它有什么意思，反正这就是传统。那是个古老的世界，人们活在无数的传统中。他们拥有许多关于地球历史的详尽记录，但没有人愿意多提。他们对地球有着迷信式的恐惧，每当提到这个名字，他们都会举起双手，食指和中指交叉，借此祛除霉运。”

“你回来之后，有没有向任何人提过这件事？”

“当然没有，谁会感兴趣呢？我也不想强迫任何人听这个故事。得了吧！我有我的政治前途，我最不愿意做的一件事，就是强调我的异邦出身。”

“那颗卫星又如何？描述一下地球的卫星。”裴洛拉特紧紧逼问。

康普似乎十分惊讶。“我没听说过有什么卫星。”

“它究竟有没有一颗卫星？”

“我不记得曾经读到或听说过。但我可以确定，如果你去查询康普隆的记载，一定能找到正确答案。”

“可是你一无所知？”

“我对那颗卫星毫无概念，一点印象也没有。”

“唉！地球又是如何变得充满放射性？”

康普只是摇头，一个字也没有回答。

裴洛拉特说：“好好想一想！你一定听过些什么。”

“那是七年前的事，教授，当时我不知道今天会被你这样逼问。的确有某种传说，被他们视为历史……”

“什么传说？”

“地球出现放射性……受到帝国的排斥和蹂躏，因而人口锐减……地球设法摧毁帝国……”

“一个垂死的世界，打算摧毁整个帝国？”崔维兹忍不住插嘴。

康普为自己辩护道：“我说过那只是传说，细节我并不清楚。但我知道在这个传说中，贝尔·艾伐丹占了一席之地。”

“他是谁？”崔维兹问。

“是个历史人物，我考查过他的事迹。他生于帝国早期，是一位闻名银河的正牌考古学家，坚决主张地球位于天狼星区。”

“我听过这个名字。”裴洛拉特说。

“他是康普隆的民族英雄。听我说，如果你们想知道详情，就该到康普隆去，在这里穷逛毫无用处。”

裴洛拉特问道：“根据他们的说法，地球计划如何摧毁帝国？”

“我不知道。”康普的声音中透出几分不悦。

“放射性跟这件事有关吗？”

“我不清楚。在某些传说中，提到地球曾发展出什么心灵扩张器，叫作神经元突触放大器，或是诸如此类的东西。”

“他们造出了超心灵吗？”裴洛拉特用绝对难以置信的口气问道。

“我认为没有。我只记得那玩意并不灵光，它能使人变聪明，但会因此短命。”

崔维兹说：“这可能只是个道德寓言。如果你追根究底，反倒会把原有的线索搞混了。”

这句话惹恼了裴洛拉特，他转向崔维兹说：“你又懂得什么是道德寓言？”

崔维兹扬了扬眉。“你我的专业领域或许不同，詹诺夫，但这并不代表我完全不懂。”

“康普议员，关于所谓的神经元突触放大器，你还记得些什么别的吗？”裴洛拉特继续追问。

“没有了，而且我拒绝再接受任何盘问。听好，我奉市长之命跟踪你们，她可没有指示我和你们直接接触。我现在这样做，只是为了警告你们被人跟踪这件事实，同时还要告诉你们，姑且不论市长有何目的，你们都只是她的工具。除此之外，我不该跟你们多作讨论，可是你们突然提到地球，令我吃了一惊。好啦，让我再重复一遍：不论过去存在过什么——贝尔·艾伐丹也好，突触放大器也好，任何东西都好——都和现在的一切毫不相干。我再强调一次：地球是个已经死去的世界。我郑重建议你们到康普隆去，你们在那里会找到想知道的一切，总之赶快离开这里吧。”

“而你，当然会尽职地向市长报告，说我们转往康普隆去了，而且你会继续跟踪，以确定我们没有开溜。或许，市长早就知道这一切。我能想象，你刚才对我们说的每一个字，可能都是市长授意的，她还仔细帮你排练过呢，因为根据她的计划，我们必须到康普隆去。对不对？”

康普的脸色煞白，他猛然站起来，尽力控制住激动的情绪，几乎连话都说不清楚。“我试图向你解释，我试图帮助你，现在我真后悔。你去跳你的黑洞吧，崔维兹。”

说完他立刻转身，头也不回地迅速离去。

裴洛拉特似乎有点震惊。“你这样做是不智之举，葛兰，老伙伴，我本来可以从他口中得到更多的资料。”

“不，你办不到。”崔维兹用严肃的口气说，“凡是他不准备让你知道的事，你休想从他嘴里套出来。詹诺夫，你不了解这个人。连我也是直到今天，才认清他的真面目。”

03

崔维兹坐在椅子里一动不动，陷入了沉思。

裴洛拉特一直不敢打扰他，最后还是忍不住说：“我们要在这里坐一夜吗，葛兰？”

崔维兹吓了一跳。“不，你说得对，我们还是到人多的地方比较好。走吧！”

裴洛拉特马上站起来，又说：“不可能有人多的地方，康普说今天是什么沉思日。”

“他是这么说的吗？我们刚才来的时候，路上难道没有车子吗？”

“对啊，是有一些。”

“我看还真不少哩。此外，当我们进入市区时，它难道是一座空城吗？”

“那倒也不像。话说回来，你必须承认此地几乎没有人迹。”

“是的，没错，这点我特别注意到了。但还是走吧，詹诺夫，我肚子饿了。附近一定有吃饭的地方，而且我们吃得起好东西。我们总该有办法找到一家好餐厅，尝一尝赛协尔的新奇口味，但如果我们没勇气尝试，还是可以吃些银河标准菜肴。来吧，等我们到了安全的地方，我再对你说说我认为刚才究竟是怎么回事。”

04

崔维兹靠回椅背上，感觉浑身舒畅，好像元气都恢复了。就端点星的标准而言，这家餐厅不算豪奢，但各方面都显得新奇。在餐厅的一角，有个烹饪用的明火炉，整个餐厅都被烤得暖融融的。肉类都切成小块，刚好可以一口一块，并且配有各种辛辣调味酱。肉块包在一片片又湿又凉又光滑、还有淡淡薄荷香的绿叶里，可以直接用手抓着吃，不必担心被烫到，也不会沾得满手油腻。

侍者特别向他们解释，要连肉带叶一口吃下去。那位侍者显然常常招待外星客人，当崔维兹与裴洛拉特拿着汤匙，小心翼翼地盛取冒着热气的肉块时，他在一旁露出慈父般的笑容。而当他们发现绿叶不但可以中和肉块的温度，又能保护手指头的时候，侍者显然觉得十分欣慰。

崔维兹赞叹道："太可口了！"吃完后决定再叫一客，而裴洛拉特也不例外。

接着他们又吃了一客松软微甜的点心，侍者便端来咖啡。两人发现咖啡竟带有焦糖味，不以为然地摇了摇头，又不约而同地加了些糖浆，这个举动令一旁的侍者大摇其头。

然后，裴洛拉特问道："好啦，刚才在旅游中心，究竟发生了什么事？"

"你是指康普那件事？"

"难道我们还有别的事该讨论吗？"

崔维兹四下望了望。他们坐在一个深陷的壁凹里，但隐密性仍然有限，好在餐厅高朋满座，鼎沸的喧哗刚好是最佳的掩护。

他压低声音说："他跟踪我们到赛协尔，这件事难道不奇怪吗？"

"他说他具有跟踪的直觉。"

"没错，他曾在超空间竞逐中拿到大学组冠军，直到今天我才感到这也有问题。我相当清楚，如果一个人训练有素，练成一种直觉反射，就能根据一艘船舰的准备动作，判断它会跃迁到哪里去。可是我无法理解，康普如何能判断一连串的跃迁。我当初只负责首度跃迁的准备工作，后面的都交由电脑处理。康普当然能判断我们的首度跃迁，但是他究竟有什么魔法，能够猜到电脑最里头的数据？”

“可是他做到了，葛兰。”

“他的确做到了。”崔维兹说，“我唯一想象得到的答案，就是他事先知道我们准备去哪里。他是预知结果，而并非靠判断。”

裴洛拉特考虑了一下。“好孩子，这很不可能。他怎么会知道？在我们登上远星号之前，连我们自己都还没决定要去哪里。”

“这点我知道。沉思日这种说法又如何？”

“康普并没有骗我们。刚才进餐厅的时候，我们问过侍者，他说今天的确是沉思日。”

“没错，他这么说过，但他是在强调餐厅并未休业。事实上，他说的是：‘赛协尔城不是穷乡僻壤，我们今天照常营业。’换句话说，今天的确有人闭门沉思，可是大城市不作兴这一套；城里人多少有些世故，不像乡下人那么虔诚。因此今天的交通繁忙依旧，或许比平常日子好一点，但仍算是够忙的。”

“可是，葛兰，当我们在旅游中心的时候，并没有任何人走进来。我注意到了，没有一个人进来过。”

“我也注意到了，我甚至走到窗口，向外看了一下。结果我清楚看到，周围街道上有不少行人和车辆，但就是没有人走进来。沉思日是个很好的借口，若非我打定主意，不再相信这个异邦人养的，我们绝不会对这个幸运时机感到怀疑。”

裴洛拉特问道：“那么，这一切又有什么意义？”

“我认为答案很简单，詹诺夫。这个人即使在另一艘太空艇上，仍然能在我们决定目的地之后，立刻知道我们准备去哪里；这个人还能在一个热闹的地区，让一座公共建筑保持无人状态，以便适合我们三人密谈。”

“你是要我相信，他有办法制造奇迹？”

“正是如此。搞不好康普正是第二基地的特工，因而可以控制他人心灵；搞不好他能在另一艘太空艇中，读取你我的心灵内容；搞不好他能迅速闯过太空海关站；搞不好他能用重力推进降落，而使边境巡逻不加理会；搞不好他能运用心灵影响力，使得路人都不想进入旅游中心。”

“众星在上，”崔维兹现出愤慨的神情，继续说，“循着这条线索，我可以一直追溯到刚毕业的时候。我并没有跟他一起旅行，我记得是我自己不想去。这是不是他影响了我呢？一定是他必须单独行动，他真正的目的地又是哪里呢？”

裴洛拉特把面前的杯盘推开，好像是想腾出一点地方，以便有足够的思考空间。没想到这个动作却召来了机械茶房——一个自动的小餐车，于是两人便将杯盘与餐具移到餐车上。

等到餐车离去后，裴洛拉特才说：“这可是疯狂的想法，别忘了，任何事都有可能自然发生。一旦你开始怀疑有人在控制一切，你就会顺着这个思路解释每一件事，从此再也无法相信任何人或任何事。别这样，老伙伴，这些都是偶发事件，端看你如何解释，可别陷入妄想而不能自拔。”

“我也不愿过度乐观而无法自拔。”

“好吧，那就让我们用逻辑来推理一番。假设他是第二基地的特务，他为何要冒着让我们起疑的危险，而把旅游中心腾空呢？他究竟说了什么重要的事，即使附近有几个人——而且大家一定各忙各的——又有什么关系呢？”

“这个问题的答案相当简单，詹诺夫。他得将我们的心灵置于严密观察之下，不希望有其他的心灵造成干扰。也就是说不要有杂讯，不要有造成紊乱的机会。”

“这又是你自己的解释。他跟我们的那番对话，到底又有什么重要性？我们大可认为，正如他自己坚称的那样，他来找我们，只是为了解释他的作为，并且向你道歉，同时警告我们可能出现的麻烦。除此之外，他还可能有什么其他目的？”

此时，位于餐桌一侧的小型刷卡机发出柔和的闪光，并显示出这一餐的费用。崔维兹伸手从宽腰带中摸出信用卡，这种具有基地印记的信用卡全银河通用，基地公民不论走到哪里，只要一卡在手便能通行无阻。他顺手将信用卡插入槽孔，不一会儿就结清了账。崔维兹（出于天生的谨慎作风）检查了一下余额，才将信用卡放回口袋。

他又转头四处看了看，确定了其他客人都没有露出可疑的神色，这才继续说："还可能有什么其他目的？还有什么目的？他跟我们谈的可不只这些，他还谈到了地球。他告诉我们地球已经死了，并且极力怂恿我们去康普隆。你说我们该不该去？"

"我也正在想这件事，葛兰。"裴洛拉特坦然承认。

"就这样子走掉？"

"等我们把天狼星区调查完毕，还可以再回来。"

"难道你没有想到，他来找我们的真正目的，就是要转移我们对赛协尔的注意，让我们自动离开此地？不论我们去哪里都好？"

"为什么？"

"我不知道。听我说，他们原本希望我们去川陀，那是你原先的目的地，也许他们的确指望我们这样做。我却从中搅局，坚持我们应该来赛协尔，这一定是他们最不愿意见到的结果，所以必须设法使我们离去。"

裴洛拉特显得十分不悦。"可是，葛兰，你是在妄下断语。他们为何不希望我们留在赛协尔？"

"我不知道，詹诺夫，但我知道他们想让我们走就够了。我偏要留下来，我绝不打算离开。"

"可是……可是……你听我说，葛兰，第二基地若想要我们离开，何不直接影响我们的心灵，让我们自动上路呢？何必花这么大的工夫，派人来跟我们讲道理？"

"既然你提到这一点，教授，他们难道没有对你动手脚吗？"崔维兹眯起双眼，露出狐疑的神色。"难道你不想离开这里吗？"

裴洛拉特吃惊地望着崔维兹。"我只是认为这样做颇为合理。"

"倘若你受到影响，当然会这么认为。"

"可是我并没有……"

"如果你真的受到影响，当然会发誓绝对没这回事。"

裴洛拉特说："如果你用这种方式把我套牢，我根本无法反驳你的武断指控。你打算怎么做？"

“我要留在赛协尔，而你也得留下来。你自己无法驾驶太空艇，所以如果康普影响了你，他就是选错了对象。”

“好吧，葛兰，我们就留在赛协尔。等到发现其他该走的理由，那时再走不迟。毕竟，我们无论如何不该吵架，或去或留都比起内讧来得好。好啦，老弟，如果我真的受到影响，难道会这么轻易改变心意，像我现在打算做的这样，高高兴兴依着你吗？”

崔维兹考虑了一会儿，突然仿佛福至心灵，不但露出笑容，并且伸出手来。“我同意，詹诺夫。我们回太空艇去吧，明天再从另一个管道着手——希望我们想得到其他管道。”

05

曼恩·李·康普不记得自己是何时被吸收的。原因之一是他当时年纪还小；原因之二，是第二基地的特工行事极为谨慎，一向尽可能湮灭行迹。

康普是第二基地的“观察员”，第二基地分子若遇到他，都能立刻认出他这个身份。

这代表康普熟悉精神力学，能和第二基地分子用他们的方式沟通到某种程度，可是在第二基地成员中，他处于最低的阶层。他也能窥视他人的心灵，但无法进行调整，他所接受的训练从未达到那个境界。他只是观察员，并非一名执行者。

因此，他顶多只能算第二基地的二等成员，但他并不在意——并不很在意。他晓得自己在一个大计划中，扮演着举足轻重的角色。

第二基地在建立之初，低估了任务的困难度，认为以其为数不多的成员就足以监控整个银河；只需要偶尔在某些地方作最轻微的调整，就能维护谢顿计划的正常运作。

骡的出现，打破了他们这种错觉。这个不知何处冒出来的突变异种，发动的攻势令第二基地措手不及，因而束手无策（第一基地当然也一样，不过这点并不重要）。足足过了五年，第二基地才策划出反击行动，并牺牲了许多性命，才终于遏止骡的攻势。

在帕佛的领导下，又花了令人痛心的代价，谢顿计划才完全回到正轨。痛定思痛之余，帕佛终于决心采取适当措施。在避免暴露踪迹的前提下，他决定大举扩张第二基地的活动，因此成立了“观察团”。

康普不晓得银河中总共有多少位观察员，就连端点星上有多少也不知道，因为这并非他应该知道的事。在理想状况下，任何两名观察员都不能有明显的联系，如此才能避免互相株连。第二基地的每一位观察员，都是直接与位于川陀的高层联系。

康普一生最大的心愿，就是有朝一日能踏上川陀。虽然他明白这种机会极小，却也知道的确有观察员调升到川陀，只不过极为罕见。一位优秀的观察员所具备的条件，绝不足以将他送上圆桌会议。

就以坚迪柏为例，他比康普年轻四岁，想必跟康普一样，自小即被第二基地吸收。不同的是，他直接被带往川陀，如今已成为一名发言者。对于这个事实，康普从未怀疑有什么不公平。从两人近来的频繁接触中，康普体会到了这个年轻人的心灵力量。面对如此强大的力量，康普连一秒钟也无法抵挡。

对于自己的低下地位，康普并未常常察觉，更没有什么机会感到自卑。无论如何，那只是就第二基地的标准而言（他想，其他观察员的情况一定也差不多）。在川陀以外的世界上，在不受精神力量主导的社会中，观察员都很容易获得极高的社会地位。

以康普自己来说，他求学的过程一帆风顺，而且始终有许多优秀的朋友。他也能轻易挪用精神力学的技巧，来增强自己与生俱来的直觉（他十分肯定，自己当初会被吸收，正是由于这种天生的直觉）。借着这种能力的帮助，他成了超空间竞逐赛的明星，进而成为大学中的英雄人物，这就等于在政治生涯中迈开第一步。一旦渡过目前这个危机，他的政治前途更是难以限量。

假如这个危机获得圆满解决——这点他可以肯定——谁会忘记是康普首先发现崔维兹异于常人呢？（这是指崔维兹的心灵，并非他的外表，后者谁都看得出来。）

他是在大学时代认识崔维兹的，起初，只是将他当做一个乐观活泼、心思敏捷的好朋友。然而有一天早上，康普从昏睡中醒来，在半睡半醒的无我境界中，他的意识之流激荡出一个古怪的念头：崔维兹未被第二基地吸收，是何等令人遗憾的事。

当然，崔维兹根本不可能被第二基地吸收。他是端点星土生土长的居民，不像康普，是来自其他世界的移民。即使不考虑这个因素，如今也为时已晚。唯有十几岁的少年才有足够的塑性，能够接受精神力学的传授。过去，第二基地的确曾将这门技艺（它并非仅仅是“科学”）强行灌输到成年人僵固的大脑中，不过仅限于谢顿之后的第一和第二代。

既然崔维兹不具备成为第二基地一员的资格，而且早已过了被吸收的年龄，康普为何会关心这个问题呢?

再度碰面时，康普钻入崔维兹的心灵深处，终于发现令他不安的真正原因。崔维兹的心灵结构极其特殊，许多方面都和他所学的规则抵触。他一而再、再而三地被它考倒。当他观察这个心灵的运作时，他又看到许多空隙。不，不是真正的空隙，不是一无所有的真空，而是崔维兹心灵中深不见底的部分。

康普无法判断他的发现有何意义，可是从此以后，他就循着这条线索观察崔维兹的言行举止。不久他就怀疑，崔维兹具有一种不可思议的能力，能够根据看似不充分的资料，做出正确的结论。

这点是否跟他心灵中的空隙有关？当然，这是精神力学上的深奥问题，绝对超出康普的能力范围，或许只有圆桌会议的成员能够解答。事实上，崔维兹自己对这种能力也并不十分明了，这使得康普产生一种焦虑，并想到自己也许可以……

可以做什么？康普本身的知识无法提供正确答案。对于崔维兹拥有的这种能力，他几乎能看出其中的意义，但并非完全清楚。他仅仅得到一个直觉式的结论，或许只能说是猜测：崔维兹有可能成为极其重要的人物。

既然有此可能，就要把握机会，于是康普冒险从事似乎超越自己权限的行动。反正，只要自己猜得正确……

如今回想起来，当初不知道哪里来的勇气，使他能够坚持到底。起初，他的报告根本无法送达圆桌会议，总是在半途便遭到搁置。后来他不得不接受这个事实，只好（自暴自弃地）去找圆桌会议中最资浅的成员。最后，史陀·坚迪柏终于有了回应。

坚迪柏耐心地听取他的报告，而且从那时候开始，两人就建立起一种特殊的关系。康普之所以和崔维兹维持友谊，就是为了替坚迪柏搜集情报。而在坚迪柏的指示下，康普诱使崔维兹一步步走入陷阱，终于令他遭到放逐。唯有透过坚迪柏，康普才有可能实现自己的梦想（他感到有希望了），在有生之年调升到川陀。

然而，他们所作的一切准备，都是为了把崔维兹送到川陀。如今崔维兹擅自改变行程，着实令康普大吃一惊，而且（康普认为）坚迪柏也未曾预见这件事。

总之，坚迪柏已匆匆赶来此地与康普会合，这使得危机感更浓了。

康普送出了超波讯号。

06

坚迪柏在睡梦中，心灵突然感到一下轻触。由于它直接影响“唤觉中心”，因此效率极高，而且不会使人有任何不适。下一瞬间，坚迪柏便已清醒。

他在床上坐起来，被单随即从身上滑落，露出健壮而肌肉饱满的躯体。他认得出那是谁发出的轻触，因为对一位精神学家而言，每个人的精神力量各有特征，正如主要借着声波沟通的普通人，能够根据声音分辨出是谁在说话。

坚迪柏送出一道标准讯号，询问对方能否稍等一会儿，结果收到“无紧急状况”的回讯。

于是，坚迪柏不慌不忙地开始晨间的梳洗工作。而再度进行接触时，他尚未离开太空船的淋浴室，洗澡水正在排入回收系统。

“康普吗？”

“是的，发言者。”

“你跟崔维兹还有另外那个人谈过了吗？”

“那个人叫裴洛拉特；詹诺夫·裴洛拉特。我跟他们谈过了，发言者。”

“很好。再给我五分钟，我来安排视觉接触。”

他向驾驶舱走去，半途碰到了苏拉·诺微。她一脸困惑地望着他，好像有话要说，他却伸出一根手指放在嘴唇中央，使她立刻打消那个念头。坚迪柏对于她心灵中强烈的爱慕／崇敬情绪仍旧感到有点不自在，可是说来奇怪，它却渐渐成为一种令人欣慰的正常氛围。

他伸出一条精神触须勾住她的心灵，这样一来，若有任何外力入侵他的心灵，她一定同时受到影响。由于她的心灵单纯无比（坚迪柏忍不住想，凝视着那种朴实的匀称美感，总是给人带来无穷的喜悦），附近倘若出现任何异类心灵场，保证可以侦测出来。当初，他们两人站在大学门口时，她表现出令他感动的谦恭态度；正是由于她对学者的崇拜，才使她在自己最需要帮助的时候适时出现。坚迪柏想到这里，感激之情油然而生。

他呼叫道：“康普？”

“我在这里，发言者。”

“请你放松，我必须检视你的心灵，希望你千万别介意。”

“请便，发言者。我能否请问目的是什么？”

“要确定你并未遭受外力侵扰。”

康普说：“我知道你在圆桌会议中有政敌，发言者，可是他们绝对不会……”

“别乱猜，康普，放轻松。很好，你没有受到侵扰。现在，请你跟我合作，我们马上建立视觉接触。”

接下来发生的事，若用普通文字描述，就是两人同时产生幻象。这种影像普通人绝对看不到，也没有任何仪器能侦测出来。唯有训练有素的第二基地分子，才能凭借精神力量，帮助对方捕捉这种影像。

所谓的视觉接触，就是将对方的面容投射到自己的心灵幕上，但即使是最高明的精神学家，也只能产生一个模糊不清的轮廓。此时，坚迪柏仿佛透过一层晃动的薄纱，看到康普的脸孔映在半空中，而他很清楚，如今在康普面前，自己的脸孔看起来也是这个样子。

物理科学发展出的超波，能将清晰的影像送到遥远的地方，双方即使相隔一千秒差距，通讯时也有面对面的感觉。在坚迪柏的太空船上，当然也有这种装置。

然而，精神视觉自有优点。最主要的是，第一基地所拥有的任何装置都无法截收，甚至第二基地分子彼此之间也截收不到。虽然心灵活动或许会被他人察觉，但是没有什么关系，因为精神视觉通讯的精髓，全在于面部表情的细微变化。

至于那些反骡，嗯，只要诺微的心灵保持澄净，就足以保证他们不在附近。

坚迪柏说："康普，把你跟崔维兹以及裴洛拉特的谈话经过，精确地告诉我，要精确到心灵深处的程度。"

"当然没问题，发言者。"康普说。

他的转述虽然达到心灵深处的精确度，远比鹦鹉学舌内容丰富得多，整个过程却没有花太多时间。因为利用语音、表情与精神力场的组合，可将讯息的密度压缩许多倍。

坚迪柏专心望着面前的影像，因为在精神视觉中，几乎没有冗余的讯息。在普通的肉眼视觉中，甚至在跨越数秒差距的超波影像中，都包含大量的光学资讯，远超过辨识上的需要，即使漏失一大部分，也不会有什么严重损失。

然而，如同雾里看花的精神视觉，虽然具有绝对安全的优点，代价则是不能忽视任何讯息。每一个位元，都具有重大的意义。

在位于川陀的第二基地上，流传着许多骇人的故事，导师总是喜欢借着这些故事，对弟子强调全神贯注的重要性。其中最常被转述，也是最不可靠的一则故事，内容是说在骡尚未攻占卡尔根之前，第二基地驻外人员已经注意到骡的动向，并利用精神视觉向川陀回报。可是负责通讯的低层工作人员，却以为那是一种像马的动物。因为其中有一个微小讯号，注明那是一个"人名"，但他或是没注意到，或是根本没有看懂。所以他认为整件事毫不重要，不值得将这个消息转给高层。等到下一个报告送来，第二基地已经来不及立即采取行动，只好展开为期五年的艰苦奋战。

这件事几乎肯定是子虚乌有，但这并不重要。它本来就是个戏剧性的故事，目的只是要鼓励弟子养成专心一意的好习惯。坚迪柏记得自己在求学过程中，曾在接收精神视觉讯息时犯了一个小错，他自认一点都不重要，也不至产生任何误会。但是他的师父老肯达斯特——一个彻头彻尾的暴君，立刻发出一阵冷笑，并说："一种像马的动物，坚迪柏学员？"这么一句话，便足以令他羞愧得无地自容。

康普转述完了。

坚迪柏说："请你估算一下崔维兹的反应。你比我，也比任何人都更了解他。"

康普说："目前的情势已足够明显，精神指标显示得一清二楚。他认为我的言行代表我亟欲劝他们离开，无论去川陀也好，去天狼星区也好，去任何地方都好，就是不要他们前往原来的目的地。根据我的推测，这就代表他会坚决留在原地。简言之，我一再强调他应该离去，促使他认为这点极为重要，由于他自认立场和我有一百八十度的差别，凡是他以为我希望他做的事，他都会故意反其道而行。"

"你有把握吗？"

"相当有把握。"

坚迪柏考虑了一下，断定康普的看法的确没错。他又说："我很满意，你做得很好。那个地球毁于放射性的故事，你选得极为恰当，不必直接操控心灵，便能使对方产生适当的反应。值得赞赏！"

康普似乎自我挣扎了一下子。"发言者，"他说，"我无法接受你的称赞。这个故事并不是我捏造的，而是千真万确的。在天狼星区，真有一颗叫做地球的行星，而且大家的确认为它就是人类的故乡。它很早就带有放射性，不知道是原本就有，还是后来才发生的变故。由于情况愈来愈恶劣，这颗行星最后终告灭亡。当年也真有人发明出心灵强化装置，只是一直无用武之地。在我祖先的母星上，这些都被视为历史。"

"真的吗？实在有趣！"坚迪柏显然并非十分相信，"这样更好。知道真话何时派得上用场，也是可佩的本事，因为假话总是无法说得那么真诚。帕佛曾经说过：'谎言愈接近真话愈好，而真话本身若运用得当，则是最佳的谎言。'"

康普说："我还有一件事报告，由于你曾经指示，在你抵达赛协尔星区之前，要不计任何代价让崔维兹留在此地，我不得不使出浑身解数。因此，他显然已经怀疑我受到第二基地的影响。”

坚迪柏点了点头。“我想，在如今这种情况下，这是无法避免的。他的偏执狂已经到了走火入魔的地步，即使没有第二基地踪迹之处，他也能够无中生有。我们必须接受这个事实。”

“发言者，假如崔维兹绝对有必要留在此地，以便你亲自处理，不如让我前去与你会合，用我的太空船带你回来。这样一天之内就能……”

“万万不可，观察员。”坚迪柏厉声答道，“你绝不能这样做。端点星晓得你的下落，你的太空艇上有个无法拆卸的超波中继器，对不对？”

“没错，发言者。”

“既然端点星知道你登陆了赛协尔，他们一定已经通知驻赛协尔大使，而那位大使也一定知道崔维兹亦在此地。假使你来接我，超波中继器就会泄露你的行踪，让端点星知道你曾经离开，前往几百秒差距之外，然后又迅速折返。可是那位大使却会向端点星回报，崔维兹始终留在原地。根据这些情报，端点星上的人会怎么想？不管怎么说，端点市长总是个精明的女人，我们最不愿意犯的错误，就是做出令她起疑的举动，让她因而提高警觉。我们绝不希望她率领舰队远征此地，无论如何，这个可能性高得令人担心。”

康普说：“对不起，发言者，既然我们能控制舰队司令的心灵，又何必怕什么舰队呢？”

“不论我们多么有恃无恐，没有舰队出现总能再减一分顾虑。你就留在原地，观察员，我抵达后立刻与你会合。我会登上你的太空艇，然后……”

“然后怎样，发言者？”

“然后，就由我来接掌一切。”

07

关上精神视觉之后，坚迪柏并没有离开座位。他坐在那里，沉思了良久。

相较于第一基地的先进科技，他的太空船显得相当原始，因此前往赛协尔的旅程不免十分漫长。他刚好利用这段时间，阅读了有关崔维兹的每一份报告，这些报告几乎涵盖前后十年的时间。

不论是根据崔维兹的条件，或是最近发生的诸多事件，坚迪柏都百分之百确定，崔维兹可以成为第二基地的优秀成员。可惜自从帕佛时代，就传下一个严格规定，不准吸收端点星出生的人。

其实几世纪以来，第二基地不知错失多少绝佳的人才。银河总共有数千兆的人口，不可能一一加以评估。然而，不会有任何人比崔维兹更具潜力，更没有任何人曾经处于比他更敏感的地位。

坚迪柏微微摇了摇头。无论崔维兹是不是端点星土生土长的，他都绝对不该遭到忽视。好在康普观察员独具慧眼，实在功不可没，更何况当时崔维兹早已成年。

当然，如今崔维兹对他们毫无用处。他的年纪已经太大，早就没有可塑性。可是他仍然具有天生的直觉，能够根据相当有限的资料，猜测出正确的答案。此外……此外……

老桑帝斯虽然步入晚年，但终究是第一发言者，而且整体而言，他还是相当优秀的一位。当时，他手头没有相关资料，也没有预见坚迪柏在这趟旅程中才作出的推论，但桑帝斯却看出了那个“此外”，认为崔维兹正是这个危机的关键。

崔维兹为什么来到赛协尔？他到底有什么打算？他究竟在干什么？

绝对不能轻易动他！这点坚迪柏极为肯定。在弄清楚崔维兹的确实角色之前，任何企图改造他的尝试都是天大的错误。那些反骡——不论他们是何方神圣——正在一旁虎视眈眈，假如对崔维兹（尤其是崔维兹）采取了错误的行动，很可能等于在自己面前，引爆了一颗威力无穷的“微太阳”。

他突然感到另一个心灵在附近徘徊，想也不想就随便一挥，像是挥走那些川陀特产的蚊虫，只不过他用的不是手劲，而是发自心灵的力量。几乎在同一瞬间，他感到一股外来的痛觉，于是抬起头来。

苏拉·诺微用手掌捂着皱起的额头。“对不起，师傅，我的头忽然感觉痛苦。”

坚迪柏马上后悔不已。“很抱歉，诺微，我没有注意，或者应该说太专注了。”他以迅速而温柔的动作，抚平了被他搅乱的精神纤维。

诺微随即展现快活的笑容。“忽然就消失没有了，师傅，你说话的声音可以帮我治病。”

坚迪柏说：“好极了！有什么问题吗？你怎么会在这里？”他并没有自行找出答案，因为他愈来愈不愿意侵犯她的隐私，所以禁止自己进入她的心灵深处。

诺微显得犹豫，微微俯身凑向他。“我在担心。你的眼睛没有在看哪里，嘴巴发出声音，脸孔还扭曲。我待在这里，吓得不敢乱动，惊怕你系身体虚弱——生病了——不明白该怎么做。”

“我没事，诺微，你不用害怕。”他轻拍着她的手背，“根本没有什么好怕的，你了解吗？”

恐惧，或是任何强烈的情绪，多少都会扭曲或搅乱她心灵的匀称状态。坚迪柏希望她的心灵永保平静、安详、愉悦，却又不愿靠外力达到这个目的。他刚才对她做的微调，她还以为是言语造成的效果，他相信这就是最好的方式。

他说：“诺微，何不让我叫你苏拉呢？”

她抬头望向他，现出苦恼的神色。“喔，师傅，请不要这样做。”

“可是我们认识的那一天，鲁菲南就是这么叫你的。何况现在我跟你很熟了……”

“我很明白他系这样子叫我，师傅。一个女孩还没有男人，还没有订亲，还系……单独一个人，男人系这样叫她没错。如果你叫我诺微，我会更加光荣，我会感觉骄傲。虽然说我现在没有男人，但我有师傅，所以我快乐。我让你叫我诺微，希望你不会感觉生气。”

“当然不会，诺微。”

她的心灵立时显得光润美丽，坚迪柏因此很高兴，简直是太高兴了。他应该感到那么高兴吗？

他觉得有点不好意思，因为他想到，当年的骡应该就是如此受到影响，被那个第一基地女子贝泰·达瑞尔吸引，因而导致他的失败。

自己的情形当然不同。这个阿姆女子是他抵御异类心灵的武器，他自然希望她能发挥最高的效率。

不，这并非真正原因！如果他不再了解自己的心灵，甚至故意欺骗自己而回避现实，他就不配做一位发言者。他觉得欣慰的真正原因，是她在没有受到自己的影响下，就能显现出内生的平静、安详与愉悦。换句话说，他之所以欣慰，纯粹是由于她的表现，而这（坚迪柏在心中辩解）根本没有什么不对。

他说：“坐下来吧，诺微。”

她依言坐下，却坐在离坚迪柏最远的地方，而且只坐在椅子的最外缘。她心中盈溢着崇敬之情。

他开始解释：“当你看到我发出声音的时候，诺微，我正在用学者的方式，跟很远的人在讲话。”

诺微突然难过起来，双眼凝视着地板。“我懂了，师傅。邪者的方式我有太多不了解，而且想象不到，那系像山一样高的技艺。我却来找你想要成为邪者，我感觉羞愧。师傅，为什么你不要嘲笑我？”

坚迪柏答道：“企望一些自己能力范围之外的事物，并没有什么好惭愧的。想要成为像我这样的学者，你现在已经来不及了，但你永远可以多学点新东西，多学点以前不会做的事。我将教你一些有关太空船的知识，等到我们抵达目的地，你就会对它了解不少。”

他感到心情愉快。这又有何不可？他有意要抛弃对阿姆人的成见。无论如何，多元化的第二基地成员，究竟有什么权利抱持如此成见？他们的下一代，只有少数适合担任重要职位；而发言者的子女，则几乎无人具备发言者的资格。三个世纪前，据说有祖孙三代皆为发言者的例子，但始终有人怀疑中间那位并非真正的发言者。果真如此的话，这些一直关在大学校园里、把自己摆到神坛上的人，到底算什么呢？

他看到诺微眼中闪出光芒，又因而感到欣慰。

她说：“我会努力学习你教我的全部，师傅。”

“我相信你一定会的。”他说——然后犹豫起来，因为他突然想到，刚才和康普交谈的时候，始终没有提到自己并非单独行动，也未曾暗示自己另有同伴。

带着一名女子同行，或许是理所当然的事，至少康普绝对不会大惊小怪。可是，一个阿姆女子？

虽然坚迪柏早就想通了，既有的成见却再度主宰他的心灵。一时之间，他发觉自己竟然感到庆幸，康普从来没有到过川陀，因此不会认出诺微是阿姆人。

他随即挥掉这个念头。康普知不知道并没有关系，任何人知道了都没有关系。自己是第二基地的发言者，只要行事不违背谢顿计划，他爱怎么做都行，没有任何人能干涉。

诺微突然问道：“师傅，等我们到了目的地，我们会分离吗？”

坚迪柏双眼盯着她，他的语气或许比自己的预期更重了些。“我们不会分开的，诺微。”

这位阿姆女子露出羞答答的笑容，看起来跟银河中任何一个女人没有两样。

第十三章

大学

01

裴洛拉特刚踏进远星号，鼻子就皱了一下。

崔维兹耸了耸肩。“人体是强力的气味散发器。空气循环系统无法瞬间排出体臭，而人工除臭剂只能压制那些气味，并不能取而代之。”

“我猜，任何两艘太空船的气味都不一样，除非待在上面的是同一批人。”

“说得很对。但你在赛协尔行星待了一个钟头之后，还会闻到什么怪味吗？”

“没有了。”裴洛拉特承认。

“好，那么再过一阵子，你也就闻不到这里的味道了。事实上，假如你在某艘船上生活得够久，一旦回到船上闻到那种味道，就会有回到家的感觉。还有一件事，如果以后你成为一位银河游侠，詹诺夫，那么就得记住，批评某艘船舰或某个世界的气味，是对当事人相当失礼的行为。当然，我们两人说说倒无所谓。”

“说来还真有意思，崔维兹，我的确把远星号当成自己的家，至少它是基地制造的。”裴洛拉特微微一笑，“你可知道，我从来不认为自己爱国，总觉得自己把全人类都当成同胞。可是我得承认，如今一旦远离基地，我心中充满了对它的爱。”

崔维兹正在整理床铺。“你知道吗，其实你并没有远离基地。赛协尔联盟几乎被基地联邦的疆域包围，这里有我们的大使，还有领事以下的许许多多代表。赛协尔人喜欢在口头上跟我们唱反调，可是他们通常行事非常谨慎，不敢做出任何触怒我们的举动。詹诺夫，上床睡觉吧。今天我们一无所获，明天必须加把劲。”

两人虽然睡在不同的寝室，彼此的声音仍旧听得很清楚。熄灯之后，裴洛拉特在床上翻来覆去睡不着，终于忍不住轻轻喊了一声：“葛兰？”

“嗯。”

“你还没睡吗？”

“你讲话我当然不能睡。”

“其实我们今天有点收获。你的朋友康普……”

“以前的朋友。”崔维兹吼道。

“不管他跟你还是不是朋友，但他提到了地球。他告诉我们一件事，是我过去在研究中从未遇到的，那就是放射性！”

崔维兹用手肘撑着床铺，半坐了起来。“听好，詹诺夫，就算地球真的完蛋了，也不代表我们就要打道回府。无论如何，我仍然要找到盖娅。”

裴洛拉特用力吐出一口气，像是在吹开一团羽毛。“我亲爱的兄弟，这不在话下，我也这么想。而且，我并不认为地球已经死了。康普告诉我们的事，或许他自己信以为真，但是银河的每一个星区，几乎都有自己的传说，认为人类的发源地就是附近某个世界。他们绝大多数将那个世界称为地球，或是某个同义的名称。

“在人类学中，我们将这种现象称为‘母星中心主义’。人类总有一种倾向，认为自己的世界必定比邻近世界好，自己的文化则比其他世界的更古老、更优越。其他世界的好东西都是跟自己学来的；而别人的坏东西，则是在学习过程中遭到扭曲或误用，或者根本是源自他处。此外人类还倾向于将优越和久远划上等号。如果无法自圆其说地坚称母星就是地球，亦即人类这种生物的发源地，也总是想尽办法把地球置于自己的星区中，即使说不出正确位置也不要紧。”

崔维兹说：“你是想告诉我，康普也犯了这个毛病，才会说地球位于天狼星区。话说回来，天狼星区的确拥有悠久的历史，其中每个世界应该都有点名气，即使我们不到那里去，也不难查证这个说法。”

裴洛拉特呵呵笑了几声。“就算你能证明天狼星区每个世界都不可能是地球，那也毫无帮助。葛兰，你低估了神秘主义将理性埋葬的深度。银河中至少有六七个星区，其中的权威学者都再三强调当地的传说——不论他们管地球叫什么，反正它藏在超空间里面，除非让你刚巧碰着，否则谁也找不到。他们在转述那些传说时，全都一本正经，脸上没有一丝笑容。”

“那么他们是否提到，有人刚巧碰到过呢？”

“那样的传说数之不尽，即使内容荒诞不经，外人从来不买账，但是在创造那些传说的世界上，由于本土意识作祟，人们总是拒绝否认。”

“那么，詹诺夫，我们自己可别相信那些说法。让我们进入梦中世界的超空间吧。”

“可是，葛兰，我感到有兴趣的，是地球具有放射性这件事。我认为这种说法似乎有道理，至少有点道理。”

“你所谓的有点道理，指的是什么？”

“嗯，所谓具有放射性的世界，是指那个世界的放射线强度大于一般行星。因此在这种世界上，突变的几率较高，演化也就进行得较快，而且更为多样化。如果你还记得，其实我告诉过你，几乎所有的传说都有一个共通点，就是地球上的生物种类多得难以想象，共有数百万各式各样的物种。可能正是由于生命的多样化，这种爆炸式的多样化，智慧生物终于在地球出现，进而涌向银河各个角落。如果地球因为某种缘故而带有放射性——我是指有较强的放射性，也就是说，比其他行星更具有放射性——或许就能解释地球各方面的唯一性。”

崔维兹沉默了一阵子，然后说：“首先，我们没有理由相信康普讲的是真话。他可能根本是随口胡说，目的只是想诱使我们离开这个地方，然后疯了似地赶往天狼星区。而且我相信，事实正是如此。即使他说的是实话，他的意思也是说，地球具有过量的放射性，上面不可能再有任何生命。”

裴洛拉特又做出撮嘴吹气的动作。“地球原本不会有太强的放射性，不至于令生命无法出现。而生命一旦形成之后，即使环境变恶劣了，还是有可能延续下去。那么假如说，地球的确出现过生命，并且不断繁衍绵延，那么最初的放射性就不可能太强，而随着时光的流逝，放射性只会逐渐衰减，因为不可能自动增加。”

“核爆有没有可能？”崔维兹举例。

“这有何相干？”

“我的意思是，假如地球上曾经发生过核爆呢？”

"在地球表面？绝对不可能。没有任何社会愚蠢到那种程度，竟然想用核爆作为战争武器，即使翻遍银河历史，也找不到任何记载。那样做，会使大家同归于尽。在三胶星叛乱事件中，当双方几乎都弹尽粮绝之际，简迪普鲁斯·寇拉特曾经建议，引发一场核融合反应……"

"结果他被自己舰队的战士吊死了。我不是没读过银河史，我是想或许发生了意外。"

"能将整颗行星的放射性增强许多倍的意外，历史上从来没有这样的记载。"他叹了一口气，"我认为，当我们把手头的问题解决之后，一定得到天狼星区去做些探勘。"

"改天也许我们会去，不过现在——"

"好，好，我这就闭嘴。"

裴洛拉特果然不再出声。崔维兹又在黑暗中躺了将近一个小时，将情势衡量了一番。自己是否已经吸引太多的注意力？是不是应该立刻前往天狼星区，等到所有的注意力都转移之后，再悄悄转往盖娅？

当他沉沉睡去之际，心中尚未作出明确的决定。他在梦中都觉得不安稳。

02

第二天，他们直到近午时分才进城。今天旅游中心变得相当拥挤，但他们还是设法找到参考图书馆，然后在那里，学会了如何操作当地的资料搜寻电脑。

他们从最近的地点开始，仔细查遍所有的博物馆与大学，试图搜寻任何有关人类学家、考古学家以及古代史学家的资料。

裴洛拉特突然叫道："啊！"

"啊？"崔维兹不太客气地说，"啊什么？"

"这个名字，昆特瑟兹，看来似乎有点眼熟。"

“你认识他？”

“不，当然不认识，但我可能读过他的论文。在太空艇上，我搜集的那些参考资料……”

“我们可别回去，詹诺夫。这个名字如果眼熟，就是我们的第一条线索。他即使不能帮我们的忙，也必定能指点一二。”他站了起来，“我们想办法到赛协尔大学去吧。不过午餐时间不会有人在，所以我们干脆先去吃饭。”

结果下午过了一大半，他们才来到那所大学。然后又在迷宫般的校园里摸索半天，两人才终于找到一间接待室，请其中一位妙龄女郎代为通报。她或许会带他们去见昆特瑟兹，也可能一去不回。

“不知道我们还得等多久，”裴洛拉特等得有点心慌，“学校一定快要下课了。”

真是无巧不成书，他刚说完这句话，离去半小时之久的女郎赫然出现，快步向他们走来。她的鞋子发出红紫相间的闪光，而且每踏出一步，就响起一声尖锐的乐音，音调高低随着步伐的快慢与力道而变化。

裴洛拉特心中一凛。他想，每个世界都有折磨他人感官的独门方法，正如同各行星的气味各有千秋。既然他已经不再注意那种怪味，不知道对于时髦少女走路时发出的刺耳音调，自己是否也能练就充耳不闻的本事。

她走到裴洛拉特面前，停下了脚步。“教授，我能否请问你的全名？”

“小姐，我的全名是詹诺夫·裴洛拉特。”

“你的母星呢？”

崔维兹举起右手，仿佛要让同伴保持沉默，但裴洛拉特不知是没看见还是没注意到，他脱口而出：“端点星。”

妙龄女郎露出灿烂的笑容，显得很高兴。“当我告诉昆特瑟兹教授，说有一位裴洛拉特教授想要求见，他说你若是端点星的詹诺夫·裴洛拉特教授，他就乐意见你，否则一律不见。”

裴洛拉特猛眨着眼睛。“你——你的意思是，他听说过我？”

“显然似乎如此。”

裴洛拉特转向崔维兹，勉强挤出一个生硬的笑容。“他听说过我，我真不敢相信。我的意思是，我只发表过几篇论文而已，我并不认为任何一篇……”他摇了摇头，“那些论文都不算顶重要的。”

“好了，”崔维兹暗自感到好笑，“别再陶醉于这种妄自菲薄之中了，我们走吧。”他转过头来，对那女郎说：“我想，小姐，应该有什么交通工具可搭吧。”

“步行就可以，我们甚至不必离开这个建筑群，我很乐意为两位带路。两位都是来自端点星吗？”说完她就迈开步伐。

两位男士紧跟在后，崔维兹略微不悦地答道：“没错，但有什么分别吗？”

“喔，没有，当然没有。赛协尔上的确有些人不喜欢基地公民，你知道吧，可是在大学里面，我们都抱持着宇宙一家的胸怀。我总喜欢说，人人都有生存的权利。我的意思是，基地人也是人，你懂我的意思吗？”

“懂，我懂你的意思。我们有许多同胞，也常说赛协尔人一样是人。”

“本来就应该这样。我从来没有见过端点星，它一定是个大都会。”

“事实并不尽然，”崔维兹以实事求是的态度说，“我怀疑它比赛协尔城还小。”

“你在故意寻我开心。”她说，“它是基地联邦的首都吧？我的意思是，没有另一个端点星吧？”

“当然没有，据我所知，端点星只有一个，而我们就是打那儿来的，它的确是基地联邦的首都。”

“那么，它就一定是个大都会。你们竟然大老远飞到这里，专程来拜访教授。你知道吗，他是我们引以为傲的人物。大家都认为，他是全银河的首席权威。”

“真的？”崔维兹应了一声，“哪一方面？”

她的双眼又睁得好大。“你真会戏弄人。他对古代史的了解，超过……超过我对自己家人的了解。”她继续踏出伴着音乐的步伐。

她一再拿“寻开心”“戏弄人”这种字眼扣在崔维兹身上，倒也不算冤枉了他。崔维兹微微一笑，又问：“我猜，教授对于地球应该了若指掌吧？”

“地球？”她在某间研究室门前停下脚步，对他们露出茫然的目光。

“你知道的，就是那个诞生人类的世界。”

“喔，你是说‘最早的行星’。我想是吧，我想他应该十分清楚。毕竟，它就在赛协尔星区，这点人人都知道！这就是他的研究室，我来按讯号钮。”

“不，且慢。”崔维兹说，“再等一下，先告诉我一些有关地球的事。”

“其实，我从未听过有人这样称呼它，我想这应该是基地的用词。在此地，我们都管它叫盖娅。”

崔维兹迅速瞥了裴洛拉特一眼。“哦？那么它在哪里？”

“哪里都不在，它在超空间里面，谁也无法找到。当我还是小女孩的时候，祖母曾经跟我讲，盖娅原本在普通空间中，可是由于厌恶——”

“人类的罪恶和愚昧。”裴洛拉特喃喃道，“对于自己散播到银河各处的人类，它感到羞愧，于是它离开了普通空间，拒绝再和人类有任何牵扯。”

“这么说，你也知道这个故事？我有一位女友还说这是迷信。好，我会告诉她。如果连基地的教授都相信……”

研究室门上有一扇灰暗的玻璃窗，映着两行闪闪发光的字体。上面一行印着：索塔茵·昆特瑟兹·亚博，下面一行则是：古代历史学系，两行字都是用难懂的赛协尔字体写成。

女郎在一个光滑的金属圆片上按了按，并没有任何声音响起，但灰暗的玻璃曾短暂变成乳白色。同时，传出一个轻柔的声音，用心不在焉的口气说：“请表明自己的身份。”

“来自端点星的詹诺夫·裴洛拉特，”裴洛拉特答道，“以及来自同一个世界的葛兰·崔维兹。”大门马上转开。

03

昆特瑟兹教授是个年过半百的高个子，有着一身淡棕色的皮肤，一头铁灰色的鬈发。当门打开后，他立刻从书桌后面站起来，绕到门口迎接客人。他伸出手来表示欢迎，并以柔和而低沉的声音说："我就是索·昆。教授，非常高兴见到你。"

崔维兹说："我没有什么学术头衔，只是陪同裴洛拉特教授前来，你称呼我崔维兹就行了。很荣幸见到你，亚博教授。"

昆特瑟兹连忙举起手来，神情显得相当尴尬。"不，不，亚博只是一种愚蠢的头衔，在别的世界上毫无意义。请别管它，叫我索·昆就行了。在赛协尔，一般社交场合都习惯用简称。我本来以为只有一位客人，很高兴能多见到一位。"

他似乎犹豫了一下，然后才伸出右手，但在伸出去之前，还在裤子上擦了擦。

崔维兹握着对方的手，却不知道赛协尔的正统礼节该怎么做。

昆特瑟兹说："请坐吧，只怕两位会发现我的椅子不是活的。可是，我这个人就是不喜欢被椅子拥抱。这年头流行拥抱人的椅子，我却希望拥抱都能有点意义，嗯？"

崔维兹微微一笑，随口答道："谁不这么想呢？索·昆，你的名字似乎没有赛协尔的味道，有点像是外环世界的名字。如果我这么说很失礼，请你务必原谅。"

"我不会介意的。我的家族可以追溯到阿斯康，五代以前，由于基地的势力愈来愈深入，我的高祖父母才决定移民。"

裴洛拉特说："而我们正是基地人，实在很抱歉。"

昆特瑟兹亲切地挥了挥手。"我不会为五代以前的事记仇。遗憾的是，这种事情还真不少。你们想不想吃点什么？或是喝点什么？要不要来点背景音乐？”

“如果你不介意，我倒希望直接进入正题。”裴洛拉特说，“除非赛协尔的礼节不允许。”

“赛协尔的礼节并没有这方面的限制，我向两位保证。裴洛拉特博士，你不知道有多么巧，大约两周前，我才在《考古评论》期刊上，读到你写的那篇讨论起源神话的文章。我认为那实在是一篇了不起的综论，只可惜太短了。”

裴洛拉特兴奋得涨红了脸。“你竟然读过那篇文章，真是令我欣喜若狂。我当然得浓缩，因为《考古评论》不愿意刊登全文。我正打算就这个题目，写一篇详细的专论。”

“我希望你赶快写。总之，我读过那篇文章后，就有了想见你一面的愿望。为了达到这个目的，我甚至想要亲访端点星，不过那很难安排……”

“为什么呢？”崔维兹问。

昆特瑟兹又现出尴尬的神情。“很遗憾，我必须这么说，赛协尔并没有兴趣加入基地联邦，因而民间若想跟基地进行任何交流，政府都会横加阻挠。你知道吧，我们一向抱持中立主义。当年连骡都没有侵犯我们，只不过硬要我们发表一篇中立声明。因此之故，任何人想要造访基地领域，尤其是去端点星，政府都会认为动机可疑。不过像我这样的学者，以学术访问的名义提出申请，也许最后还是能领到护照。不过这些都不需要了，你现在就在我面前。我几乎不敢相信这个事实，我问自己：为什么呢？难道不只我听说过你，你也听说过我吗？”

裴洛拉特答道：“我知道你的研究工作，索·昆，而且搜集了你每篇论文的摘要，这就是我来找你的原因。我的研究涵盖两大主题，第一个是地球，也就是所谓的人类起源行星；第二个主题，则是银河早期的探险史和殖民史。我来到这里，是想向你请教赛协尔的创建经过。”

“从你的那篇论文看来，”昆特瑟兹说，“我以为你的兴趣是在神话和传说。”

“我更感兴趣的，其实是真实的历史。但如果找不到，就只好借助于神话和传说。”

昆特瑟兹站了起来，在研究室里快步踱来踱去，半途停下瞪了裴洛拉特一眼，然后又继续踱步。

崔维兹不耐烦地说：“教授，怎么样？”

昆特瑟兹说：“绝了！真是绝了！刚好就是昨天……”

裴洛拉特问道：“刚好昨天怎么样？”

昆特瑟兹说：“我刚才说过，裴洛拉特博士——对了，我能不能叫你詹·裴？我觉得称呼全名相当别扭。”

“请便。”

“我刚才说过，詹·裴，我很钦佩你写的那篇论文，因此想要见你一面。我想要见你的目的是这样的，你显然广泛搜集了许多世界的早期传说，偏偏欠缺我们赛协尔的，所以我想为你补充这方面的资料。换句话说，我想见你的原因，和你想见我的原因完全一样。”

“可是这跟昨天又有什么关系呢，索·昆？”崔维兹问道。

“我们拥有许多传说。其中有一则，对我们的社会非常重要，因为它已经成为我们的不传之秘。”

“不传之秘？”崔维兹毫无概念。

“我的意思不是神秘或悬疑的事件。我想，在银河标准语中，‘秘’这个字通常是那个意思。在此却是一个特殊的用法，意味着某种秘密的事物，某种只有少数人才能全盘明了的事物，某种不足为外人道的事物——而昨天恰好就是这一天。”

“什么样的一天，索·昆？”崔维兹问道，语气中刻意带着些微不耐烦的情绪。

“昨天正是高飞纪念日。”

“啊，”崔维兹说，“一个沉思与沉默的日子，人人都应该待在家里。”

“理论上来说是这样的，只不过在较大的城市中、在比较现实的社会里，很少有人再奉行这种古老的风俗了。但现在我知道，你们至少听说过。”

由于崔维兹的语气愈来愈不客气，裴洛拉特相当不安，赶紧抢着说：“我们是昨天到的，多少听说了一点。”

“哪天还不是一样。”崔维兹用讽刺的口吻说，“听好，索·昆，我刚才说过，我并不是学者，但我还是要问一个问题。你说那个传说是不传之秘，这就代表不可以向外人透露，那么，你又为何要告诉我们呢？我们正是外人。”

“你们的确是。但我不把这个节日当一回事，而且我对这种事的迷信，顶多只有一点点。我很早就有一种想法，而詹·裴的论文增强了我的信心，那就是神话也好，传说也罢，都不可能凭空杜撰。任何事都不会无中生有，不论神话传说如何背离事实，必定隐藏着一个真实的核心。因此我很想知道，高飞纪念日这个传说背后的真相是什么。”

崔维兹说：“讨论这个问题安全吗？”

昆特瑟兹耸了耸肩。“我想，并非绝对安全，会吓到这个世界上的保守分子。然而，过去这一个世纪，他们已经无法控制政府。开明人士的势力很强，而且会愈来愈强，除非保守派滥用我们的反基地情结——请原谅我这么说。此外，我是出于对古代史的兴趣，把它当成学术问题来讨论，万一有必要，学者同盟一定会全力支持我。”

“既然如此，”裴洛拉特说，“索·昆，你愿意告诉我们那个不传之秘吗？”

“愿意，不过我得先确定我们不会受到打扰，也不会有人无意间听到我们的谈话。正如俗谚所云：即使必须捋虎须，也不必顺便拔虎牙。”

他在桌面某个装置的工作界面上按了几下，然后说：“我切断了和外界的联络。”

“你确定这个房间没有被动过手脚？”崔维兹问道。

“手脚？”

“被窃听！被监视！在这个房间偷偷装上一个小仪器，让你的言行举止无所遁形。”

昆特瑟兹显得很震惊。“赛协尔上绝没有这种事！”

崔维兹耸了耸肩。“有你这句话就好。”

“请继续说下去，索·昆。”裴洛拉特说。

昆特瑟兹撅着嘴，上身往后仰（椅背随即稍微弯曲），并将两手的指尖靠在一起，像是在考虑如何从头说起。

最后他终于说：“你们晓得机仆是什么吗？”

“机仆？”裴洛拉特道，“没听说过。”

昆特瑟兹转头望向崔维兹，后者缓缓摇了摇头。

“然而，你们总该晓得电脑是什么吧。”

“那当然。”崔维兹用不耐烦的口气答道。

“好的，那么，一个可动的电脑化工具——”

“就是一个可动的电脑化工具。”崔维兹益发显得不耐烦，“这种玩意种类繁多，除了‘可动的电脑化工具’之外，我不知道还有什么一般性的名称。”

“——如果外表跟人类一模一样，就叫做机仆。”昆特瑟兹气定神闲地将定义说完。“机仆最大的特色，就在于具有人形，因此也称为机器人。”

“为什么要做成人形呢？”裴洛拉特惊讶不已地问道。

“我也不清楚。人形工具极端缺乏效率，这点我同意，但我只是在转述传说的内容。‘机仆’是个古老的词汇，源自一种如今已经无人能懂的语言，不过我们的学者认为，它具有‘工作’的含意。”

“我想不出有什么词汇，”崔维兹以怀疑的口气说，“哪怕只是发音和‘机仆’稍微接近，又和‘工作’扯得上任何关系的。”

“显然在银河标准语中并没有，”昆特瑟兹说，“可是的确有这种说法。”

裴洛拉特说：“这也许是倒因为果的现象，因为那种东西被拿来做工，后来这个词汇就有了‘工作’的含意。不管了，你为什么要告诉我们这件事？”

“因为在赛协尔，有个历久不衰的传说：当地球还是唯一的世界，银河各处尚未住人的时候，便有人发明并制造出机仆，也就是机器人。从此之后，人类就分成了两种：血肉之躯与铜筋铁骨、自然的与人工的、生物的与机械的、复杂的与单纯的……”

昆特瑟兹突然住口，苦笑一声，然后说：“很抱歉，一谈到机器人，很难不引用《高飞录》中的句子。总之，地球上的人曾经发明出机器人。我要说的就是这一点，这已经够明白了。”

“他们为什么要发明机器人呢？”崔维兹问。

昆特瑟兹耸了耸肩。“这么遥远的历史，谁弄得清楚呢？也许由于他们人口稀少，因此需要帮手，尤其是像探索太空、殖民银河这种庞大的计划。”

崔维兹说：“这是个合理的推测。一旦人类殖民到银河各处，机器人就功成身退。如今在银河中，当然再也没有人形的电脑化工具了。”

“言归正传，”昆特瑟兹说，“让我尽量将内容简化，把那些诗意的情节全部省略，老实说，我并不接受那些过分渲染的情节，不过大多数的赛协尔人却信以为真，或者假装相信。故事是这样的，地球附近的一些恒星，周围渐渐兴起许多殖民世界。那些世界所拥有的机器人远多于地球，因为在有待开发的新世界上，机器人的用途更为广泛。事实上，地球在这方面却走回头路，非但不希望制造更多机器人，甚至对它们产生强烈的反感。”

“结果怎么样？”裴洛拉特问道。

“那些外围世界实力愈来愈强大，他们借着机器人的帮助，子女击败并控制了母亲——地球。对不起，我又忍不住引经据典。不过地球上有些人逃了出去，因为他们拥有较佳的船舰，以及较为精良的超空间科技。他们逃得很远很远，来到比先前那批殖民世界还要远得多的恒星系。从此兴起一批新的殖民世界，人类在其中过着自由自在的生活，但不见任何机器人，这便是所谓的高飞时代。而所谓的高飞纪念日，就是首批地球人抵达赛协尔星区的那一天——事实上，正是抵达这颗行星。上万年来，每年的这一天，都还会举行纪念活动。”

裴洛拉特说：“我亲爱的兄弟，根据你现在的说法，赛协尔是由地球直接建立的。”

昆特瑟兹沉思和犹豫了好一阵子，然后才说：“这是官方版本的说法。”

“显然，”崔维兹道，“你并不接受这个说法。”

“我认为这个说法——”昆特瑟兹开始时说得很慢，突然间变得滔滔不绝，“喔，众星在上，我不接受！这实在太不可能了。但这是官方的教条，不论政府变得多么开明，口头上还是得这么讲。别扯得太远，还是回到正题吧。从你的论文看来，詹·裴，你并不知道有关机器人和两波殖民的故事——第一波有机器人参与但规模较小，第二波则刚好相反。”

“我的确不知道，”裴洛拉特说，“今天我才第一次听到。亲爱的索·昆，我将永远感激你。从来没有任何文献提到过相关的线索，这点令我十分惊讶。”

“这就显示，”昆特瑟兹说，“我们这个社会系统多么有效率。这是我们赛协尔人的秘密，我们的不传之秘。”

“或许吧。”崔维兹敷衍了一句，“然而那个第二波殖民——没有机器人的那次——一定同时奔向四面八方，为何唯独赛协尔保有这个大秘密？”

昆特瑟兹说：“它可能也在其他地方秘密流传，只是外人无法知晓。我们的保守分子相信，只有赛协尔才是地球的直接殖民地，银河其他各处都是赛协尔再殖民的结果。当然，这种说法很可能是无稽之谈。”

裴洛拉特说：“这些衍生的历史之谜，迟早会有答案的。既然我找到了出发点，就能在其他世界寻找相关资料。重要的是，我发现了一个值得探讨的问题，而一个好问题，当然可以引出无穷的答案。我是多么幸运……”

崔维兹插嘴道：“没错，詹诺夫，但好心的索·昆显然尚未把故事说完。那些较早的殖民世界，还有上面的机器人，后来的命运又如何？你们的口传历史有没有提到？”

“没有提到细节，但是有个大概。人类和人形机器显然无法并存；拥有机器人的世界后来都死了，它们没有长存的条件。”

“地球呢？”

“人类离开地球，移民此地。想必也有去其他行星的，虽然保守派反对这种说法。”

“不可能每个人都离开地球，地球不至于遭到遗弃吧。”

“想必没有，但是我不知道。”

崔维兹突然冒出一句：“它是否变得充满放射性？”

昆特瑟兹显得大吃一惊。“放射性？”

“我问的就是这个。”

“这点我完全不知道，我从未听说过这种事。”

崔维兹咬着手指的指节，考虑了良久，最后终于说：“索·昆，时候不早了，我们也许已经占用你太多时间。”裴洛拉特动了一下，像是想要提出抗议，崔维兹却使劲抓着他的膝盖。裴洛拉特只好作罢，不安的表情兀自留在脸上。

昆特瑟兹说："能够帮点忙，我十分荣幸。"

"你帮了很大的忙，假如我们能为你做些什么，请尽管说。"

昆特瑟兹轻声笑了笑。"只要好心的詹·裴可以放我一马，在他今后所写的任何相关文章中，都能避免提到我的名字，就是足够的回报了。"

裴洛拉特用诚挚的口吻说："假如你能造访端点星，并设法以访问学者的身份在我们的大学里待一年半载，你一定会得到应有的学术地位，也许还会更加受到重视。我们应该有办法替你安排。赛协尔或许不喜欢基地联邦，可是他们应该不会拒绝你的申请，比方说，你要到端点星去参加一个古代史研讨会。"

这位赛协尔人差点站了起来。"你的意思是，你们能帮我牵线？"

崔维兹说："哈，这点我倒没想到，但詹·裴完全说对了。只要我们愿意尝试，绝对是有可能的。当然啦，你让我们愈感激，我们就会愈努力。"

昆特瑟兹愣了一下，然后皱起眉头。"阁下，你这话是什么意思？"

"你只需要告诉我们有关盖娅的一切，索·昆。"崔维兹说。

昆特瑟兹原本容光焕发的脸孔，陡然间变得一片死灰。

04

昆特瑟兹低头望着书桌，一只手心不在焉地拂着又短又卷的头发。然后他望向崔维兹，但一直紧紧撅着嘴，仿佛下定决心什么都不说。

崔维兹扬起眉毛，等待他的回应。最后，昆特瑟兹哑着嗓子说："实在很晚了，相当昏黄了。"

在此之前，他说的都是正统的银河标准语，现在却冒出一些古怪字眼。仿佛他突然忘却了正统教育，于是赛协尔方言脱口而出。

“昏黄，索·昆？”

“天几乎全黑了。”

崔维兹点了点头。“抱歉我没注意到，其实我也饿了。我们可有荣幸请你共进晚餐，索·昆？或许我们可以边吃边谈，继续讨论盖娅。”

昆特瑟兹迟缓地站起来。他比两位来自端点星的客人都要高，但由于他年纪较大，而且较为肥胖，所以并未显得特别强壮。跟刚见面的时候比起来，他现在好像疲倦得多。

他对两位客人眨了眨眼睛，然后说：“我竟然忘了待客之道，你们两位是外星人士，怎么可以让你们请客。到我家去吧，我就住在校园里，离这儿不太远。如果你们想继续谈下去，在家里谈我会更加轻松自在。唯一的遗憾，”他似乎有点不安，“是我无法招待你们一顿盛宴。内人和我都吃素，如果你们喜欢肉类，我只能表示歉意和遗憾了。”

崔维兹说：“詹·裴和我都乐意暂时放弃食肉的天性。但愿，你的谈话会比大鱼大肉还要值得。”

“不论我们谈些什么，我都能保证晚餐不至于乏味。”昆特瑟兹说，“只要你们不排斥赛协尔的调味佐料就行，内人和我在这方面都很有研究。”

“我期待一顿充满异国风味的佳肴，索·昆。”崔维兹泰然自若地说，裴洛拉特却显得有点紧张。

于是三人步出研究室，由昆特瑟兹带路，顺着看起来永无止境的长廊一路走下去。偶尔会有些学生或同事跟昆特瑟兹打招呼，他却没有把两位同伴介绍给任何人。崔维兹发现有人好奇地打量着他的宽腰带，不巧他今天的腰带刚好是灰色的，令他感到很不自在。在这个校园中穿着素色服饰，显然并非合乎礼仪的行为。

他们好不容易才走出建筑群，来到露天的环境中。现在天色的确已经很暗，而且有几分凉意。远方隐约可以看到许多大树，走道两旁则是相当浓密的草坪。

裴洛拉特突然停下脚步，背对着那个建筑群所发出的微弱灯光，以及校园中一排排路灯所射出的光芒，抬起头仰望天空。

“真美！”他说，“我们那里有一位著名的诗人，写过一首咏叹赛协尔星空的诗，其中有一个名句：赛协尔高耸的夜空，镶嵌着缤纷的星光。”

崔维兹抬头欣赏了一下星空，然后低声说：“我们是从端点星来的，索·昆，至少我的这位朋友，从未见过其他世界的夜空。在端点星上，我们只能见到迷蒙的云雾状银河，以及几颗勉强可见的恒星。你如果在我们那里住过，将更懂得欣赏自己的星空。”

昆特瑟兹以庄严的口气说：“我向你保证，我们对它万分欣赏。此地可算是银河中相当拥挤的区域，难得的是星辰分布得极其均匀。我想在银河其他角落，见不到分布如此平均而数目也不太多的一等星。我曾经到过某些世界，那里正好位于球状星团的外缘，他们的夜空充满明亮的星体，因而破坏了幽暗的夜色，大大减损了壮丽的美感。”

“我很同意你的说法。”崔维兹道。

“不知道你们是否看见，”昆特瑟兹说，“那五颗差不多一样亮、几乎排成正五边形的恒星，我们称之为‘五姐妹’。在那个方向，就在那排路树的上方，你们看见了吗？”

“我看到了。”崔维兹说，“非常迷人。”

“没错。”昆特瑟兹说，“这五颗星象征圆满的爱情。赛协尔人写情书的时候，一律会在后面画出这五颗星的形状，来表示求爱的渴盼。每一颗星代表爱情的不同阶段，许多诗人竞相作出著名诗句，尽可能将每个阶段写得香艳露骨。我还年轻的时候，也曾经试着作过这样的情诗，当时从未想到，自己有一天会对五姐妹变得如此漠不关心，不过我想这大概就是人生吧。在五姐妹的中央，还有一颗黯淡的星辰，你们看到没有？”

“看到了。”

“那颗星，”昆特瑟兹说，“代表单相思。根据我们的传说，它也曾经相当明亮，后来却黯然神伤。”说完，他继续快步向前走。

05

晚餐吃得相当愉快，这点连崔维兹也不得不承认。各式各样的菜肴变幻无穷，香料与调味料虽然匪夷所思，但的确滋味无穷。

崔维兹问道："这些蔬菜都好吃极了，它们全是银河标准食物吧，索·昆？"

"当然是啊。"

"不过我想，此地也有些原有的生物吧。"

"当然。第一批移民抵达赛协尔行星时，这里就是个含氧的世界，因此绝对滋生着生命。你大可放心，我们仍旧保存了一些原有的生物。我们有许多相当广阔的自然生态公园，保育着古赛协尔土生土长的动植物。"

裴洛拉特以悲哀的口吻说："索·昆，这点你们比我们进步。当人类初抵端点星的时候，上面并没有什么陆地生物，长久以来，只怕我们也未曾齐心协力保存海洋生物。事实上，当初如果没有那些海洋生物制造氧气，端点星根本无法住人。如今端点星的生态，已经跟银河其他各处没什么不同了。"

"赛协尔对生命的尊重，"昆特瑟兹带着自傲的笑容说，"一向有着极佳的记录。"

崔维兹利用这个时机，赶紧改变话题："我记得离开你的研究室时，索·昆，你不但打算请我们到府上用餐，还准备告诉我们有关盖娅的事。"

昆特瑟兹的妻子是个和气的妇人，她身材丰满，肤色黝黑，晚餐从头到尾都很少讲话。此时她猛然抬起头来，露出惊惶的表情，然后一言不发，起身离开了餐厅。

"很抱歉，"昆特瑟兹有点不知所措，"内人就是个标准的保守分子。当她听到有人提起……那个世界，便会感到有点不安，请两位务必原谅。可是，你为什么要问这个问题呢？”

“很抱歉，但它对詹·裴的研究工作相当重要。”

“可是你们为何要问我呢？我们刚才在讨论地球、机器人，以及赛协尔的创建经过，这些题目跟……跟你现在问的事又有何相干？”

“或许没什么相干，但这件事透着许多古怪。为什么我一提到盖娅，尊夫人就显得不安？你自己为何也会不安？但有些人对这个话题却毫不忌讳，就在今天下午，还有人告诉我们盖娅即是地球，由于人类作恶多端，它才会消失在超空间中。”

昆特瑟兹脸上闪过一阵痛苦的表情。“是谁跟你这样胡说八道的？”

“我在这所大学遇到的一个人。”

“那只是迷信罢了。”

“这么说，它并不是有关‘高飞’中心教条的一部分？”

“不，当然不是，那只是没知识的民众胡扯出来的寓言。”

“你肯定吗？”崔维兹用冰冷的语气问道。

昆特瑟兹上身靠向椅背，眼睛盯着餐桌上的残汤剩菜。“我们到起居室去吧。”他说，“假如我们一直待在这里讨论……这个问题，内人永远不会进来收拾餐桌。”

“你肯定那只是寓言吗？”崔维兹再度问道。此时他们已经来到另一个房间，坐在一扇大窗户旁边。那扇窗户设计成特殊的弧形，能将赛协尔美丽的夜空尽收眼底。室内的光线还故意调暗，以免掩盖室外的夜色，昆特瑟兹的面孔因而融入昏暗的阴影中。

昆特瑟兹回答说：“你自己不能肯定吗？你认为有什么世界能躲进超空间？超空间究竟是什么东西，一般人仅有极模糊的概念，这点你一定了解。”

“事实上，”崔维兹说，“我自己对超空间也仅有极模糊的概念，而我已经出入超空间数百次了。”

“那就让我告诉你真相吧。我向你保证，无论地球在哪里，反正绝不会在赛协尔联盟疆域之内，你提到的那个世界并不是地球。”

“可是，即使你不知道地球在哪里，索·昆，你也该知道我提到的那个世界位于何处，它必定在赛协尔联盟疆域之内。这点我们还能肯定，是吗，裴洛拉特？”

裴洛拉特一直傻傻地当个听众，突然间被指名回答，不禁吓了一跳。他说：“如果是这样，葛兰，我就知道它在哪里。”

崔维兹转头望着他。“你什么时候知道的，詹诺夫？”

“就在今晚稍早的时候，我亲爱的葛兰。索·昆，当我们从你的研究室走回你家时，你指给我们看五姐妹，还指出五边形中央有颗黯淡的星星。我确定那颗星就是盖娅。”

昆特瑟兹犹豫了好一阵子。他的脸孔隐藏在阴暗中，无法看出他的表情如何变化。最后他终于开口：“没错，我们的天文学家的确这么说——私下说的。盖娅正是围绕那颗星的某颗行星。”

崔维兹赶紧观察裴洛拉特的表情，但老教授的情绪并未形之于色。于是崔维兹转向昆特瑟兹说：“那么请说说有关那颗星的一切。你有它的坐标吗？”

“我？没有。”他回绝得相当不客气，“我这里并没有恒星坐标数据。你可以向我们的天文系查询，不过我能想象绝对不容易。从未有人获准飞往那颗行星。”

“为什么呢？它位于你们的疆域之内，难道不是吗？”

“就地理位置而言，没错。就政治领域而言，答案却是否定的。”

崔维兹以为他还没有说完，等了半天不见下文之后，他站了起来。“昆特瑟兹教授，”他用正式的口吻说，“我并不是警察、军人、外交官或杀手，我不会强迫你提供资料。但是，我会去拜访我们的大使，虽然这有违我自己的意愿。当然，你一定能够了解，我向你询问这些，并非出于自身的兴趣。这是基地交代的公事，但我不希望因此惹出星际纠纷，我相信赛协尔联盟也不愿见到这种结果。”

昆特瑟兹用迟疑的口气说：“基地究竟交代你什么公事？”

“这件事恕我无法和你讨论。如果你也无法和我讨论盖娅，我们就得将这个问题交到政府手上，而在那种情况下，也许会对赛协尔有更坏的影响。赛协尔一直保持独立的地位，不愿加入基地联邦，这点我完全没有异议。我没有理由要为难赛协尔，也不想去找我们的大使。事实上，假如我那么做，便会危及自己的前途，因为我接到过严格指示，要我以私人力量得到这个情报，不准把政府牵扯进来。所以请告诉我，是否有什么坚实的理由，让你不敢讨论盖娅。是不是你说了就会因此被捕，还是会受到其他惩罚？你是不是要直截了当告诉我，除了将问题提升到大使层级，我没有其他选择？”

“不，不。”昆特瑟兹的声音听来慌乱至极，“我并不知道政府有任何禁令，我们只是不愿意谈那个世界。”

“迷信吗？”

“好吧！就算是迷信吧！赛协尔的苍天啊，其实我也好不了多少，我和那个告诉你盖娅在超空间的傻子，还有听到盖娅就跑开的内人一样。我告诉你们，她甚至会吓得跑到外面去，因为她怕我们家会遭到……”

“天打雷劈？”

“反正是来自远方的神秘力量。而我，甚至我自己，都不敢随便说出那个名字。盖娅！盖娅！这个发音并不会伤人！我仍旧毫发无损！但我还是畏畏缩缩。可是请相信我，我真不知道盖娅所属恒星的坐标。如果对你们有帮助，我可以帮忙找出来，但是让我老实告诉你们，我们整个联盟都不愿讨论这个世界。我们既不碰，也不想这个问题。我能告诉你一点我所知道的事——是事实，而不是臆测——我相信即使你走遍联盟各个世界，也不可能找到更多的资料。

“我们都知道盖娅是个古老的世界，有些人甚至认为，它是本星区最古老的世界，但这点我们并不肯定。爱国心告诉我们赛协尔行星是最古老的，恐惧却告诉我们盖娅行星才是。统合这两种说法的唯一方式，就是假设盖娅即地球，因为众所周知，赛协尔是由地球人所建立的。

“大多数历史学家认为——只是在他们圈内流传——盖娅行星是个别创建的。他们认为它不是联盟哪个世界的殖民地，反之，赛协尔联盟也并非盖娅向外殖民的结果。至于何者历史较长，连专家也没有共识，谁也不知道盖娅的创建是在赛协尔之前，还是之后。”

崔维兹道：“目前为止，你等于什么也没有说，因为每一种可能性都有人相信。”

昆特瑟兹无奈地点了点头。“似乎就是如此。我们发现盖娅的存在，还是赛协尔历史上相当晚近的事。悠悠岁月中，我们最初致力于建立联盟，然后又忙着对抗银河帝国，而在成为帝国一个星省之后，又试图寻找自己适当的定位，并想尽办法限制总督的权力。

“直到帝国的衰落到达相当程度，中央对此地的控制变得极微弱时，某位总督才知晓了盖娅的存在，并且怀疑它不但独立于赛协尔星省，甚至不算是帝国的一分子。它一直神秘地与世隔绝，所以大家对它一无所知，直到今天仍旧如此。于是那位总督决心接收盖娅，详细经过我们并不清楚，只知道他的远征舰队遭到重创，只有几艘逃了回来。当然，那个时代的船舰已经不怎么精良，也缺少优秀的领导。

“总督的失败令赛协尔人兴高采烈，因为他被视为帝国高压统治的化身。这场败仗几乎直接导致我们恢复独立，赛协尔联盟从此挣脱帝国的缰索。我们将那天定为联盟纪念日，至今每年都还举行盛大庆典。其后将近一个世纪，主要是出于感激，我们都没有打扰盖娅。但是，等到我们自己变得足够强大，也曾想要进行一点帝国主义的扩张。何不接收盖娅呢？何不至少建立一个关税同盟？于是我们派出自己的舰队，不料也被打得溃不成军。

“从此以后，我们顶多偶尔做些通商的尝试，结果没有一次成功。盖娅一直维持绝对与世隔绝的状态，从未试图和其他世界进行贸易或主动联络，至少从来没有人知道。而不论在任何方面，它也没有主动对谁表现过敌意。后来——”

昆特瑟兹按了按座椅扶手的控制钮，室内立时大放光明。他脸上带着明显的嘲讽神情，继续说：“既然你们是基地的公民，也许还记得骡这号人物。”

崔维兹顿时面红耳赤。在五个世纪的历史中，基地只有一次被外人征服的纪录。虽然历时短暂，对于基地迈向第二帝国的步伐并未造成太大阻碍，不过凡是痛恨基地的人，若想挫挫基地自负自满的锐气，都一定不会忘记提到骡，因为他是基地唯一的征服者。昆特瑟兹此时突然调亮灯光，（崔维兹想）很可能是为了观赏两位基地人的窘态。

他答道：“对，我们基地人一直记得他。”

“骡曾经统治一个短命的帝国，”昆特瑟兹又说，“它的领域和如今基地控制的联邦一样大。然而他未曾统治我们，他让我们继续过太平日子。他曾经路过赛协尔一次，要我们签订一份中立宣言，并发表一篇友好声明，除此之外，他没有作任何要求。当骡征服银河时，我们是唯一的幸运儿，直到病魔令他不得不终止扩张政策，等待死神来临，我们一直都安然无事。你知道吗，他并非不讲理的人。他不会疯狂地使用武力，他并不嗜杀，他的统治相当人道。”

“他只不过是个征服者而已。”崔维兹反讽道。

“就像基地一样。”昆特瑟兹不甘示弱。

崔维兹一时不知如何回答，没好气地说：“盖娅的事究竟还有没有下文？”

“只剩下一点，就是骡讲过的一句话。当年，骡和联盟主席卡洛举行过一次历史性会议，根据历史记载，骡在签下龙飞凤舞的签名之后，曾经说：‘根据这份文件，你们甚至对盖娅也是中立的，这是你们的运气。就连我自己，也不愿意接近盖娅。’”

崔维兹摇了摇头。“他有那个必要吗？赛协尔生怕不能誓言中立，盖娅则从来没有惹过麻烦。当时，骡正计划征服全银河，何必为了微不足道的敌人浪费时间？完成征服大业之后，他再回头收拾赛协尔和盖娅不迟。”

“或许吧，或许吧。”昆特瑟兹说，“可是根据当时一位见证人的说法——此人信誉极佳，我们都愿意相信他——骡一面放下笔，一面说：‘就连我自己，也不愿意接近盖娅。’然后他压低声音，自言自语了一句：‘再也不要了。’”

“你说他压低声音自言自语，这句话又怎么被人听到？”

“因为当骡放下笔的时候，那支笔刚好滚到地下，那位赛协尔人自然而然走过去，弯下腰把笔捡了起来。当骡正在说那句‘再也不要了’的时候，他的耳朵刚好贴近骡的嘴巴。直到骡死了，他才说出这件事。”

“你怎能证明这不是虚构的？”

“那人是个德高望重的人士，不是会捏造谎言的那种人。他说的话都是可信的。”

“果真如此，又如何呢？”

“除了那一次，骡从未到过赛协尔联盟，甚至没在邻近星空出现过，至少在他跃上银河舞台之后再也没有。如果他曾经去过盖娅，一定是在他仍旧默默无闻的时候。”

“所以呢？”

“所以，你知道骡生在何处吗？”

“我想谁也不晓得。”崔维兹答道。

“在赛协尔联盟，人们有一种强烈的感觉，认为他就生在盖娅。”

“就凭他讲的那句话？”

“并不尽然。骡能够百战百胜，是因为他具有奇异的精神力量，而盖娅同样是无敌的。”

“你只能说盖娅至今没打过败仗，并不能证明它永远无敌。”

“可是连骡都不愿接近它。你去查查骡主宰银河的那段历史，看看除了赛协尔联盟，他还曾经对哪个区域如此小心谨慎。此外你可知道，凡是前往盖娅试图通商的人，也一律有去无回。否则，你以为我们怎么会对它知道得那么少？”

崔维兹说：“你的态度几乎和迷信没有两样。”

“你爱怎么讲随便你。自骡的时代开始，我们就把盖娅从意识中抹去，更不希望它想到我们。我们唯有假装它不存在，才能感到安全无虞。有关盖娅消失到超空间的传说，也许根本是政府偷偷鼓吹的，希望这样一来，大家就渐渐忘却真有这么一个世界。”

“那么，你认为盖娅是个充满了骡的世界？”

“很可能。为了你自己好，我劝你别到那里去。如果你非去不可，就注定一去不返。如果基地想要招惹盖娅，便代表基地比骡更不智。这一点，你可以转告你们的大使。”

崔维兹说：“帮我把坐标找来，我就立刻离开你们的世界。我将前往盖娅，而且会有去有回。”

昆特瑟兹说：“我会帮你查到坐标。天文系晚间当然还有人，只要办得到，我马上帮你找来。可是容我再劝你一句，不要试图到盖娅去。”

崔维兹说：“我决心要试一试。”

昆特瑟兹则以沉重的口吻说：“那么你就是决心要自杀。”

第十四章

前 进！

01

詹诺夫·裴洛拉特望着灰暗曙光中的朦胧景色，心中交杂着遗憾与犹疑。

“我们待的时间还不够，葛兰。这似乎是个既亲切又有趣的世界，我希望能再多了解一点。”

原本埋首操作电脑的崔维兹抬起头来，露出一抹苦笑。“你以为我不想啊？我们在这颗行星上吃了三顿正餐，风味完全不同，但都是美味佳肴，我真想多吃几顿呢。我们也没遇见几个女人，而且都是走马看花。她们有些看起来相当诱人，嗯，你晓得我心里想什么。”

裴洛拉特微微皱起鼻头。“喔，我亲爱的兄弟。她们的鞋子简直像牛铃铛，衣服五颜六色俗不可耐，还有她们的睫毛，简直无所不用其极。你注意到她们的睫毛没有？”

“你大可相信我注意到了每一件事，詹诺夫。你讨厌的那些都只是表象，只要稍加劝诱，她们就会把脸洗干净，而在适当的时候，还会把鞋子和五颜六色通通褪去。”

裴洛拉特说：“这点我愿意相信你，葛兰。然而，我是想进一步打探地球的资料。目前为止，我们听到的有关地球的说法，没有一则令人满意，而且彼此充满矛盾——一个人强调放射性，另一个则强调机器人。”

“但两人都说地球已死。”

“这倒是真的。”裴洛拉特答得很勉强，“但可能只有一种说法正确，或者两种说法都只有部分正确，或者两人说的都不是事实。无论如何，葛兰，这些传说只会让真相更加扑朔迷离，你听到这些说法，想必也心痒难熬，忍不住要一探究竟，找出真正的答案。”

“没错。”崔维兹说，“我向银河中每一颗矮星发誓，你说得没错。然而，我们眼前的问题是盖娅。一旦把这件事弄清楚，我们就可以前往地球，或者回到赛协尔来多待些日子。可是，盖娅第一优先。”

裴洛拉特点了点头。“眼前的问题！如果我们相信昆特瑟兹的说法，死神正在盖娅恭候我们，我们到底该不该去？”

崔维兹说：“我也问过自己这个问题。你会害怕吗？”

裴洛拉特犹豫了半天，仿佛在钻研自己的心灵。然后，他用相当简单且实事求是的态度答道：“我怕，怕死了！”

崔维兹往椅背上一靠，转过头来面对着裴洛拉特。他也用沉稳而实事求是的态度说：“詹诺夫，你没有理由冒这种险。只要你说句话，我就让你留在赛协尔，你可以把自己的行李卸下，并留下一半的信用点。等我返航的时候，我会再来接你，那时只要你有兴趣，我们再去天狼星区，假如地球真在那里，我们一定把它找出来。万一我一去不返，赛协尔上的基地官员会负责送你回端点星。老朋友，假如你打算留在此地，我不会感到不舒服。”

裴洛拉特猛眨着眼睛，嘴唇紧闭了好一阵子。然后他才开口，用稍微粗哑的声音说：“老朋友？我们认识才多久？差不多一个星期吧？可是我拒绝离去，这是不是很奇怪？我的确很害怕，可是我要留下来陪你。”

崔维兹做了一个不明白的手势。“可是为什么呢？我真的没有要求你留下。”

“我也不清楚为什么，但这是我心甘情愿的。因为……因为……葛兰，我对你有信心，我觉得你总是知道自己在做些什么。我原本打算去川陀，现在我已经明白，即使真的去了，也可能一无所获。是你坚持我们到盖娅去，盖娅就一定是银河的一个重要枢纽，许多事情似乎都跟它有所牵连。假如这还嫌不够，葛兰，我还目睹了你逼迫昆特瑟兹的手段。那实在是高明的诈术，令他不得不把盖娅的详情吐露给你。总之，我对你实在佩服得五体投地。”

“这么说，你对我真的有信心。”

裴洛拉特说：“是的，我有信心。”

崔维兹按着对方的上臂，似乎在思索该怎么接口。最后他终于说：“詹诺夫，如果我判断错误，让你我遇到什么不愉快的事，可不可以请你事先原谅我？”

裴洛拉特答道：“喔，我亲爱的伙伴，你为何这么问？我是由于个人的因素，才作出这个决定，和你没有关系。现在，拜托，我们尽快离开吧。我的懦弱不知何时会再度发作，让我羞愧得再也抬不起头来。”

“遵命，詹诺夫。”崔维兹道，“一旦电脑说没问题，我们第一时间就离开这里。这一次，只要确定大气层上方没有其他船舰，我们就要使用重力推进——垂直上升。随着周遭大气变得愈来愈稀薄，我们的速度就会愈来愈快。要不了一小时，我们就能到太空了。”

“太好啦。”裴洛拉特一面说，一面捏开一个塑胶咖啡容器的盖子，开口处几乎立时冒出热气。他将奶嘴含在口中，开始吸吮容器内的咖啡，同时吸进适量的空气，将咖啡冷却到适当的温度。

崔维兹咧嘴一笑。“你已经学会熟练地使用这些东西，称得上太空老兵了，詹诺夫。”

裴洛拉特盯着那个塑胶容器，好一会儿才说：“既然我们的太空艇可以随意调节重力场，我们当然能用普通的咖啡杯，对不对？”

“当然，但是你无法让众多的太空常客，放弃那些太空专用设备。‘太空飞鼠’如果也用普通的咖啡杯，如何显得跟‘地上爬虫’有一大段距离？你看到舱壁和舱顶的那些圆环吗？两万多年来，这种吊环是太空航具不可或缺的配备，但在重力推进的船舰中，吊环却完全派不上用场，可是它们并未消失。我敢拿这艘太空艇打赌一杯咖啡，在起飞的时候，太空老兵还是会假装被压得窒息；当船舰维持着一个G，也就是正常重力时，他们却会拉着吊环荡来荡去，仿佛仍旧处于失重状态。总之，这两件事我都敢打赌。”

“你在开玩笑。”

“嗯，也许有一点，不过凡事都有社会惯性，连科技的进展也不例外。所以才会有那些没用的吊环，以及配有奶嘴的杯子。”

裴洛拉特心领神会地点了点头，然后继续喝他的咖啡。喝完之后，他才问道：“我们什么时候起飞？”

崔维兹一面开怀大笑，一面说：“骗倒你啦。当我谈论那些吊环的时候，我们正在起飞，你却完全没注意到。现在，我们已经有一英里高了。”

“你又在唬我。”

“看看外面。”

裴洛拉特依言照做，然后说：“可是我一点感觉也没有。”

“你本来就不该有感觉。”

“我们这样做不会违规吗？我是说，我们应该像降落时那样做螺旋状飞行，跟着无线电指标盘旋而上，对不对？”

“我们没有理由那样做，詹诺夫。没有人会阻拦我们，没有任何人会。”

“降落的时候，你说……”

“那是两码子事。他们不怎么欢迎我们到来，却恨不得列队欢送我们离去。”

“你怎么这样讲呢，葛兰？跟我们谈到盖娅的只有昆特瑟兹一个人，而他曾经央求我们别去。”

“你可别相信他，詹诺夫。他只是做个样子罢了，无论如何他也要诱使我们前往盖娅。詹诺夫，你说佩服我从他口中诈取内幕的本事，很抱歉，我实在愧不敢当。即使我什么也没做，他终究还是会自动告诉我们。如果我把耳朵塞起来，他甚至会冲着我大吼大叫。”

“你怎么这样讲呢，葛兰？这简直是疯言疯语。”

“你是指妄想症吗？是的，我知道。”崔维兹转身面向电脑，专心地将感官延伸出去，然后说：“我们没有遭到阻拦，没有船舰在拦截距离内，也没有收到任何警告讯号。”

他又把身子一转，对着裴洛拉特说：“告诉我，詹诺夫，你是如何发现盖娅的？当我们还在端点星的时候，你就已经晓得盖娅了。你知道它位于赛协尔星区，也知道它的名字可说跟地球同义。这些都是从哪里听来的？”

裴洛拉特似乎呆住了，他答道：“如果我还在端点星上的研究室里面，或许可以翻翻旧档案。我可没有随身带着所有的东西，例如发现某一项资料的日期，这类记录就绝对不在身边。”

“好，你想想看。”崔维兹绷着脸说，“赛协尔人自己对这件事守口如瓶。他们不愿意谈论盖娅的真面目，政府甚至鼓吹迷信，让这个星区的民众普遍认为，普通空间中并没有这样一颗行星。其实，我还能告诉你一件事。注意看！”

崔维兹再度转身面对电脑，手指在指令感应板上轻快掠过，动作熟练、自然而潇洒。当他将双手按在掌印上的时候，随即体验到温暖的接触与拥抱。与此同时，他又像往常一样，感觉到部分的意识渗了出去。

他说：“这是电脑记忆库中的银河地图，来自赛协尔的资料还没有加进去。我准备让你看的部分，对应于我们昨晚看到的赛协尔夜空。”

整个舱房暗了下来，屏幕上出现一片夜空的景象。

裴洛拉特沉声道：“跟我们在赛协尔看到的一样美丽。”

“其实更加美丽。”崔维兹用不耐烦的口气说，“这个显像中，没有任何种类的大气干扰，而且没有云雾，也没有地平线附近的吸收作用。不过请等一等，我来作些调整。”

显像开始平稳地挪移，使两人产生本身正在移动的错觉。裴洛拉特下意识地紧紧抓住座椅扶手。

“那里！”崔维兹说，“你认得出来吗？”

“当然，那正是五姐妹——昆特瑟兹指给我们看的那个正五边形，绝对错不了。”

“的确没错，可是盖娅在哪里？”

裴洛拉特猛眨眼睛，却不见中央处有任何黯淡的星辰。

“不在那里。”他说。

“对了，不在那里，因为它的位置不在这台电脑的资料库中。不过，这些资料库几乎不可能特别为了我们而故意做得不完整，因此我断定，基地上设计这些资料库的银河地理学家，纵使拥有数量庞大的资料，却对盖娅一无所知。”

“你想，假如我们到川陀去……”裴洛拉特说。

“我猜即使到了那里，也无法找到任何有关盖娅的资料。赛协尔人一直将它的存在视为秘密，而且据我猜测，盖娅星人本身更会严格保密。几天前，你自己告诉我这并非不寻常的现象，有些世界为了逃税或避免外界干扰，会故意把自己隐藏起来。”

“通常星图绘制者或天体统计师，”裴洛拉特说，“只有在银河中星辰稀疏的区域，才会偶尔发现这种世界。它们能够隐匿起来，是因为位置偏远孤立，盖娅却不是这样。”

“没错，这是它另一个不寻常的地方。所以让我们把星图留在屏幕上，以便你我继续探讨银河地理学家疏漏的原因。让我再问你一遍，既然连这方面的专家都不知道盖娅，你又是如何获悉的？”

“我的好葛兰，我花了三十多年的时间，不断搜集地球的神话、地球的传说和地球的历史。现在我身边没有完整的记录，我又怎么能……”

“我们可以找个切入点，詹诺夫。比方说，你第一次听说它的名字，是在你研究工作的前十五年，还是后十五年？”

“哦？嗯，如果这么粗略划分，那当然是后十五年。”

“你还可以回想得更清楚一点。例如，我猜你是最近几年才听说盖娅的。”

崔维兹凝望着裴洛拉特，却无法看见对方隐藏在阴暗中的表情，于是将舱房的光线调亮一点。屏幕上壮观的夜空景象随即变得有些朦胧，而裴洛拉特则面无表情，看不出任何端倪。

“怎么样？”崔维兹问道。

“我正在想呢。”裴洛拉特说，“你大概猜对了，但我可不敢发誓。我在写信给列德贝特大学的吉姆柏教授时，并没有提到盖娅，假如当时我已经知道，照理说应该会跟他提一提。而那是，让我想想看，那是九五年，也就是三年前的事。我想你说对了，葛兰。”

“你又是怎么发现的呢？”崔维兹追问道，“在某次通信中？某本书里？某篇科学论文中？还是一首古老的歌谣？怎么发现的？拜托！”

裴洛拉特靠着椅背，双臂交握胸前，整个人一动不动，陷入深度的沉思。崔维兹闭上嘴巴默默等待。

最后，裴洛拉特终于开口：“是在一次私人通信中。但是，我亲爱的兄弟，千万别问我是谁写的信，我可不记得了。”

崔维兹双手渗出冷汗，顺手在宽腰带上抹了一下。他不敢直接逼问，只能技巧地引导裴洛拉特逐步回想。“是一位历史学家写的信？还是一位神话学专家？或是一位银河地理学家？”

“没有用的，我没法帮那封信配上一个名字。”

“或许，因为根本没有署名。”

“喔，不，这简直不可能。”

“为什么？你不理会不具名的信件吗？”

“我想那倒不至于。”

“你接到过这种信件吗？”

“难得才有一次。最近这些年，我在某些学术圈中变得小有名气，许多人都知道我专门搜集特定的神话和传说。跟我保持书信往来的学者，如果从非学术性来源发现相关资料，有时会好心地转寄一份给我。这一类信件，有些就没有署名。”

崔维兹说：“好的，但你是否直接收到过未具名的，又不是由学术圈朋友转寄来的资料？”

“偶尔会有，可是非常罕见。”

“你能否确定，盖娅的资料不是这样来的？”

“未具名的通信实在太少见，盖娅的资料如果真是这样来的，我想我应该记得才对。话说回来，我也无法确定那个资料是否来源不明。不过请注意，这并不代表我真是从匿名信件获知的。”

“这点我了解。但可能性总还是有的，对不对？”

裴洛拉特非常勉强地说：“我想应该是吧，可是你问这些干什么呢？”

“我还没有问完。”崔维兹用蛮横的口气说，“暂且不论是否匿名，你是从哪里收到那份资料的？哪一个世界？”

裴洛拉特耸了耸肩。“饶了我吧，我毫无印象。”

“有没有可能来自赛协尔？”

“我跟你说过，我不知道。”

“照我说，你的资料正是来自赛协尔。”

“你爱怎么说都行，但你说的不一定就是事实。”

“不一定？当昆特瑟兹指着五姐妹中央那颗暗星的时候，你马上知道它是盖娅。而在昆特瑟兹尚未告诉我们之前，你就先说了出来，记得吗？”

“记得，当然记得。”

“这怎么可能呢？你怎能立刻认出那颗暗星正是盖娅？”

“因为我手上那个有关盖娅的传说，其实很少用盖娅这个名称。通常都是用比喻的说法，而且有许多不同的比喻。其中一个重复过好几次的是‘五姐妹的小兄弟’，另一个则是‘五边形之心’，有时也称为‘五边形中点’。当昆特瑟兹指出五姐妹和中央那颗星的时候，这些隐喻立刻在我的脑海浮现。”

“以前你从未跟我提过这些隐喻。”

“我原来并不知道它们的意义，也不觉得有必要跟你讨论这个问题，因为你是……”说到这里，裴洛拉特犹豫起来。

“一个外行？”

“是的。”

“我希望你会了解，五姐妹排出的正五边形，并非一种绝对的形状。”

“这话是什么意思？”

崔维兹乐得哈哈大笑。“你果真是地上的爬虫，你以为天空具有实质的形体吗？星辰都被钉在天上吗？唯有在赛协尔行星所属的行星系，人们才会看到五姐妹构成一个正五边形。在环绕其他恒星的行星看来，五姐妹所呈现的形状都不一样。原因之一是观察的角度变了；原因之二，这五颗星和赛协尔行星的距离各不相同，如果从其他角度观察，或许根本看不出什么几何图形。可能其中一两颗星在这半个天球，其他三四颗却在另一半。你看——”

崔维兹又关上舱房灯光，同时俯身面向电脑。“赛协尔联盟总共由八十六个住人行星系组成。让我们将盖娅——或者说盖娅的位置——予以固定，”当他这么说的时候，五边形中央处立刻出现一个小红圈，“然后在其他八十五个行星系中，随机选取一些世界，将显像转换成那些世界的星空。”

星空的景象开始变换，裴洛拉特猛眨着眼睛。小红圈一直保持在屏幕正中央，可是五姐妹早已消失无踪。红圈周围虽然有些亮星，却没有构成紧致的几何图形。星空一变再变，一直变个不停。红圈始终固定在原处，可是从未出现亮度相当的恒星所构成的正五边形。偶尔会有个扭曲的五边形，五颗星的亮度也不尽不同。昆特瑟兹指出的那个完美几何结构，从头到尾没有在屏幕上出现过。

“看够了吗？”崔维兹说，“我向你保证，唯有在赛协尔行星系的各个世界上，五姐妹看起来才像我们昨天见到的样子。”

裴洛拉特说：“赛协尔的观点有可能流传到其他行星。帝政时期，很多谚语都是以川陀为基准，有些甚至传到了我们的端点星。”

“我们现在知道，赛协尔将盖娅视为天大的秘密，你难道还相信那种事吗？而赛协尔联盟之外的世界，又为何会对这种传说有兴趣？如果夜空中没有那样的星象，又有谁会关心‘五姐妹的小兄弟’呢？”

“你也许说对了。”

“既然如此，难道你还没想到，你收到的盖娅资料必定来自赛协尔？它甚至不是来自赛协尔联盟某个角落，而正是联盟首都世界所属的那个行星系。”

裴洛拉特摇了摇头。“你说得好像真有那么回事，可是我怎么都记不得，我就是想不起来了。”

“至少，你看出我的论证多么有说服力了吧？”

“是的，我看出来了。”

“接下来的问题是，你认为这个传说是什么时候出现的？”

“任何时间都有可能。我猜早在帝政时代便已形成，它具有那种古老色彩……”

“你错了，詹诺夫。五姐妹和赛协尔行星的距离不算远，所以看起来才会那么明亮。由于这个缘故，其中四颗具有高度的‘自行’，而它们又分属不同的星族，因此自行的方向各不相同。我将星图的时间慢慢往回调，你看看会发生什么事。”

代表盖娅的小红圈依然保持原来的位置，正五边形却渐渐分开，其中一颗缓缓挪动，其他四颗则向不同的方向迅速飘移。

“注意看，詹诺夫。”崔维兹说，“你还能说它是正五边形吗？”

“显然一边大一边小。”裴洛拉特答道。

“盖娅还在正中央吗？”

“不，偏到一边去了。”

“很好。这是一百五十年前，那五颗星所呈现的形状，只不过距今一个半世纪而已。你收到的那份资料，其中有‘五边形之心’之类的描述，在本世纪之前，这些说法在任何地方都没有意义，甚至赛协尔也不例外。你收到的那份资料必定源自赛协尔，而且还是本世纪的产物，甚至有可能不到十年的历史。虽然赛协尔对盖娅守口如瓶，你却能无意中获得那份资料。”

崔维兹把灯打开，并关掉星图的显像，然后他坐在原处，以凌厉的目光瞪着裴洛拉特。

裴洛拉特说：“我被你搞糊涂了，这究竟是怎么回事？”

“你自己说吧。想想看！不久以前，不知怎么搞的，我忽然想到第二基地依旧存在。那时我在竞选议员，正准备作一场竞选演说。为了吸收游离选票，我故作惊人之语，说了些诉诸情感的题外话：‘万一第二基地仍旧存在……’当天稍后，我独自寻思：这件事有没有可能是真的？于是我开始阅读相关的历史书籍，不到一个星期，我就说服了自己。纵使没有什么真凭实据，但是长久以来，我总是感到自己拥有一种奇妙的本能，能从纷乱的臆测中撷取正确的结论。这一次，虽然……”

崔维兹沉思了一下，然后继续说：“看看接下来发生了什么事。世上的人那么多，我偏偏对康普推心置腹，最后被他给出卖了。结果布拉诺市长逮捕了我，又把我放逐到太空中。可是她为何选择放逐，而不是干脆将我囚禁，或是试着威胁我住口？又为什么给我一艘最新型的太空艇，让我能在银河中进行不可思议的跃迁？更奇怪的是，她为什么坚持要我带你同行，并建议我帮助你寻找地球？

“而我自己，又为何那么肯定我们不该去川陀？对于我们的探索计划，我确信你心中有个更好的目标，而你立刻就提到盖娅这个神秘世界。如今事实证明，你的资料来源近乎一个谜。

“我们来到赛协尔——这是理所当然的第一站——竟然立刻碰到康普。他主动对我们说了一段地球的兴亡史，然后向我们保证，地球位于天狼星区，并且怂恿我们到那里去。”

裴洛拉特道：“你矛盾了。照你这么说，好像所有的情势都在促使我们前往盖娅，可是你自己也说，康普试图说服我们到别处去。”

“冲着他那句话，我就决心维持我们原先的调查路线，因为我再也不相信这个人。你难道没有想到，这也许正是他期望的结果吗？他可能是故意劝我们到别处去，目的则是希望我们不要离开。”

“那只是你的幻想。”裴洛拉特嘀咕道。

“是吗？让我们继续推敲下去。我们去找昆特瑟兹，只因为他刚好就在附近……”

“并不尽然，”裴洛拉特说，“我记得他的名字。”

“你只是觉得那名字眼熟。你从来没有读过他写的任何东西，至少你不记得了。你为何还会觉得眼熟呢？反之，他刚巧读过你的一篇论文，而且对它万分倾倒。这样的机会到底有多大？你自己也承认，你的研究工作并不怎么出名。

“还有呢，那个带我们去见他的妙龄女郎，也无缘无故跟我们提到盖娅，还告诉我们它在超空间里，好像一定要让我们牢记在心。当我们向昆特瑟兹问起盖娅的时候，他表现得好像不愿意谈，但是并没有把我们轰出去——即使我对他很不客气。他反而把我们带到他家里，而且半路上还不厌其烦地指出五姐妹。他甚至特别提到中央那颗暗星，生怕我们没注意到。为什么呢？这一切，难道不是一连串异常的巧合吗？”

裴洛拉特说：“如果你这么铺陈……”

“随便你喜欢怎么铺陈都行。”崔维兹说，“我就是不信能有这么一连串异常的巧合。”

“那么，这一切又有什么特别的意义呢？有人暗中策动我们前往盖娅？”

“没错。”

“是谁？”

崔维兹说：“这个问题根本不必问。谁有能力调整他人的心灵？谁能悄悄改变他人的心意？谁又有办法转移各种事件的发展方向？”

“你是在告诉我，正是第二基地干的。”

“嗯，我们听说的盖娅是个怎样的世界？它是招惹不得的。进攻它的舰队一律全军覆没，到过那里的人通通有去无回，就连骡都不敢与它为敌。事实上，骡有可能就是那里出生的。我当然认为盖娅正是第二基地，而寻找第二基地，毕竟是我的最终目标。”

裴洛拉特又摇了摇头。“可是根据某些历史学家的说法，骡正是被第二基地制伏的。他怎么可能是其中的一分子？”

“我猜，他是叛徒吧。”

“可是第二基地为何又处心积虑，策动我们前往他们的大本营呢？”

崔维兹的目光没有焦点，眉头也深锁起来。他回答说：“让我们来推理一番。第二基地似乎一直遵奉一个信条，就是对自身的一切尽量保密。最理想的情况，是银河中无人知晓他们的存在，这点我们可以肯定。过去一百二十年来，大家都认为第二基地已经灭绝，而这必定彻底符合他们的理想。但是，当我开始怀疑他们仍旧存在时，他们却毫无反应。康普知道这件事，而他们本来可以透过他，用各种方法让我闭嘴，甚至将我杀害。可是他们毫无反应。”

裴洛拉特说：“他们害你遭到逮捕，这笔账可以记到第二基地头上。根据你的说法，这就导致端点星的民众无法知晓你的看法。第二基地的人没有动用武力，就达到了这个重大目的，他们可以说绝对信奉塞佛·哈定的名言：‘武力是无能者最后的手段’。”

“可是掩住端点星民众的耳目并没有意义，布拉诺市长已经知道我的看法，而且，至少会怀疑我可能是对的。所以现在，你看，他们要伤害我都已经太迟了。如果他们一开始就把我铲除，谁都不会怀疑到他们头上。如果他们一直不碰我，或许也不会受到任何怀疑，因为他们能设法使端点星上每一个人，都相信我是怪人，甚至可能是个疯子。我一旦了解到，如果将自己的信念公诸于世，会立刻毁掉自己的政治前途，那我大概就会被迫闭嘴。

“可是如今，他们做什么都太迟了。布拉诺市长已经对情势相当起疑，才会派康普来跟踪我。她特地在康普的太空艇上装了超波中继器，因为她并不信任康普，这点可比我要聪明。因此，她知道我们到了赛协尔。昨晚你入睡后，我叫电脑送出一道电讯，直接传到基地驻赛协尔大使的电脑。我说我们正在飞往盖娅途中，甚至连盖娅的坐标也一并附上。假使第二基地现在对我们采取任何行动，我确定布拉诺会追查到底。而吸引基地的注意，则是他们绝对不愿见到的事。”

“如果他们那么厉害，还会在乎是否吸引基地的注意吗？”

“会的。”崔维兹斩钉截铁地说，“他们始终躲躲藏藏，一定是因为他们某些方面仍旧薄弱，而基地的科技又太过先进，甚至可能超出谢顿的预料。他们用那么委婉，甚至鬼祟的手段，设法把我们弄到他们的世界，似乎代表他们不愿作出任何引人注目的举动。果真如此，就等于他们已经输了，至少输了一部分，因为他们早已引起注意。我不信他们还有什么办法能扭转这个局势。”

裴洛拉特说："但是他们为什么这样做呢？如果你的分析正确，他们大老远把我们引诱到银河这一端来，不是等于自取灭亡吗？他们想从我们这里得到些什么？"

崔维兹瞪着裴洛拉特，一张脸涨得通红。"詹诺夫，"他说，"我对这件事有个感觉。我具有一种特殊天赋，能够从趋近于零的线索中，推敲出正确的结论。当我的想法正确时，心中会出现一种信念，而我现在就有这种自信。他们的确想从我身上得到些什么，而且亟需得到，这才会甘冒曝光的危险进行一切。我不知道他们究竟想要什么，但我一定要找出来，因为如果我真有什么异能，而且又是威力无穷，我希望自己能善加运用，只用在我认为正确的事情上。"他微微耸了耸肩，"既然你晓得了我是个多么疯狂的人，老朋友，你还要跟我一道去吗？"

裴洛拉特答道："我告诉过你，我对你有信心，现在我仍然这么想。"

崔维兹大大松了一口气，忍不住哈哈大笑。"好极了！因为我还有一个感觉，就是你在整个事件中也扮演一个重要角色。既然这样，詹诺夫，我们就全速航向盖娅。前进！"

02

赫拉·布拉诺市长看来绝不只六十二岁。她并非总是显得那么苍老，但今天正是如此。由于心事重重，刚才走进地图室的时候，她忘记避开可恶的镜子，跟自己的影像打了一个照面。所以说，她晓得自己的形容变得多么憔悴枯槁。

她长叹一声，这份差事能把一个人耗得油尽灯枯。她已经担任五年的市长，而在此之前的十二个年头，她躲在两个傀儡市长身后，其实早已大权在握。十七年来，一切都很平静，一切都很成功，一切都——很累人。顺顺利利尚且如此，假如是疲累、挫败和霉运的组合，她实在难以想象。

她突然间领悟到，自己的运气的确还不坏。但一想到自己只能随波逐流，不能有什么大作为，这个可怕的想法就会令她万念俱灰。

谢顿计划一向相当成功，而第二基地会确保它今后继续一帆风顺。她身为基地的伟大舵手（正式的名称是“第一”基地，但在端点星上，从来没人想到加上这个形容词），只能算是躬逢其盛罢了。

历史将不会记得她这个人，顶多只是一笔带过。她就像坐在一艘太空船的驾驶舱中，但太空船实际上是由外界遥控。

就连茵德布尔三世都做了一点事，基地是在他掌权之际，陷落于骡手中。至少，他导致了基地的短暂覆亡。

可是后人回顾历史，会说布拉诺市长什么都没做！

除非这个葛兰·崔维兹，这名莽撞的议员，这根避雷针，替她扭转乾坤……

她若有所思地凝视着地图。这套地图并非新型电脑所产生的那种，而是一团三维激光阵列投射在半空中的银河全息图。虽然它无法移动、旋转、扩张、收缩，使用者却可以四处走动，从不同的角度观察这个模型。

她按下一个开关，银河就有一大片变成红色（如果不算“无生命地带”的核心区域，差不多占了整体的三分之一）。这个红色区域代表基地联邦，总共涵盖超过七百万个住人世界，全都在“议会”与她自己的统治下。这七百多万个世界也都各自选出代表，组成一个庞大的“行星议院”，成天争论一些鸡毛蒜皮的小事，然后郑重其事地表决，却从来没有机会处理任何重大议题。

她又按了一下开关，联邦边缘各处便冒出许多粉红色。这代表影响力的范围！那些区域并非基地疆域，但它们虽然名义上是独立的，却连做梦也不敢反对基地的任何行动。

她心中百分之百确定，银河中没有任何势力能与基地抗衡（甚至第二基地亦然，只可惜找不到它），基地可以随心所欲派出最精良的星际舰队，轻而易举建立起第二帝国。

可是谢顿计划执行至今，只过了五个世纪而已。根据这个计划，必须历经十个世纪的准备期，第二帝国方能建立，而第二基地会确保谢顿计划正确执行。市长满面愁容地摇了摇头，牵动了满头灰发。如果现在就采取行动，基地无论如何都会失败。虽然基地舰队无坚不摧，仍旧无法避免失败的命运。

除非崔维兹这根避雷针，能够吸引第二基地发出的闪电，如此就能设法追踪闪电的来源。

她四下张望，柯代尔在哪里？在这个节骨眼，他实在不该迟到。

柯代尔仿佛感应到她的召唤，大摇大摆走了进来。他从来没有显得如此慈祥和蔼，脸上带着愉快的笑容，配上两撇灰白的胡子与晒黑的皮肤。虽说慈祥和蔼，他并不算老，事实上，他比她足足年轻八岁。

他怎么一点倦容都没有？当了十五年的安全局局长，竟然不曾在他脸上留下任何痕迹？

03

柯代尔恭谨地缓缓点了点头，这是与市长进行讨论之前的必要礼节。这类规矩是茵德布尔家族传下来的陋习，如今一切几乎皆已改变，唯独礼仪规范是唯一的例外。

他说："抱歉我来迟了，市长。不过你逮捕崔维兹那件事，麻木的议会终于开始有反应了。"

"哦？"市长以冷静的口气答道，"快要爆发宫廷革命了吗？"

"门都没有，一切都在我们控制之下，只是将会有些聒噪。"

"让他们去聒噪吧，那会使他们觉得舒服一点，而我——我将置身事外。我猜想，我可以诉诸民意的支持吧？"

"我想没问题，尤其是端点星以外的世界。出了端点星，没有人会关心一名失踪议员的下落。"

"可是我关心。"

"啊？又有消息了？"

"里奥诺，"市长说，"我想知道赛协尔的详情。"

"我可不是长了腿的历史课本。"里奥诺·柯代尔带着微笑答道。

"我不要听历史，我要知道事实。为什么赛协尔是独立的？你看。"她指着全息地图的红色部分，在旋臂的内圈深处，有一块被团团围住的白色区域。

布拉诺说："我们几乎把它完全封死，几乎吞没了它，但它仍是白色的。根据我们的地图，它甚至不是粉红色的忠诚盟邦。"

柯代尔耸了耸肩。"虽然并非正式的忠诚盟邦，它从来不招惹我们，一直是中立的。"

"好吧，那你再看看这个。"她又按了一下开关，红色区域突然扩大许多，几乎涵盖了半壁银河。"这是骡死亡之际，"布拉诺市长说，"他所控制的领域。如果你向红色区域里面望去，就会发现赛协尔联盟那时完全遭到包围，但仍然是白色的。它是骡唯一放过的包围区域。"

"它当时也是中立的。"

"骡可不怎么尊重中立。"

"对赛协尔，他似乎破了例。"

"似乎破了例，赛协尔有什么本事？"

柯代尔答道："什么都没有！相信我，市长，只要我们想要它，它随时是我们的。"

"是吗？但事实上它并不是我们的。"

"还没有这个需要。"

布拉诺上身靠向椅背，手臂轻轻扫过开关，关上了银河地图。"我想现在我们得要它了。"

"我没听懂，市长？"

"里奥诺，我把那个笨蛋议员送到太空，是要他当一根避雷针。我觉得第二基地会被他唬到，会认为他是相当危险的人物，甚至比基地更加危险。他注定会遭到雷击，而我们就能找出雷电的源头。"

"这个我懂，市长！"

"我本来的打算，是要他前往川陀那个废墟，到那座图书馆去翻箱倒柜一番，设法寻找地球的下落。你应该记得，那些无聊的玄学家常常强调，地球就是人类起源之处。他们说得头头是道，虽然那几乎不可能是真的。第二基地不会相信他要找的真是地球，因此必定会采取行动，查出他的真正目标。”

“可是他并没有去川陀。”

“没错，出乎我意料之外，他竟然跑到赛协尔去了。为什么呢？”

“我不知道。但是请原谅我这只老猎犬，我的职责就是怀疑每一件事，所以请告诉我，你是怎样获悉他和那个裴洛拉特去了赛协尔。我知道康普曾经作过报告，但是我们又能信任康普几分？”

“那个超波中继器告诉我们，康普的太空艇确实降落在赛协尔行星。”

“这点毫无疑问，但你怎么知道崔维兹和裴洛拉特也在那里？康普飞往赛协尔可能另有原因，他也许并不知道，或者根本不关心另外两人的下落。”

“事实上，驻赛协尔大使已经通知我们，崔维兹和裴洛拉特的太空艇抵达了赛协尔，我可不信那艘太空艇会自动飞去。此外康普在报告中说，他跟他们交谈过，即使他不值得信任，我们还有他们两人到了赛协尔大学的目击报告，他们去那里拜访一个名不见经传的历史学家。”

“这些报告，”柯代尔以温和的口气说，“我全部没有收到。”

布拉诺嗤之以鼻。“别吃味了。这些报告都由我亲自处理，而且我这就在知会你，并没有延误多少时间。最新的一则消息，是大使刚刚送来的，我们的避雷针又上路了。他在赛协尔行星待了两天，然后就离开了。他告诉大使，他要航向另一个行星系，该处距离赛协尔约十秒差距。他还把目的地的名称和银河坐标传给了大使，大使又转来给我们。”

“康普有没有证实这些事？”

“大使向我们报告这件事之前，康普就报告了同样的消息。当时康普还不确定崔维兹要去哪里，想必他会继续跟踪。”

柯代尔说：“我们还不清楚变故的前因后果。”他将一颗含片丢进嘴里，若有所思地吮着，“为什么崔维兹要去赛协尔？为什么又会离开？”

“我最感兴趣的问题则是‘何处’，崔维兹要去哪里？”

“你刚才不是说过了吗，市长，他把目的地的名称和坐标都给了大使。你是在暗示他对大使说谎？或是大使欺骗了我们？”

“即使假设人人都说实话，而且没有任何无心之失，那个名称也令我感到好奇。崔维兹告诉大使说他要去盖娅，盖子的‘盖’，女字旁的‘娅’，崔维兹特别强调了一遍。”

柯代尔说：“盖娅？我从未听说过。”

“是吗？这并不奇怪。”布拉诺向刚才呈现显像地图的位置指了指，“从这个房间的地图中，理论上，我随时能叫出每一颗拥有住人世界的恒星，以及虽然没有住人行星系，本身却十分显著的星体。只要我操作得当，总共可以标示出超过三千万颗——包括独立的、成对的、挤成一团的。我可以标出五种不同的色彩，或是一个一个来，或是一次全部解决。可是，我无法在其中找到盖娅的位置。在这套地图中，盖娅根本不存在。”

柯代尔说：“这套地图显示的恒星，只占银河中总数的万分之一。”

“话是不错，可是那些未显示出来的恒星，周围都没有住人行星。崔维兹为何要去一颗无人行星呢？”

“你有没有试过中央电脑？它将银河的三千亿颗恒星通通收录了。”

“我也是这么听说的，但是能信吗？你我两人知道得非常清楚，我们的任何一套地图，都漏掉了数千颗住人行星——不只是这个房间里的地图，中央电脑的资料也一样。盖娅显然就是其中之一。”

柯代尔的口气冷静依旧，甚至有点像在哄小孩子。“市长，八成没什么好操心的。崔维兹或许只是瞎闯一番，也可能是故意要骗我们，其实根本没有一颗叫盖娅的星星，他给我们的坐标上其实什么都没有。他这样做只是为了摆脱我们，既然他跟康普碰过面，或许已经猜到自己被跟踪了。”

“这样做如何能摆脱我们？康普当然会跟踪下去。不，里奥诺，我心中另有一个想法，我们很可能会有更大的麻烦。听我说——”

她顿了顿，然后说：“这个房间完全屏蔽，里奥诺，你要了解这一点。我们不会被任何人窃听，所以请你畅所欲言，我自己也会这么做。

“如果我们相信那些情报，这个盖娅距离赛协尔行星只有十秒差距，因此是赛协尔联盟的一部分。在整个银河中，赛协尔联盟算是经过充分探勘的区域。其中所有的行星系，不论有没有住人，都有详细的记录，而住人世界的资料更是巨细无遗。只有盖娅是唯一的例外，姑且不论是否有人居住，总之没有任何人听说过，也没有任何地图收录它。此外，赛协尔联盟对基地联邦保持着奇特的独立状态，甚至对当年的骡也维持独立。自从银河帝国崩溃之后，它就一直是独立的。”

“这些又有何相干？”柯代尔谨慎地问道。

“我讲的这两点一定有关联。赛协尔包容一个无人知晓的行星系，而赛协尔是个碰不得的地方，这两点不可能没有牵连。盖娅不论是怎样的世界，都把自己保护得很周密。除了近邻，它绝不让外界知晓自身的存在。而且它一直在保护这些近邻，令外人无法征服。”

“你是在告诉我，市长，盖娅正是第二基地的大本营？”

“我是在告诉你，盖娅值得好好调查一番。”

“我能否提出一个怪问题，或许是你的理论不容易解释的。”

“请说。”

“如果盖娅正是第二基地，又如果数个世纪以来，它一直成功地抵御外界的入侵，并且保护整个赛协尔，把那个联盟当做广阔深厚的防护盾，又如果，它始终避免让自身的行藏泄露到银河各处——那么，这些保护网为何突然通通消失？崔维兹和裴洛拉特离开端点星之后，虽然你建议他们到川陀去，他们却毫不迟疑地立刻前往赛协尔，如今又转向盖娅。更何况，你自己也能想到并怀疑盖娅。为什么你不会被某种外力阻止呢？”

布拉诺市长低下头来，灰白的发丝在灯光下闪着黯淡的光芒。沉默良久之后，她终于答道：“我想，是因为崔维兹议员无意中搅乱了这个局面。他曾经做过的，或者正在进行的什么事，在某方面危及了谢顿计划。”

“这绝对不可能，市长。”

“我认为没有任何事或任何人是十全十美的，甚至哈里·谢顿也并非完美无缺。谢顿计划某处必定存在缺陷，刚好给崔维兹撞上了，也许连他自己都不晓得。我们必须了解到底是怎么回事，因此必须到现场去。”

柯代尔终于显得面色凝重。“千万别自作主张，市长。我们尚未深思熟虑，不可贸然采取行动。”

“别把我当成白痴，里奥诺，我并不想发动战争，也不是要派远征军去登陆盖娅。我只是要亲临现场，或说尽量接近那里。里奥诺，帮我个忙。我不喜欢跟军部的人打交道，经过一百二十年的和平岁月，那些人一定都变得迂腐不堪，可是你好像并不在乎。你帮我查查，我们有多少战舰布署在赛协尔附近，能否让它们看起来像是例行调防，避免对方发现我们正在动员？”

“在如今的太平盛世，我确定附近不会有太多战舰，但我会帮你查出来。”

“即使两三艘也足够了，如果其中有‘超新星级’就再好不过。”

“你打算要它们做什么？”

“我要它们尽可能向赛协尔推进，但不可引发任何事端。我还要它们彼此足够接近，以便相互支援。”

“这样做到底是为什么？”

“机动运用，我要在必要时能立刻发动攻击。”

“对抗第二基地？如果盖娅能让骡都退避三舍，当然不会把几艘战舰放在眼里。”

布拉诺眼中射出炽烈的斗志，她说：“老朋友，我刚才说过，没有哪件事或哪个人是完美的，就连哈里·谢顿都不例外。他在拟定那个千年计划时，绝对无法超越当时的格局。他是垂死的帝国所培养出来的数学家，当年所有的科技皆已奄奄一息，因而在他的计划中，无法充分考虑未来科技的进展。比如说，重力子学就是一门崭新的科技，当时他不可能预料得到。此外，我们在其他方面也突飞猛进。”

“盖娅也可能一直在进步。”

“在闭门造车的情况下？得了吧。基地联邦总共拥有千兆人口，这才能够集思广益，使各种科技获得长足的进展，一个孤立的世界怎能相提并论。我们的战舰将向前推进，而我要一起去。”

“对不起，市长，你说什么？”

“我要亲自登上集结在赛协尔边境的战舰，我想亲眼观察实际状况。”

柯代尔张着嘴一阵子，然后咽了咽口水，喉咙发出一声怪响。“市长，那是——不智之举。”为了强调自己的观点，他显然已极尽所能。

“不管是否明智，”布拉诺以激昂的语气说，“我都要这么做。我已经对端点星厌烦透顶，恨透了这里无止无休的政治斗争、派系对抗、合纵连横以及背叛出卖。我在政治漩涡中心已有十七年之久，现在我想要干点别的，什么都好。而在那里，”她挥手随便指了一个方向，“整个银河的历史也许将被改写，我要亲自参与这件盛事。”

“你对这种事根本一窍不通，市长。”

“谁又通呢，里奥诺？”她站了起来，动作有些僵硬。“一旦你帮我把那些战舰的资料找来，一旦我能把此地的糊涂账交代清楚，我就即刻起程。还有，里奥诺，别试图用任何方法改变我的心意，否则我会把老交情一笔勾销，将你撤职处分。这点至少我还做得到。”

柯代尔点了点头。“我知道你做得到，市长，但在你下决心之前，能否请你再考虑一下谢顿计划的威力？你打算做的也许是自取灭亡。”

“这点我倒并不害怕，里奥诺。谢顿计划没有料到骡的出现，有一就有二，既然它的计算曾经失误，就有可能再度失灵。”

柯代尔叹了一口气。“好吧，如果你真的心意已决，我就只好忠心耿耿地全力以赴了。”

“很好。我再警告你一次，你这句话最好真正出自肺腑。牢记这一点，里奥诺，我们向盖娅进发吧。前进！”

第十五章

盖娅之阳

01

一艘旧式的小型太空船，在太空中谨慎地跃迁许多秒差距，载着史陀·坚迪柏与苏拉·诺微朝向目的地前进。

诺微正走进驾驶舱。她显然刚从袖珍盥洗室出来，利用油脂、暖空气与最少量的水洗了一个澡。她身上裹着一件浴袍，双手紧紧抓牢，生怕多露出一寸肌肤。她的头发已经干了，但纠缠成乱糟糟的一团。

她低声唤道："师傅？"

正埋首于电脑与航线图的坚迪柏抬起头来。"什么事，诺微？"

"恳请师傅恕罪……"她忽然打住，又慢慢地说，"请原谅我打扰你，师傅，"然后她又说溜了嘴，"但我系为遗失衣物所苦。"

"你的衣服？"坚迪柏茫然地望着她一阵子，然后才站起来，露出自责的神情。"诺微，是我忘记了。那些衣服需要洗了，现在都在洗衣器中，已经洗净、烘干、叠好，一切处理完毕。我应该把它们拿出来，放到一眼就看得见的地方，可是我忘了。"

"我并不想要……要……"她低下头来，"惹你生气。"

"你没有惹我生气。"坚迪柏高高兴兴地说，"听好，办完这件事之后，我保证会替你张罗一大堆衣服——不但都是新的，而且是最流行的款式。我们走得太匆促，我竟然没想到多带几件换洗衣物。可是说实在的，诺微，现在只有我们两个人，我们将在这个小空间共处一段日子，所以不必……不必……太过在意……那个……"他做了一个含糊的手势，马上发觉她眼中露出惧色，于是想到：嗯，她毕竟只是个乡下姑娘，心中自有一套规范；也许并非所有不合礼数的事全部反对，但衣服是一定要穿的。

他突然感到羞愧不已，同时庆幸她并不是"学者"，无法感知他的想法。他连忙说："要我替你把衣服拿来吗？"

“喔，不要，师傅。这不系你做的事，我知道衣物在哪里。”

当她再度出现时，全身上下都穿戴整齐，头发也梳好了。她带着羞答答的神情说：“我感到羞愧，师傅，我竟然表现……得这么不识大体。我应该自己把衣物找到。”

“没关系。”坚迪柏说，“你的银河标准语说得非常好了，诺微，学者的语言你学得非常快。”

诺微突然微微一笑。她的牙齿不怎么整齐，但在他的赞美下，她显得分外容光焕发，脸蛋也有几分甜美，牙齿的缺陷也就不算什么了，坚迪柏这么想。他告诉自己，正是由于这个原因，所以自己挺喜欢赞美她。

“可是当我回家之后，阿姆人会轻视我。”她说，“他们会说我系……是一个咬文嚼字的人，他们总是这样叫那些说话……古怪的人，他们不喜欢那样子。”

“我相信你不会再回到阿姆世界去了，诺微。”坚迪柏说，“我确定你能继续留在银河大学，跟学者们住在一起。我是说，当这件事结束之后。”

“我喜欢这样，师傅。”

“我想，你大概不会愿意称我‘坚迪柏发言者’，或者光是……”他突然看到她露出坚决的表情，像是反对什么大逆不道的行为，于是赶紧说，“对，我知道你不会的，算了。”

“那样做不合宜，师傅。但我能否请问，这件事何时才会结束？”

坚迪柏摇了摇头。“我也不大清楚。目前我必须做的，是尽快前往某个特定地点。这艘太空船的状况虽然极佳，可是仍嫌太慢，即使‘尽快’也快不到哪里去。你看，”他指着电脑与航线图，“我必须计算出跨越广阔太空的航道，但是电脑能力有限，而我也不怎么熟练。”

“是不是因为有危险，所以你必须尽快赶去，师傅？”

“你怎么会想到有危险呢，诺微？”

“因为有时候我认为你没看到我，那时我看着你，你的脸看起来……我不知道怎么说。不是惊吓——我的意思是，不是害怕——也不是期待什么坏事。”

“那叫忧虑。”坚迪柏喃喃道。

“你看起来好像——挂心。这样说对吗？”

“视情况而定。你所谓的挂心是什么意思，诺微？”

“我的意思是，你看起来好像在自言自语：‘在这件大麻烦中，我下一步应该怎么办？’”

坚迪柏显得相当震惊。“那的确是‘挂心’，可是你能从我脸上看出来吗，诺微？在学者之地的时候，我一向极为小心，不让任何人从我脸上看出任何事。但我的确曾经想到，如今独处在太空中，只有你在一旁，我可以松懈一下。就像一个人回到寝室，会穿着内衣裤行动一样——对不起，这样说害你脸红了。我想要说的是，如果你的感知力那么强，今后我就得更加谨慎。我经常需要重温一个教训：即使不懂精神力学的人，也能作出极佳的猜测。”

诺微现出茫然的表情。“我不懂，师傅。”

“我是在对我自己说话，诺微，你不必挂心——瞧，我也用到这个字眼了。”

“到底有没有危险呢？”

“诺微，的确有个问题尚待解决。我不知道到达赛协尔之后，我会碰上些什么——赛协尔就是我们要去的地方。到了那里之后，我也许会遇到很棘手的情况。”

“是否表示会有危险呢？”

“不会，因为我有能力应付。”

“你又怎么知道呢？”

“因为我是一位……学者，而且是最棒的一位，银河中没有我应付不了的事。”

“师傅，”诺微面容扭曲，好像极为苦恼的样子，“我不希望令你冒犯——我是说冒犯你——而惹你生气。我曾经亲眼看到那个笨瓜鲁菲南为难你，当时你就身处险境，而他只是一个阿姆农夫。现在我不知道有什么在等待你，你自己也不知道。”

坚迪柏感到十分无奈。“你害怕吗，诺微？”

“不是为我自己，师傅。我怕——我感到害怕——是为了你。”

“你可以说‘我怕’，”坚迪柏喃喃地说，“那也是正确的银河标准语。”

他沉思了一阵子，然后抬起头来，抓住了苏拉·诺微粗糙的双手，对她说："诺微，我不要你为任何事感到害怕。我来解释一下，你知道如何从我的表情看出有危险——或说可能有危险，有点像是能看透我的心思，对不对？"

"嗯？"

"我看透他人心思的本事，比你还要高强。这就是学者的本事之一，而我是一名极优秀的学者。"

诺微睁大眼睛，双手赶紧抽了回去，似乎连呼吸都屏住了。"你能看透我的心思？"

坚迪柏连忙举起一根指头。"没有，诺微。除非有必要，我不会窥视你的心思，我真的不会窥视你的心思。"

他心里明白，严格说来自己是在撒谎。跟苏拉·诺微相处在一起，多少总会察觉到她大概在想什么，就连普通人也几乎做得到。坚迪柏觉得自己差点要面红耳赤。虽然只是个阿姆女子，她这种态度也会令人飘飘然。但即使是基于人与人之间的关怀，也该让她安心……

他继续说："我还能改变别人的想法，能让别人感到痛苦，能……"

诺微却一直摇头。"师傅，你怎能做到这些呢？鲁菲南……"

"别再提鲁菲南了。"坚迪柏急躁起来，"我可以在一瞬间制住他，我可以叫他在地上乱爬，我可以让所有的阿姆人……"他突然煞住，对自己这种言行感到不屑。为了说服这个乡下女子，他竟然这样自吹自擂。这时，她仍旧不停摇头。

"师傅，"她说，"你这么讲是想让我别害怕，但我害怕只是为了你，所以你不必这样做。我知道你是个伟大的学者，可以让这艘船一路飞过太空。在我看来，不论是谁到了太空，除了迷路之外一无是处——我的意思是一事无成。而且你会使用我不懂的机器——其实没有一个阿姆人懂得。但是你不用告诉我那些心灵力量，那当然是不可能的，因为你声称能对鲁菲南做的事，你一样都没有做到，当时你却身处险境。"

坚迪柏紧紧抿起嘴唇。就这样吧，他想。如果这个女子坚持并非她自己害怕，那又何妨。但他不愿被她看成懦夫和吹牛大王，总之就是不愿意。

于是他道："若说我没有对付鲁菲南，实在是因为我不愿意那样做。我们学者绝不能对阿姆人造成任何伤害，我们是你们那个世界的客人。这点你了解吗？”

“你们是我们的主人，我们一直都是这么说的。”

坚迪柏总算稍加释怀。“那么，这个鲁菲南又为何会攻击我？”

“我不知道，”她答得很干脆，“我想连他自己也不知道。他一定是理智出走，喔，失去了理智。”

坚迪柏咕哝道：“不论在任何情况下，我们都不会加害阿姆人。如果我为了阻止他，而被迫——伤害他，其他学者就会瞧不起我，我还可能因此被解除职位。但是为了避免自己受到重创，我也许不得不略施一点手段——尽可能小的手段。”

诺微垂头丧气。“那么，我根本不用像个大傻瓜一样冲出来。”

“你做得完全正确，”坚迪柏说，“我刚才说过，如果我伤害他，将会造成不良后果。是你替我免去这个麻烦，是你阻止了他。这等于帮了我一个大忙，我心中一直感激万分。”

她又展现了笑容——充满喜悦的笑容。“我懂了，怪不得你会对我这么好。”

“我当然很感激你，”坚迪柏的对答显得有些慌乱，“但最重要的是，你必须了解我不会有任何危险。我可以对付一大群普通人，任何学者都办得到，地位高的学者更是轻而易举。而我告诉过你，我是其中的佼佼者。放眼当今银河，没有任何人能与我为敌。”

“只要你这么讲，师傅，我就绝对相信。”

“我的确这么讲。好了，现在你还为我感到害怕吗？”

“不会了，师傅，只不过……师傅，是不是只有我们的学者才能看穿心灵？在别的地方，有没有别的学者能和你对抗？”

坚迪柏突然吓了一大跳。这女子的确拥有惊人的洞察力。

现在不得不撒个谎，因此他说：“完全没有。”

“可是天上的星星那么多。我曾经试着数过，怎么数都数不清。如果有人住的世界和星星一样多，难道别的世界都没有学者吗？我的意思是，除了我们那个世界的学者之外？”

“没有了。”

“万一有呢？”

"那么，他们也不会像我这么厉害。"

"如果他们趁你尚未发觉之前，突然向你偷袭呢？"

"他们办不到。若有任何陌生学者接近，我会立刻察觉。早在他对我不利之前，我就已经知道了。"

"你跑得掉吗？"

"我根本不需要跑。"他马上料到她不会接受这句话，"反正，我很快就要登上一艘新的太空船，是全银河最优秀的一艘。假如我必须跑，他们也不可能抓得到我。"

"他们会不会改变你的思想，让你留下来？"

"不会的。"

"他们可能人多势众，而你只有一个人。"

"只要他们一出现，我立刻就能察觉，可以马上离开，他们绝对想象不到我的反应会那么快。然后我们整个世界的学者会联手对付他们，他们一定抵挡不了。而他们想必了解这种结果，所以不敢对我怎么样。事实上，他们根本不希望我发现他们的踪迹，但我会做到的。"

"因为你比他们棒很多吗？"诺微问道，她脸上还闪着一种迟疑的骄傲。

坚迪柏不禁肃然起敬。她天生的智慧与敏捷的领悟力，都令他感到与她相处是一大乐事。那个口蜜腹剑的怪物黛洛拉·德拉米发言者，当初逼他带着这个阿姆农妇同行的时候，绝对想不到是帮了他一个天大的忙。

他答道："不，诺微，并不是因为我比他们棒，虽然这也是事实，而是因为有你在我身边。"

"我？"

"就是你，诺微。你曾经猜到这一点吗？"

"从来没有，师傅，"她感到很困惑，"我又能做什么呢？"

"是你的心灵。"说到这里，他突然抬起手来，"我并没有透视你的思想。我只是观察你的心灵表层，它看起来极为平滑光润。"

她将手按在额头上。"因为我没有学问，师傅？因为我很笨吗？"

"不，亲爱的。"这个称呼脱口而出，"因为你很诚实，没有半点狡诈；因为你很纯朴，从不口是心非；因为你有一颗热情的心，还有……还有其他种种因素。假如别的学者发射任何力量，想要碰触我们的心灵——你我的心灵——你那光滑的心灵表面立刻会显出痕迹。我自己在尚未感到那股力量之前，就会先察觉那个痕迹，然后便能及时采取反击策略，也就是击退那股力量。”

他这番话讲完之后，两人维持了良久的沉默。坚迪柏注意到诺微眼中不只盈溢着喜悦，还掺杂着得意与骄傲。最后，她终于轻声说：“这就是你带我同行的原因？”

坚迪柏点了点头。“是的，这是一个重要的原因。”

她将声音压得更低，几乎接近耳语。“我要怎样做，才能尽量帮忙呢，师傅？”

他回答说：“保持冷静，不要害怕。只要……只要维持你原来的心境。”

她说：“我一定会这样做的。我要站在你和危险之间，就像上次挡住鲁菲南那样。”

说完她就离开了驾驶舱，坚迪柏目送着她的背影。

她真是个深不可测的女人。这么单纯的一个人，怎能包容如许的复杂度？在她光滑的心灵表层之下，蕴藏着巨大的智慧、悟性与勇气。他还能再要求什么？还有谁能给他更多？

此时，他心中又出现了苏拉·诺微的影像。她不是一名发言者，也不是第二基地分子，甚至没有受过正规教育。她面色凝重地站在他身旁，在即将上场的压轴戏中，扮演着一名不可或缺的配角。

但他现在还看不清楚其中的细节，还无法预料等待他们的是什么。

02

“只不过一次跃迁，”崔维兹喃喃地说，“它就遥遥在望了。”

“盖娅吗？”裴洛拉特一面问，一面抬头望向崔维兹身前的屏幕。

“盖娅的太阳。”崔维兹说，“为了避免混淆，你可以称它为‘盖娅之阳’。有些时候，银河地理学家会这么做的。”

“那么盖娅又在哪里呢？或者我们应该称它为‘盖娅行星’？”

“那颗行星称为盖娅就行了。然而，我们还无法看见盖娅。行星不像恒星那么容易观察，而且我们距离盖娅之阳还有一百微秒差距。请注意它只是一颗恒星，虽然相当明亮，但我们的距离仍旧太远，所以它看起来还不是圆盘状。可是不要直接瞪着它，詹诺夫，它的亮度还是足以损伤视网膜。等我作完观测之后，我会插进一片滤光镜，那时你爱怎么瞪着它都可以。”

“如果换算成神话学家懂得的单位，一百微秒差距等于多少呢，葛兰？”

“等于三十亿公里，大约是端点星距离端点之阳的二十倍。这么讲有点帮助吗？”

“帮助可大了。但我们不应该再凑近一点吗？”

“不行！”崔维兹抬起头，露出惊讶的表情，“现在还不可以。我们既然听说了有关盖娅的传闻，为何还要冒失？有胆量并不等于疯狂，让我们先来观察一番。”

“观察什么，葛兰？是你说的，我们还看不到盖娅。”

“肉眼当然还看不到。可是我们有望远显像仪，还有一台杰出的电脑，可以进行高速分析。我们当然可以先来研究盖娅之阳，或许还能再作些其他观测。放轻松吧，詹诺夫。”他伸出手来拍拍对方的肩膀，像个长辈一样。

顿了一下之后，崔维兹又说："盖娅之阳应该没有伴星，即使有，那颗伴星也非常遥远，远超过我们目前和它的距离。而且它顶多是红矮星，这表示我们根本不必顾虑。盖娅之阳是一颗G 4型恒星，代表它的行星很有可能适宜住人，这是个好现象。假使它的光谱型是A型或M型，我们现在就该向后转，没有必要再前进了。"

裴洛拉特说："也许我只是个神话学家，但我想请问，难道我们不能在赛协尔上，测量出盖娅之阳的光谱型吗？"

"当然可以，而且做过了，詹诺夫，但在近距离再做一次又有何妨。盖娅之阳拥有一个行星系，这点并不令人惊讶。目前可以看到两颗气态巨星，其中一颗又大又亮，除非电脑对距离的估计错误。在这颗恒星的另一侧，很可能还有一颗类似的行星，可是不容易侦测到，因为我们刚好相当接近行星轨道面，这纯粹是巧合。我还无法发现内围有些什么，这也是理所当然的事。"

"这样很糟吗？"

"并不尽然，我早就料到了。适宜住人的行星都是由岩石和金属构成，体积比气态巨星要小很多，而且都极为接近恒星，否则不可能有足够的温度。上述这两个条件，都使我们难以在这么远就观测到。这就代表说，若想探测盖娅之阳周围四微秒差距的区域，我们必须移到相当近的距离。"

"我准备好了。"

"我还没有，我们明天才要进行另一次跃迁。"

"为何等到明天？"

"有何不可？我们缓上一天，一来让他们出来抓我们，二来如果我们侦察到他们的踪迹，发现情况不妙，也许还能溜之大吉。"

03

第二天，崔维兹一丝不苟地指挥电脑工作，要它计算出数种前进航线，再试着从中选择一个最佳方案，整个过程缓慢而谨慎。由于缺乏精确数据，他只能凭借直觉行事，可惜直觉未能提供任何帮助。他时常体会到的“自信”，这回始终未曾出现。

最后，他终于将跃迁指令注入电脑，太空艇随即远离行星轨道面。

“这样我们就能有较佳的整体视野。”他说，“因为不论那些行星在轨道的哪一部分，我们都能取得它们和盖娅之阳的最大视距。而他们——不论他们是何方神圣——也许不会对轨道面以外的区域侦察得太仔细，至少我希望如此。”

目前他们距离盖娅之阳将近五亿公里，和那颗最内围、最庞大的气态巨星几乎相同。崔维兹将那颗行星以最大倍率显像在屏幕上，好让裴洛拉特尽情观赏一番。即使忽略周围三道稀疏而狭窄的碎石环，那仍是极其壮观的画面。

“它照例拥有一串卫星，”崔维兹说，“但它距离盖娅之阳这么远，因此所有的卫星都不适宜住人。而且，也没有哪颗卫星上有人类的踪迹，比方说在玻璃穹顶内，或是其他极端人工化的环境中。”

“你又怎么知道？”

“因为我们接收到的无线电杂讯，并不具备人工波源的特征。当然，”为了避免以偏概全，他补充道，“上面还是可能有科学观测站，只不过他们费尽心血将无线电讯号屏蔽起来，再加上气态巨星产生的无线电杂讯，便足以掩盖他们的踪迹。话说回来，我们的无线电接收装置极为灵敏，我们的电脑又非比寻常，所以我敢说，那些卫星上有人类居住的几率小得可怜。”

“这是否表示盖娅并不存在？”

“不，这表示盖娅即使存在，也没有在这些环境恶劣的卫星上殖民。也许是它没有能力，或者只是兴趣缺缺。”

“好吧，那么究竟有没有盖娅？”

“耐心点，詹诺夫，耐心点。”

崔维兹以近乎无穷无尽的耐心望着这片天宇沉思。但他终于停了下来，说道：“坦白讲，他们到现在还没有出来抓我们，可真有点令我灰心。照理说，如果他们拥有传说中的能耐，早该对我们有所反应了。”

“依我看，”裴洛拉特闷闷不乐，“整件事有可能只是一种幻想。”

“姑且称之为神话吧，詹诺夫，”崔维兹露出一抹苦笑，“这刚好合你的胃口。话说回来，还是有一颗行星位于天文生物圈内，这就代表它也许可以住人。我准备至少花一天时间观察它。”

“为什么？”

“原因之一，为了确定它是否适宜住人。”

“你刚才明明说它位于生物圈内，葛兰。”

“没错，此刻它的确在其中。但是它的轨道可能具有很大的离心率，也许有时距离恒星只有一微秒差距，也可能偶尔跑到十五微秒差距之外，或者两者都会发生。我们必须测定这颗行星和盖娅之阳的距离，再将这个距离和它的轨道速率相比，这将有助于了解它的运动方式。”

04

又过了一天。

“轨道接近圆形，”崔维兹终于找到答案，“这就表示适宜住人的可能性更大了。但直到目前为止，还是没有人出来抓我们，我们得试着再凑近一点。”

裴洛拉特问道：“准备一次跃迁为何要花那么长的时间？你只不过是要进行微跃罢了。”

"听听这人讲的什么话。微跃比普通的跃迁更难控制，你想想看，抓起一块石头和捡起一粒细沙，哪件事比较容易？此外，盖娅之阳就在附近，因此空间弯曲得厉害，即使对电脑而言，计算都会相当复杂。就算是神话学家，也该明白这层道理。"

裴洛拉特嘀咕了一阵子。

崔维兹又说："现在，你可以用肉眼看到那颗行星了。就在那里，看到没有？自转周期大约是二十二个银河标准小时，轴倾角十二度，简直就是可住人行星的教科书范例。而且，上面的确有生物存在。"

"你怎么知道？"

"因为大气层具有大量的自由氧。如果没有发展出繁茂的植物群落，不可能出现这种情形。"

"有没有智慧生物呢？"

"那就需要分析无线电波辐射了。当然，我想也或许有完全放弃科技的智慧生物，但是这种情形似乎非常不可能。"

"并非没有这种例子。"裴洛拉特说。

"我愿意相信你，好歹这是你的专长。然而，上面如果只有一些游牧民族，当年不太可能把骡吓跑。"

裴洛拉特又问："它有卫星吗？"

"的确有一颗。"崔维兹随口答道。

"多大？"裴洛拉特突然显得透不过气来。

"说不准，直径或许有一百公里吧。"

"乖乖。"裴洛拉特叹道，"我真希望脑袋多装几句更够味的感叹词，我亲爱的兄弟，可是本来的那么一点机会……"

"你的意思是，假如它有一颗巨型卫星，就可能是地球了？"

"没错，但它显然不是。"

"算啦，如果康普说得没错，地球根本不在这一带，它应该位于天狼星区。说真的，詹诺夫，我十分遗憾。"

"喔，谢了。"

"听着，我们先等一下，然后再冒险进行一次微跃。假如没有发现智慧生物的任何迹象，我们登陆就很安全——只不过这样一来，就根本没有必要登陆了，你说对不对？"

05

又做了一次微跃之后，崔维兹突然惊喜地大叫："好啦，詹诺夫。这就是盖娅，它起码拥有科技文明。"

"你能根据无线电波看出来吗？"

"我有更直接的证据。有个太空站环绕这颗行星，你看到没有？"

显像屏幕呈现出一个物体的影像，在外行的裴洛拉特看来，似乎没有什么特殊之处，但崔维兹却说："人工的，金属的，而且是个电波源。"

"我们现在该怎么做？"

"暂时不要轻举妄动。既然拥有这种科技水准，他们不可能没侦测到我们。如果一会儿之后，他们仍旧毫无动静，我就向他们发出一道无线电讯。假使他们依然没有反应，我就要步步为营地逼进。"

"万一他们真有反应，又该怎么办？"

"要看是什么样的反应。若是我不喜欢的反应，我就准备仰仗这艘太空艇的高超跃迁能力，我不相信他们有什么办法追得上我们。"

"你是说我们要溜掉？"

"就像超空间飞弹那样。"

"但这等于是空手而归。"

"乱讲。至少我们会知道盖娅的确存在，拥有实用的科技文明，而且故意把我们吓跑。"

"可是，葛兰，我们不要太容易被吓跑。"

"好啦，詹诺夫，我了解银河虽大，你却对地球情有独钟，愿意不计一切代价探寻它的下落。可是请你记住一件事，我可没有染上你那种偏执狂。我们是在一艘毫无武装的太空艇上，而下面那些人已经与世隔绝了好几世纪。如果他们从未听说过基地，不明白应该对这个名号肃然起敬；又如果这里正是第二基地，我们一旦落入他们手中，万一惹恼了他们，我们就再也不是原来的自己了。难道你希望他们掏空你的心灵，让你忘掉所有的神话传说，从此再也不能以神话学家自居吗？”

裴洛拉特露出凝重的表情。“好吧，既然你这么说。但是我们离去后，又该怎么办呢？”

“太简单了。我们回端点星去，向老太婆报告这个消息。如果她不准我们登陆，我们也要尽量接近端点星。然后，我们也许会再回到盖娅——以最快的速度回来，不像这样走走停停——而且会带来一艘战舰，甚至一支武装舰队。那时，情况当然就不同了。”

06

他们又开始等待，这已经成了例行公事。他们在盖娅附近等待的时间，已经远比由端点星飞到赛协尔的时间更长。

崔维兹将电脑设定成自动预警模式，自己毫不紧张，甚至在厚实的座椅上打起盹来。

当警报响起时，崔维兹立刻惊醒。裴洛拉特胡子刮了一半，就赶紧冲进崔维兹的舱房。一时之间，两人都吓得不知所措。

“我们收到了什么讯息吗？”裴洛拉特问道。

“没有。”崔维兹中气十足地说，“是我们正在运动。”

“运动？往哪里运动？”

“朝那个太空站运动。”

“为什么会这样？”

“我也不知道。发动机仍旧开着，但是电脑不再有反应，而我们却在运动。詹诺夫，我们被逮住了。我们和盖娅恐怕太近了一点。”

第十六章

焦 点

01

当史陀·坚迪柏终于从显像屏幕上发现康普的太空艇时，似乎代表他已经抵达终点，这趟漫长到难以想象的旅程总算结束了。但这当然不是什么终点，而是真正的起点。从川陀到赛协尔的漫长旅途，只能算是一场序幕。

诺微现出敬畏的神色。“师傅，那是另一艘太空之船吗？”

“应该说太空船，诺微。没错，它就是我们拼命赶来会合的那一艘。它比我们的太空船更大，而且更为精良。它能以无法想象的高速掠过太空，如果它要逃避，我们这艘太空船不可能追得上，甚至无法跟在它后面。”

“比师傅们的太空船还快？”苏拉·诺微似乎吓呆了。

坚迪柏耸了耸肩。“或许我可以算你的师傅，但我并非样样精通。我们学者并没有那样的太空船，也不像那些太空船的主人，拥有那么多的科技设备。”

“可是学者怎么可能没有这些东西呢，师傅？”

“因为我们主宰着真正重要的事物。那些人所拥有的物质文明，只是微不足道的东西。”

诺微皱着眉头沉思了一阵子。“我认为能够飞得那么快，快得连师傅都没法追得上，并不是微不足道的事。他们到底是什么人，能够拥有这些奇迹——我是说，拥有这些东西。”

坚迪柏被她逗乐了。“他们自称为基地人，你听说过基地吗？”

他发觉自己突然起了好奇心，想知道阿姆人对银河究竟了解多少，更想知道发言者为何都对这个问题从不好奇。或者，是不是只有他自己从未感到好奇；只有他才以为阿姆人除了喜欢挖土，其他事情一概不闻不问。

诺微一面回想一面摇头。“师傅，我从来没有听说过。当学校师傅教我文字学——我的意思是读书写字的时候，他告诉我还有很多其他的世界，还告诉我一些世界的名字。他说，我们的阿姆世界有个正式名字叫川陀，它曾经统治过所有的世界。他又说川陀以前包着闪闪发光的铁，上面住着一个皇帝，他是人人的主人。”

她抬起头来望着坚迪柏，目光流露出略带羞赧的喜悦。“不过，我勿相信其中的大部分。在晚上比白天长很多的日子里，我们聚在集会厅中，说书的人就会讲很多故事。当我是个小女孩的时候，我相信它们全部，但是当我渐渐长大，我发现它们许多都不是真的。现在我只相信非常少，也许全都勿相信。就连学校里的师傅，也会说些难以置信的故事。”

“不过，诺微，学校师傅讲的这个故事是真的，但那是很久以前的事。川陀的确曾经被金属覆盖，也的确有个统治全银河的皇帝。然而，如今一切都变了，基地人总有一天会统治所有的世界，他们的力量不断在茁壮。”

“他们会统治所有的世界吗，师傅？”

“不会立刻实现，还要再过五百年。”

“然后他们也会变成所有师傅的主人？”

“不，不。他们将统治所有的世界，而我们将统治他们。这是为了他们的安全，以及所有世界的安全。”

诺微又皱起了眉头，她说：“师傅，这些基地人，是不是有许多这么好的太空船？”

“我想是吧，诺微。”

“他们还有其他非常……惊人的东西？”

“他们拥有各式各样威力强大的武器。”

“那么，师傅，他们不能现在就收服所有的世界吗？”

“他们不能那样做，时机尚未成熟。”

“可是为什么呢？是不是师傅们会阻止他们？”

“我们不需要那么做，诺微。即使我们撒手不管，他们也无法收服所有的世界。”

“到底是什么会阻止他们呢？”

“是这样的，”坚迪柏开始解释，“从前有个智者，设计出一套计划……”

他突然住口，淡淡一笑，同时摇了摇头。“这实在很难解释，诺微，或许改天再说吧。事实上，在我们回川陀之前，你的所见所闻也许就能使你了解这一切，用不着我再多作解释。”

“会发生什么事呢，师傅？”

“我还不确定，诺微，不过一切都会很顺利的。”

他转过身去，准备跟康普进行联络。与此同时，他忍不住在心中自言自语了一句：至少我希望如此。

他马上对自己发起脾气来，因为这个愚蠢而犹疑的念头究竟源自何处，他自己再清楚不过。透过康普的太空艇，他看到了基地的精实壮大，而诺微对它毫不掩饰的赞叹，更是令他恼火不已。

真笨！自己怎会将有形力量与无形的控制力相提并论？这就是历代发言者所谓的“扼住咽喉的谬误”。

自己对那种诱惑竟然还没有免疫力，真是难以想象。

02

曼恩·李·康普完全不知道等会儿该如何应对。那些偶尔与他接触的发言者，始终以神秘的方式掌握着全体人类的命运，然而在他一生之中，全能的发言者从未在他面前出现过。

最近几年，在诸位发言者中，史陀·坚迪柏成了他的顶头上司。不但坚迪柏的声音是他最常听到的，坚迪柏的容貌也经常出现在他心中，那是一种无需超波中继器的超波通讯。

就这方面而言，第二基地的成就远远超越第一基地。他们舍弃任何有形的设备，仅靠训练有素的心灵所发出的能量，便能和许多秒差距之外取得联络，而且绝对不会遭到窃听或蓄意干扰。这是一种隐形且无法侦测的通讯网路，仅仅借着少数专职人员居中协调，就能在各个世界间建立起迅速的联系。

当康普想到自己的角色时，曾经不只一次生出飘飘然的感觉。他所属的这个团体何其微小，发挥的影响力却何其巨大，而这一切又是何其机密，连妻子都不知道他的这重身份。

一切都由诸位发言者在幕后操纵，而这位发言者，这位坚迪柏，（康普想）很可能会成为下一代的第一发言者，在比帝国更伟大的国度中，扮演比皇帝更有权势的角色。

如今坚迪柏终于抵达此地，就在对面那艘川陀太空船中。这次会面无法在川陀举行，令康普感到失望，但他尽力压制住这个情绪。

那玩意儿会是川陀的太空船吗？想当年，带着基地制品闯荡险恶银河的行商，他们的太空商船都要比这艘好些。怪不得从川陀赶到赛协尔，会浪费发言者那么多的时间。

现代船舰一律具有“自动对接机制”，能将两艘船舰紧密接驳，让双方人员可以互相通行。就连低劣的赛协尔舰队，也都拥有这种配备。可是，这位发言者却得像帝国时代那样，首先调整太空船的速度，然后向康普的太空艇抛出一条索链，再顺着索链从太空中摆荡过来。

是这艘太空船没错，康普很是沮丧，无法压抑失望的情绪。它根本就是一艘帝国的旧式太空船，甚至还是小型的。

此时，有两个人顺着索链缓缓移过来。其中之一动作极为笨拙，一看就知道并没有太空漫步的经验。

最后，他们总算登上康普的太空艇，除下了太空衣。史陀·坚迪柏发言者身材中等，相貌并不出众；他没有威风凛凛的架势，也并未散发任何学者的气质，只有那对深陷的黑眼珠，显现出几丝智慧的光芒。可是现在，这位发言者忙着四下张望，明显地流露出敬畏的神色。

另一个人则是个和坚迪柏差不多高的女子，外表平庸的她不停东张西望，惊讶得嘴巴都合不拢。

03

对坚迪柏而言，太空漫步并非全然不愉快的经验。他当然不是太空人，第二基地分子都不是，但他也并非真正的“地虎”，因为凡是第二基地分子，都必须接受太空人的训练。毕竟，他们随时可能需要进行太空飞行。不过第二基地分子全部抱持相同的想法，都希望这种需要愈少愈好。（普芮姆·帕佛所做的众多太空旅行，如今已经成为传奇。他曾经语重心长地说过一句话：为了确保谢顿计划顺利执行，发言者有时不得不闯荡太空，但是愈成功的发言者，被迫飞上太空的次数就愈少。）

过去，坚迪柏曾有三次不得不使用索链的经验，今天是他第四次使用这种装置。由于他十分担心苏拉·诺微，自己反倒没有紧张的感觉。置身虚空的想法吓得她不知所措，他不需要依靠任何精神力量，就能清楚看出来。

“我真系很惊吓，师傅。”当他向她解释该怎么做的时候，她这么回答。“我将在虚无中走脚步。”别的不说，她突然又吐出道地的阿姆方言，就足以显示她多么惊慌。

坚迪柏柔声对她说：“我不能把你留在这艘船上，诺微。我自己要到另一艘上面去，所以你必须跟我一道走。绝对不会有什么危险，太空衣能保护你不受任何伤害，而且你根本不会掉到什么地方去。即使没有抓牢索链，你也几乎只会留在原处，而我会一直和你保持一臂之遥，随时可以抓你一把。来吧，诺微，向我证明你有足够的胆量，又有足够的聪明，一定能够成为一名学者。”

听了这番话，她就没有再说什么。坚迪柏虽然不愿搅扰她的心灵，仍然破例在那个心灵的光滑表面上，注入一股具有镇定作用的精神力量。

“你仍然可以跟我说话。”当他们都钻进厚重的太空衣之后，他对她说，“只要你尽力想着那些话，我就能够听到。把每个字都专心地、仔细地想一遍。你现在听得到我说话，是吗？”

“是的，师傅。”她答道。

隔着头盔的透明面板，他看得到她的嘴唇在嚅动，于是又说：“不要张开嘴巴来说话，诺微。学者的太空衣没有无线电设备，一切全靠心灵的作用。”

她的嘴唇果然不再嚅动，表情却变得更为急切不安。你能听到吗，师傅？

非常清楚，坚迪柏这么想，他的嘴也始终没有张开。你听得到我吗，诺微？

听得到，师傅。

那么跟我走，模仿着我的一举一动。

他们开始沿着索链进行漫步。坚迪柏虽然技术不算纯熟，他对太空漫步的理论却相当了解。诀窍在于保持两腿伸直并拢，仅以臀部作为两腿摆荡的支点；随着双臂规律地轮流向前挥舞，重心就能沿着一条直线前进。刚才，他已经向苏拉·诺微解释过这个道理，现在他并没有转头去看她，而是从她的大脑运动区，直接判读她的动作与姿势。

对一位初学者而言，她的表现非常好，几乎和坚迪柏不相上下。她的确压抑了紧张的情绪，完全遵照嘱咐行事。因而，坚迪柏再次觉得自己非常欣赏她。

然而，当他们终于再度“脚踏实地”的时候，她仍旧大大松了一口气，而坚迪柏也有同感。他一面除去太空衣，一面打量着周遭的一切。各种设备的奢华与先进令他瞠目结舌，几乎没有一样东西是他认得出来的。他的心猛地一沉，因为他想到，不会有多少时间学习如何操作这些设备。看来他必须从康普那里直接吸取这些知识，这总是比不上真正的学习令人感到踏实。

然后他将注意力集中在康普身上。康普又高又瘦，比他自己年长几岁，相当英俊却稍嫌文弱。而他一头波浪状的鬈发，竟是极其罕见的乳黄色。

坚迪柏一眼就看出来，此人显然对于这位首度谋面的发言者感到失望，甚至有点瞧不起。更糟的是，康普完全无法掩饰心中的感觉。

通常，坚迪柏对这种事并不太在意。康普不是川陀人，也不算正式的第二基地分子，因此显然带着一些错觉。即使只是轻轻扫过他的心灵，都可以发现这一点。典型的错觉之一，就是以为真正的力量必须表里一致。其实，只要不会对坚迪柏造成妨碍，他大可保有那些错觉，可是此时此刻，这个典型错觉却会坏了大事。

坚迪柏接下来的心灵行动，相当于普通人弹了一下手指。康普立刻感到一阵短暂的剧痛，身体不由自主微微晃了一下。他的大脑皮质被印出一道皱褶，令他留下不可磨灭的深刻印象，亦即发言者随时随地都能发出骇人的力量。

康普随即对坚迪柏肃然起敬。

坚迪柏以愉快的口吻说："我只是想吸引你的注意力，康普，我的朋友。请让我知道你那位朋友葛兰·崔维兹，以及他的朋友詹诺夫·裴洛拉特目前的下落。"

康普犹豫地问道："我该当着这位女士的面说吗，发言者？"

"康普，这位女士就好像另一个我。因此，你根本不该有任何顾忌。"

"遵命，发言者。崔维兹和裴洛拉特两人，正向一颗名叫盖娅的行星推进。"

"前几天，你在最后一次通讯中就提到了。照理说，他们应该早就登陆盖娅，也许都已经离开了。他们在赛协尔行星就没有停留多久。"

"当我还在跟踪他们的时候，发言者，他们尚未登陆盖娅。他们万分小心地一步步接近那颗行星，每次微跃前都犹豫了相当长的时间。我很清楚，他们是因为缺乏该行星的资料，所以才会踌躇不前。"

"你自己有任何资料吗，康普？"

"我也没有，发言者。"康普说，"至少，这艘太空艇的电脑并没有。"

"这台电脑吗？"坚迪柏目光落在控制板上，突然满怀希望地问道，"它能协助驾驶这艘太空艇吗？"

"可以完全交给它自动驾驶，发言者，只要把思想灌注其中就行了。"

坚迪柏忽然感到有点不自在。"基地竟然做到这个地步了？"

"没错，但不怎么高明。这台电脑并不太灵光，我必须将一个念头重复好几次，即使如此，我得到的反应也极其有限。”

坚迪柏说：“我也许能让它有更佳的表现。”

“这点我绝对肯定，发言者。”康普以尊敬的口吻说道。

“不过暂时先别管这个。为什么电脑中没有盖娅的资料？”

“我不知道，发言者。它曾经宣称——真像人类的口气——它拥有银河中每一颗住人行星的记录。”

“它拥有的资料不可能超过原先输入的。如果当初负责输入的人员，认为他们已经搜集到所有住人行星的记录，那么尽管事实并非如此，电脑仍旧会自以为是。这样说是否正确？”

“当然正确，发言者。”

“你在赛协尔曾经打听过吗？”

“发言者，”康普显得有些不安，“赛协尔上的确有人在谈论盖娅，可是他们的说法毫无可取之处，可以确定都是迷信。根据那些传说，盖娅是个威力强大的世界，连当年的骡都不敢接近。”

“他们真是这么说的吗？”坚迪柏压抑住激动的情绪，“你那么确定它只是迷信，所以没有再询问细节吗？”

“不，发言者，我问了一大堆。不过我刚才告诉你的，就是他们所能告诉我的一切。他们都能就这个题目滔滔不绝，可是仔细分析过滤之后，就只剩下我刚才报告的内容。”

“显然，”坚迪柏说，“崔维兹也听到了这个传说，他前往盖娅的动机一定与此有关，也许就是去打探这个神秘的力量。而他会如此谨慎，可能是他自己也心存畏惧。”

“的确有这个可能，发言者。”

“你却没有继续跟踪下去？”

“发言者，我跟踪了好长的距离，足以肯定他的确是要前往盖娅。然后我就回到了这里，也就是盖娅行星系的外缘。”

“为什么呢？”

“我有三个理由，发言者。第一，你即将抵达此地，我希望至少能在中途与你会合，让你尽快登上我的太空艇，而这也是你的指示。由于太空艇上有个超波中继器，如果我离崔维兹和裴洛拉特太远，一定会令端点星当局起疑。但是我判断，应该还能冒险来到这么远的地方。第二，当我确定崔维兹以极缓慢的方式接近盖娅，我就判断自己能有足够的时间，可以赶来尽快跟你会合，而不至于耽误任何事。何况，你比我更适合跟踪他到那颗行星，也比我更有能力处理任何紧急状况。”

“有道理。第三个理由呢？”

“在我们上次通讯之后，发言者，又发生了一个变故，我完全没有料到，也不了解它的意义。我认为，即使基于这个理由，我也最好尽快和你碰面。”

“这个你没有料到也不了解的变故，究竟是什么？”

“基地的战舰正在接近赛协尔边境，这则消息是我的电脑从赛协尔新闻广播中收到的。这个小型舰队至少拥有五艘新型战舰，拥有足够的力量攻陷整个赛协尔。”

坚迪柏没有立即回答，他不能表现得未曾料到这个行动，或是自己也不了解其中的意义。因此，过了一会儿，他用不当一回事的口吻说：“你认为，这和崔维兹前往盖娅的行动有关吗？”

“这件事显然是在他出发后立刻发生的。如果乙事件出现在甲事件之后，那么乙至少有可能是由甲引起的。”康普答道。

“嗯，所以说，我们似乎都汇聚到盖娅这个焦点来了。包括崔维兹、我自己，还有第一基地。嘿，你做得很好，康普。”坚迪柏说，“让我告诉你现在该做些什么。首先，你要教我如何操作这台电脑，以及如何利用它来操纵这艘船。我相信，这要不了多少时间。

“接下来，你就登上我的太空船，我会先将它的操作方法灌输到你心中，你可以毫不费力地驾驶它。只不过我必须告诉你，想必你已经从它的外形猜到了，你将发现它极为原始。一旦你能控制那艘太空船，就让它停在原处等我。”

“等多久，发言者？”

“直到我回来为止。我不会去太久的，你不必担心补给品会用光。但如果我耽搁得太久，你可以降落在赛协尔联盟任何一颗住人行星上，在那里继续等我。不论你在何处，我都找得到你。”

“遵命，发言者。”

“还有，你大可不必惊慌。我有能力对付这个神秘的盖娅，必要的时候，也能一并对付那五艘基地战舰。”

04

黎托洛·杜宾担任基地驻赛协尔大使已有七年之久，他颇为喜欢这个职位。

杜宾身材很高，也算得上壮硕。虽然如今不论在基地或赛协尔，男性大多把脸刮得干干净净，他却仍留着两撇浓密的棕色胡须。虽然他只有五十四岁，却已经满脸皱纹，而且修炼到喜怒不形于色的境界。此外，也很难看出他对工作所抱持的心态。

话说回来，他还是相当喜欢这个职位。它不但能让他远离端点星政坛的风风雨雨（他对这点分外满意），还让他捡到一个难得的机会，享受着赛协尔上流社会的悠闲逸乐，而且使得妻女过着令她们上瘾的生活。因此，他绝不希望这一切受到任何搅扰。

杜宾相当讨厌里奥诺·柯代尔，也许是因为他也故意留着两撇胡子。只不过柯代尔的胡子较短较疏，而且已经变得灰白。过去曾有一段日子，公众人物之中只有他们两人留着八字胡，两人还在这方面较过劲。如今（杜宾想）比赛早已结束，柯代尔的胡子已经不入流了。

当杜宾仍在端点星上，梦想着要跟赫拉·布拉诺角逐市长宝座时，柯代尔已经出任安全局长多年。但早在选举之前，杜宾就接受了大使职位当做交换。布拉诺这么做当然是为了自己，但他还是欠了她一份情。

偏偏他对柯代尔一点都不领情。或许因为柯代尔有一张坚定的笑脸，而且总是表现得那么亲切友善——即使他早已决定用哪一号手法切断你的喉管。

现在，柯代尔的超空间影像正坐在那里，依旧是满面春风，而且敦厚淳朴的态度溢于言表。当然，他的肉身仍在端点星上，杜宾因此得以省却一切实质的客套。

“柯代尔，”他说，“我要那些战舰马上撤走。”

柯代尔露出快活的笑容。“哈，我也这么想，可是老太婆下定决心了。”

“谁都知道你一向能说服她改变心意。”

“或许偶尔吧，当她愿意听劝的时候，这回她可不愿意听。杜宾，做好你的份内工作，让赛协尔保持冷静。”

“我并不是担心赛协尔，柯代尔，我是在为基地着想。”

“这点大家都一样。”

“柯代尔，别闪烁其词，我要你听我说。”

“我很愿意，可是目前端点星上热闹着呢，我可不能永远坐在这里。”

“我会尽可能长话短说，但我要讨论基地因此毁灭的可能性。如果这条超空间热线没遭到窃听，我就敢畅所欲言。”

“我保证没有。”

“那就让我继续说下去。几天前，有个名叫葛兰·崔维兹的人送了一道电讯给我。我记得我还在端点星政坛的时候，有一个名叫崔维兹的同僚，当时担任运输署长。”

“他是那个年轻人的叔叔。”柯代尔答道。

“啊，所以说，你认识那个送信给我的崔维兹。根据我后来搜集到的资料，他原本是一名议员，在最近那次谢顿危机圆满解决之后，他立刻被捕，随即遭到放逐。”

“完全正确。”

“我不相信这回事。”

“你不相信哪回事？”

“他遭到放逐这回事。”

“为何不信？”

“在基地的历史上，有哪个基地公民曾遭到放逐？”杜宾追问，“一个公民倘若涉嫌犯罪，他就有可能遭到逮捕；如果他真的遭到逮捕，他就有可能接受审判；如果他真的接受审判，他就有可能会被定罪；如果他真的被定罪，他会被罚款、被降级、被罢黜、被监禁，甚至被处决。可是，从来没有人遭到放逐。”

“凡事总有头一遭。”

“胡说八道。放逐到一艘先进的军用航具上？哪个笨蛋看不出他是在为老太婆执行一项特殊任务？她指望能骗倒什么人？”

“会是什么样的任务呢？”

“想必是要寻找盖娅那颗行星。”

柯代尔脸上的笑容消失了大半，双眼射出异乎寻常的严厉目光。他说：“我知道你并不怎么觉得应该相信我的陈述，大使先生，但是我现在要郑重请求你，这次你无论如何要相信我。当崔维兹遭到放逐之际，不论市长或是我自己，都还没有听说过盖娅。几天前，我们两人才头一次听到盖娅这个名字。假如你相信这一点，我们才能继续谈下去。”

“虽说实在很困难，局长，但我会暂时收起凡事抱持怀疑态度的习性，试着接受这个说法。”

“的确很困难，大使先生。假如我突然采用了正式的语气，那是因为当我说完这些话之后，你将发现自己需要回答一些问题，而这些问题并不怎么轻松有趣。根据你的说法，你好像对盖娅这个世界十分熟悉。你怎么会知道一些我们不知道的事？你被派驻到那个政治实体的首要职责，难道不就是让我们知道你风闻的每件事吗？”

杜宾以和缓的语气答道：“盖娅并不是赛协尔联盟的一部分，事实上，它可能根本就不存在。难道说，赛协尔低下阶层所流传的所有神话和迷信，我都得一字不漏地传达给端点星？他们有些人说盖娅位于超空间，有些人则说，它一直以超自然力量在保护赛协尔，此外还有人说，当年就是它派出骡来劫掠银河的。如果你打算告诉赛协尔政府，崔维兹的任务是要寻找盖娅，而基地舰队的五艘先进战舰来到这里，是为了支援他的探索任务，他们是绝对不会接受的。民众也许会相信有关盖娅的神话，政府可没有那么好骗，而他们也不会相信基地竟然那么天真。他们会认为，你们想以武力迫使赛协尔加入基地联邦。”

“假如我们真有这个打算呢？”

“那将一发不可收拾。想想看，柯代尔，在基地五个世纪的历史中，我们何曾发动过侵略战争？我们打仗都是为了抵御外侮，还败过一次，可是没有任何战争曾经为我们开拓版图。其他世界都是通过和平协议加入联邦的，他们之所以加盟，是因为看到了加盟的好处。”

“赛协尔就没有可能看到这些好处吗？”

“只要我们的战舰停在他们的边境，他们就永远看不到。赶快把战舰撤走。”

“办不到。”

“柯代尔，赛协尔是个极佳的宣传工具，足以显示基地联邦如何宽大为怀。它几乎被我们的疆域包围，全然无险可守，但直到目前为止，它始终安然无事，我行我素，甚至能够肆意维持反基地的对外政策。这是多么好的样板，能让全银河都知道，我们从不以武力使人就范，我们总是伸出友谊之手。赛协尔等于是我们的囊中物，即使拿下它也是多此一举。毕竟，我们在经济上早已宰制他们——虽说并未公开。但是倘若动武将它拿下，我们无异于向全银河宣传，我们已经变成扩张主义者。”

“如果我告诉你，我们真的只是对盖娅有兴趣呢？”

“那么，我会跟赛协尔联盟一样不信这种鬼话。那个叫崔维兹的人，送了一道电讯给我，说他正要前往盖娅，并请我将那则电讯转交端点星。我照做了，虽然我判断这样做并不妥当，但是我没有选择的余地。结果，在超空间热线还来不及冷却的时候，基地舰队就开始行动了。若不穿越赛协尔的星空，你们要怎样抵达盖娅？”

“我亲爱的杜宾，显然你没有注意自己讲的话。仅仅几分钟之前，你还明明告诉我，盖娅假如真的存在，也不是赛协尔联盟的一部分。我想你总该知道，超空间并非任何世界的领域，谁都可以自由进出。如果我们从基地的疆域——我们的战舰目前正在那里待命——经由超空间进入盖娅的疆域，从头到尾始终不占赛协尔一立方公分的星空，赛协尔又怎么会抱怨呢？”

“赛协尔可不会这样解释，柯代尔。盖娅假如真的存在，虽然并非赛协尔联盟的一部分，却被联盟整个包围在内。根据星际惯例，赛协尔可将它视为自己的势力范围，至少对敌方战舰可以如此解释。”

“我们不是什么敌方战舰，我们准备跟赛协尔和平共处。”

“我告诉你，赛协尔有可能因此宣战。他们明白这是一场实力悬殊的战争，不会指望赢得军事胜利，但问题是，这场战争足以引发泛银河的反基地风潮。基地新近采取的扩张政策，会促使反基地的势力骤然壮大。联邦某些成员也会重新考虑和我们的关系，我们很可能会因为内部动乱而战败。五百年来，基地一直在成长茁壮，这样一来，就注定要走回头路了。”

“得了，得了，杜宾，”柯代尔不以为然地说，“你这种说法，好像把五百年的绩业一笔勾销，好像我们还活在塞佛·哈定的时代，正准备对抗那个袖珍王国安纳克里昂。事实上，即使跟银河帝国黄金时代的国势相比，我们现在也比他们强大许多。我们随便一个分遣队，都能在战士们不知不觉间，就击败整个帝国舰队，占领银河任何星区。”

“我们可不是跟银河帝国作战，我们的敌人来自当今各个行星和星区。”

“他们都没有像我们这么先进的科技，我们现在就足以收服整个银河。”

“根据谢顿计划，五百年内，我们都还不能那么做。”

“谢顿计划低估了科技发展的速度。我们现在就能这么做！请你听清楚，我不是说我们现在‘将要’这么做，甚至不是说现在‘应该’这么做，我只是说我们现在‘能够’这么做。”

“柯代尔，你一辈子住在端点星上，完全不了解银河的局势。我们所拥有的舰队和科技，的确能够击败其他世界的军队，可是我们若以武力征服他们，注定会造成一个叛乱此起彼落、处处充满敌意的局面，我们并没有能力统治这样的银河。赶快撤走那些战舰！”

“我说过办不到，杜宾。你想想看，万一盖娅并非只是神话呢？”

杜宾顿了顿，趁机打量柯代尔的脸孔，仿佛急于窥知对方的心思。“位于超空间的世界还不是神话？”

“位于超空间的世界当然是迷信，但即使是迷信，核心也可能藏有真相。那个人，那个遭到放逐的崔维兹，照他的说法，盖娅好像是普通空间中的真实世界。万一他说对了呢？”

“荒唐，我可不相信。”

“不相信？能否请你暂且相信它是真实的世界，曾经保护赛协尔免于骡的侵略，如今又帮助它对抗基地！”

“你这样说是自相矛盾，盖娅如何帮助赛协尔人抵御基地？我们不是正派出舰队吗？”

“舰队的目标不是赛协尔，而是盖娅。那个世界如此神秘莫测，又如此处心积虑地销声匿迹，它明明在太空某个角落，却有办法让邻近世界以为它在超空间中。甚至最精确、最完整的电脑化银河地图，也未能搜录它的资料。”

“那么，它必定是个极不寻常的世界，因为它必定有办法操控心灵。”

“而你刚才不是也说过，根据赛协尔的一则传说，骡就是盖娅派出来劫掠银河的？而骡不是也会操控心灵吗？”

“那么，盖娅是个住满了骡的世界？”

“你确定不是吗？”

“这样说来，它又为何不能是重生的第二基地呢？”

“是啊，为何不能？难道不该好好调查吗？”

杜宾渐渐冷静下来。他本来一直挂着轻蔑的笑容，现在却低下头，扬起眉毛瞪着对方。“如果你此话当真，这样的调查难道不危险吗？”

“危险吗？”

“你用其他问题来回答我的问题，表示你心中没有合理的答案。如果敌人是一大群骡，或是第二基地，几艘战舰又能派上什么用场？事实上，万一这些推论成立，有没有可能盖娅正在引诱你们自取灭亡？听好，你说虽然谢顿计划只完成了一半，但基地如今已有能力建立一个帝国，而我也警告过你，你们这样做会冲得太快太远，谢顿计划一定有办法逼你们慢下来。假若盖娅真的存在，而且身份正如你所料，那么这一切或许就是个刹车的策略。现在就退兵吧，否则你们很快便会被迫撤退。现在还能以和平而不流血的方式收场，坚持下去就会演变成悲惨的败退。我再说一次，赶快撤走那些战舰。”

“办不到就是办不到。老实告诉你，杜宾，布拉诺市长打算亲自登上战舰。而且，我们的斥候舰群已经飞掠超空间，顺利抵达理论上的盖娅领域。”

杜宾的眼珠几乎要爆出来。“我警告你，这注定会引发一场战争。”

“你是我们的大使，你要设法阻止。不论赛协尔人需要什么保证，你都可以拍胸脯。同时，你要否认我方有任何不良企图。有必要的话，你索性告诉他们，最好的对策便是隔山观虎斗，等着让盖娅收拾我们。

你爱怎么说都行，总之别让他们轻举妄动。”

他顿了顿，凝视着杜宾目瞪口呆的表情，然后又说：“真的，就是如此而已。据我所知，基地船舰不会登陆赛协尔联盟任何一个世界，也不会穿越属于联盟的任何空间。然而，如果赛协尔船舰离开他们的疆域，也就是进入基地的势力范围，想要向我们挑衅，就会立刻化成一团烟尘。把这点也跟他们切实讲清楚，别让赛协尔人轻举妄动。如果失败了，我们会好好跟你算账。直到目前为止，你做的都只是闲差事，杜宾，但是养兵千日用在一朝，未来几周将决定一切。假如你令我们失望，那么银河虽大，也没有你藏身之地。”

当通讯陡然终止，影像消失之际，柯代尔脸上早已没有愉悦或友善的表情。

杜宾仍张大嘴巴，瞪着刚才柯代尔现身之处。

05

葛兰·崔维兹猛扯了一阵头发，仿佛想借着痛觉来判断自己的精神状况。他突然对裴洛拉特说：“你现在的心理状态如何？”

“心理状态？”裴洛拉特摸不着头脑。

“对啊。我们被逮到了，我们的太空艇遭到外力控制，被硬生生拉向一个完全未知的世界。你有没有感到惊慌？”

裴洛拉特的长脸显露出些许忧郁。“没有。”他答道，“我并未感到欢喜，也的确有点担心，可是没有惊慌失措。”

“我也没有，这不是很奇怪吗？我们应该万分慌乱，为什么没有这种反应呢？”

“这种不寻常的事，葛兰，正是我们所预期的。”

崔维兹转身面向屏幕，它始终锁定着太空站的画面。只不过现在太空站变得更大，代表他们更接近了。

在他看来，那座太空站外形没什么惊人之处，看不出有任何超人的科学。事实上，它似乎还有点原始——但它有办法制住太空艇。

他说："我的思绪仍然条理分明，詹诺夫，简直怪透了！我很想相信这是因为我并非懦夫，在巨大压力下也能有优异的表现。这令我引以为傲，我想每个人都免不了。事实上，我现在该坐立不安，还会冒出一点冷汗。我们或许预期到了会有不寻常的事，但那于事无补。我们现在仍旧一筹莫展，而且可能会惨遭杀害。"

裴洛拉特说："我可不这么想，葛兰。如果盖娅星人能从远方接掌太空艇，难道就不能远距离杀害我们吗？既然我们还活着……"

"但我们并非完全安然无事，我说过我们太过冷静。我想，他们给我们打了无形镇静剂。"

"为什么？"

"为了让我们的精神状态完好如初吧，我这么想。可能是希望审问我们，之后或许就会把我们杀掉。"

"假如他们想要审问我们，就代表他们有足够的理性。因此，如果没有什么正当理由，他们不会无缘无故杀害我们。"

崔维兹上身往椅背用力一靠（椅背立刻向后弯曲，他们至少没有剥夺座椅的功能），双脚摆到书桌上，那里原是他的双手与电脑进行接触的地方。他说："他们也许相当聪明，足以罗织一个自认为正当无比的理由。话说回来，他们即使影响了我们的心灵，也没有做得太过分。比方说，换成骡的话，他会让我们渴望赶快走，我们会迫不及待，会血脉贲张，每一根神经都会狂喊着赶快。"他伸手指了指太空站，"你有这种感觉吗，詹诺夫？"

"当然没有。"

"你看，我也没有什么变化，仍然可以尽情地冷静分析和推理。实在太奇怪了！可是我能肯定吗？我是不是处于一种惊惶、慌乱、疯狂的状态，却产生了一种幻觉，以为自己正在尽情地冷静分析和推理？"

裴洛拉特耸了耸肩。"我觉得你的精神很正常。或许，是因为我的精神跟你一样不正常，处于同样的幻觉中，可是这种论证无济于事。也许所有的人类全部精神不正常，通通陷在一个集体幻觉中，而宇宙则是一片混沌。这种说法同样是无法反证的，可是我们除了相信自己的理智，根本没有其他的选择。”然后，他突然改变话题说：“事实上，我自己也在作一项推论。”

“是什么？”

“嗯，我们曾经猜想盖娅也许是骡的故乡，或是死灰复燃的第二基地。但是你有没有想到过，还有更合理的第三种可能性？”

“什么第三种可能性？”

裴洛拉特没有望着崔维兹，他的眼睛似乎在凝视自己的内心，他的声音则变得低沉而意味深长。“不知道从多久以前开始，盖娅这个世界就在全力保持绝对的隔绝状态。它从未试图和其他世界接触，连它的近邻赛协尔联盟也不例外。如果他们击毁舰队的传说属实，它某一方面的科学必定极为先进，而他们现在有能力控制我们，当然更是一项明证。但他们却未曾试图扩张势力，唯一的要求只是不要受到打扰。”

崔维兹眯起眼睛。“所以呢？”

“这都不像人类的行径。人类两万多年的太空发展史，就是一部连续不断的扩张史。如今，能够住人的已知世界差不多都住了人。在殖民银河的过程中，几乎每颗行星都曾遭到你争我夺，几乎每个世界都跟邻邦抢过地盘。如果盖娅在这方面如此异于常人，或许因为它真是——非人的世界。”

崔维兹摇了摇头。“不可能。”

“为什么不可能？”裴洛拉特用急切的口吻说，“我曾经告诉你，人类是银河中唯一演化成功的智慧生物，而这是一个大谜。万一事实并非如此呢？难道就不可能在某颗行星上，还有另一种不像人类那样具有扩张倾向的智慧生物？事实上，”裴洛拉特愈说愈激动，“银河中搞不好有百万种智慧生物，却只有一种是扩张主义者，那就是我们。其他的都安分守己地待在母星，隐藏起来……”

“简直荒谬！”崔维兹说，“果真如此，我们早就遇到他们了，因为我们早已登陆那些世界。他们会发展出各式各样和各种阶段的科技，大多数都无法阻止我们。但是，我们从来没有遇到任何一种。太空啊！我们甚至从未发现非人文明的遗迹或遗址，对不对？你是历史学家，请你告诉我，到底有没有？”

裴洛拉特摇了摇头。“的确没有发现过。可是葛兰，眼前也许就有一个！就是这个！”

“我可不相信。你说它叫做盖娅，那是源自一种古代方言，意思就是地球。怎么可能是非人文明呢？”

“盖娅这个名字是人类帮它取的，谁知道又是为什么？至于和地球的古称相似，也许只是巧合罢了。你好好想一想，我们被引诱到盖娅来——这点你曾经仔细分析过——现在又被硬生生吸过去，这都是盖娅星人并非人类的佐证。”

“为什么？这跟他们是不是人类又有什么关系？”

“因为他们对我们——也就是对人类好奇。”

崔维兹说：“詹诺夫，你已经语无伦次。数千年来，盖娅周围的星空满是人类，他们为何现在才感到好奇？为什么以前没有好奇心？即使现在才好奇，又为何会选上我们？如果他们想要研究人类与其文化，何不利用赛协尔各个世界？为何大老远把我们从端点星引到这里来？”

“他们或许对基地有兴趣。”

“胡说八道。”崔维兹激愤地说，“詹诺夫，你若一心想见非人智慧生物，那么终将如愿以偿。此时此刻，我猜如果你认为将要遇见非人生物，你就不会担心已经被捕，不会担心束手无策，甚至不会担心遭到杀害——只会担心他们不给你时间，满足你的好奇心。”

裴洛拉特气得结结巴巴，反驳了一大串，这才深深吸了一大口气，然后又说：“好吧，也许你对，葛兰，但我暂时还不想放弃这个信念。我想要不了多久，我们就能知道谁对谁错——你看！”他突然指向屏幕。

崔维兹由于争辩得太过激动，视线早已离开屏幕，现在才回过头来。“什么东西？”他说。

“是不是一艘刚从太空站起飞的船舰？”

“是有个东西。”崔维兹回答得很勉强，“但我还看不清楚，也无法再将画面放大。放大率已经到了极限。”过了一会儿，他又说：“它似乎朝我们飞过来，我猜是一艘太空船。我们要不要打个赌？”

“什么样的赌？”

崔维兹用嘲讽的语气说：“如果还能回到端点星，我们就去大吃一顿，彼此还能请几个陪客，最多不超过，嗯，四个人吧。假如那艘太空船上载的不是人类，就由我请客，反之就记你的账。”

“我愿意赌。”裴洛拉特说。

“一言为定。”崔维兹又开始盯着屏幕，试图把那艘太空船看得更清楚。但他自己也不禁怀疑，究竟会有什么特征，能让他百分之百确定里面载的是不是人类。

06

布拉诺的铁灰色头发梳得整齐光洁，看她这般气定神闲的模样，好像仍旧待在市长官邸，一点也看不出这是她有生以来第二次深入太空。（第一次几乎不能算数，那只是她跟着父母去卡尔根度假，当时她只有三岁。）

她用带着些许厌倦的口气，对柯代尔说：“毕竟，杜宾的职责就是提供意见，并且适时警告我。很好，他的确很尽责，我不会怪他。”

柯代尔跟市长在同一艘战舰上，这是为了方便与她面对面交谈，以避免影像沟通的心理障碍。他说：“他在那个职位上待得太久，想法已经快被赛协尔人同化了。”

“那是大使这一行的职业风险之一，里奥诺。等这件事解决之后，我们让他休个长假，然后把他调到别的地方去。他算得上是个能干的人，至少，他还有点警觉性，晓得及时回报崔维兹的消息。”

柯代尔浅浅一笑。“没错，他告诉我，虽然他判断这样做并不妥当，‘但是我没有选择的余地’，他就是这么说的。你看，市长女士，即使他判断这样做并不妥当，他也不得不做。因为当初崔维兹刚进入赛协尔联盟的星空，我就通知了这位杜宾大使，要他即刻把关于那小子的消息通通转来。”

“哦？”布拉诺市长换了一下坐姿，好把柯代尔的脸看得更清楚。“你又为何那么做？”

“其实，只是基于最简单的考量。崔维兹驾着一艘新型的基地军用航具，这点赛协尔人必定会注意到。他又是个不具外交身份的小傻瓜，这点他们必定也会注意到。因此，他有可能遇上麻烦，而基地人最清楚的一件事，就是不论在银河何处遇到麻烦，都能求助于最近的基地驻外代表。老实说，我个人并不在乎崔维兹遇到什么麻烦，那也许还能帮助他早点长大，对他有莫大的助益。可是你送他出去，是要他当你的避雷针，所以我要确保他发挥功能，当闪电击下时，能让你估算出闪电的源头。因此我特别叮咛最近处的基地代表，好好注意崔维兹的动向，如此而已。”

“我懂了！嗯，现在我才明白杜宾的反应为何如此强烈，因为我也送了一道类似的训令给他。既然他从我们两人这里分别接到指示，难怪只不过几艘基地战舰接近，他就以为会发生什么了不得的事。可是，里奥诺，你怎么事先没有跟我商量，就送出这样的训令呢？”

柯代尔泰然自若地答道：“如果我做的每件事都把你扯进去，你就没时间当市长了。可是，你又为什么不先知会我一声呢？”

布拉诺以尖酸的口气说：“如果我把每一件事都告诉你，里奥诺，你就未免知道得太多了。不过这不重要，杜宾的警告同样没什么大不了的，就连赛协尔人的大惊小怪也是小事一桩。我最关心的还是崔维兹。”

“我们的斥候舰已经发现了康普。他正在跟踪崔维兹，两艘太空艇都万分谨慎地向盖娅挺进。”

“我有那些斥候舰的完整报告，里奥诺，崔维兹和康普显然都没把盖娅当神话。”

“大家都对有关盖娅的迷信嗤之以鼻，市长女士，不过大家也都在想：‘可是万一……’就连杜宾大使都对它有点忌惮。这可能是赛协尔人的高明策略，是他们的一种保护色。他们捏造出一个神秘而无敌的世界，并将这些故事散播出去，那么外人不但会对那个世界敬而远之，同时也会避开附近的世界，例如赛协尔联盟。”

“你认为这就是骡未曾招惹赛协尔的原因？”

“有可能。”

“基地也从未碰过赛协尔，你不至于认为也是由于盖娅吧？没有任何记录显示，我们曾经听说那个世界。”

“我承认我们的档案中，找不到半条有关盖娅的资料。可是我们对赛协尔联盟一向十分客气，这点也找不到合理的解释。”

“那么，希望赛协尔政府的确相信盖娅的可怕力量，即使相信一点点也好，虽然杜宾认为这是不可能的。”

“为什么呢？”

“因为这样的话，赛协尔联盟就不会反对我们接近盖娅。他们对这个行动愈是反感，就愈会确信应该袖手旁观，好让盖娅把我们吞噬。他们会想到，这将是个很好的教训，未来的侵略者都会引以为戒。”

“万一这一切都是真的呢，市长？万一盖娅真那么可怕呢？”

布拉诺微微一笑。“你自己怎么也提出‘万一怎么样’的问题呢，里奥诺？”

“我必须提出各种可能性，市长，这是我的职责。”

“假如盖娅真那么可怕，既然崔维兹是我的避雷针，他理所当然会首当其冲。康普可能也会倒霉，而我正希望如此。”

“你希望如此？为什么？”

“因为这样一来，盖娅便会过度自信，情势就对我们非常有利。他们会低估我们的实力，因而变得比较容易对付。”

“可是，万一过度自信的是我们自己呢？”

“我们可没有。”布拉诺说得斩钉截铁。

“这些盖娅星人——不论他们是何方神圣——有可能是我们前所未见的敌人，因而无法准确估算危险的程度。我只是提醒你，市长，因为即使是可能性，也应该加以权衡。”

“是吗？你的脑袋里怎么会有这种念头呢，里奥诺？”

“因为我觉得，你认为盖娅充其量不过是第二基地。我甚至怀疑，你认为它正是第二基地。然而，早在帝国时代，赛协尔就有一段很特殊的历史。当时，唯独赛协尔拥有相当的自治权；在某些‘坏皇帝’的统治下，唯独赛协尔能奇迹般地免除一些苛捐杂税。简言之，即使早在帝政时期，赛协尔似乎已经受到盖娅的保护。”

“所以呢？”

“第二基地却是哈里·谢顿亲手创建的，是和我们这个基地同时诞生的。第二基地在帝政时期并不存在，盖娅却已经在那里。因此，盖娅绝不会是第二基地。它是另一个组织，而且还有可能，是一个更可怕的组织。”

“我可不打算给未知的事物吓倒，里奥诺。潜在的威胁来源总共有两类：有形的武器和精神的武器，对于这两者，我们都有万全准备。回到你的战舰去，叫舰队通通守在赛协尔外围。我的这艘战舰要单独向盖娅推进，但会随时和你们保持联络，必要的时候，你们要在一跃之后就能和我们会合。去吧，里奥诺，还有，把你脸上那种愁容给我抹掉。”

“最后一个问题好吗？你确定知道自己在干什么吗？”

“我确定。”她绷着脸说，“我也研究过赛协尔的历史，也看出盖娅不可能是第二基地。可是，我刚才说过，我收到了斥候舰的完整报告，从这些报告中……”

“怎么样？”

“嗯，我知道了第二基地的真正位置。我们要一举解决这两个敌人，里奥诺。我们先来收拾盖娅，然后再去收拾川陀。”

第十七章

盖娅

01

从太空站飞出来的那艘太空船，花了几个小时才抵达远星号附近。崔维兹觉得这几个小时如坐针毡。

若是在正常情况下，崔维兹会试着呼叫那艘太空船，并会期待对方有所回应。假如没有任何回应，他就会采取闪避行动。

由于他毫无武装，又一直没有收到回音，他唯一能做的就是等待。现在电脑对于指令的筛选极为严格，如果他发出移动太空艇的指令，电脑绝不会有任何反应。

不过，至少太空艇内部一切正常。维生系统维持着最佳工作状态，因此他与裴洛拉特没有任何生理上的不适。然而，这却无济于事。时间一点一滴白白溜走，等在前面的那个未知数将他磨得越来越疲倦。但他发现裴洛拉特似乎很镇定，不禁冒起一股无名火。而裴洛拉特好像故意火上加油，偏偏在崔维兹完全没有食欲的时候，开了一个鸡丁罐头。罐头打开之后立刻自动加热，裴洛拉特已经吃将起来。

崔维兹没好气地说："太空啊，詹诺夫！好臭！"

裴洛拉特好像吓了一跳，忙将罐头凑到鼻端闻了闻。"我觉得很香啊，葛兰。"

崔维兹摇了摇头。"别管我，我是在胡言乱语。但你总该用把叉子，否则你的指头整天都有鸡肉的味道。"

裴洛拉特讶异地望着自己的手指头。"抱歉！我没注意到，我正在想别的事。"

崔维兹用嘲讽的语气说："你要不要猜一猜，那艘太空船上的非人生物会是什么模样？"自己竟然比不上裴洛拉特镇定，令他觉得惭愧。他曾经在舰队服役（不过当然没有实战经验），而裴洛拉特只是一名历史学家。现在，这位旅伴却能安然坐在那里。

裴洛拉特答道：“在不同于地球的环境中，演化会朝什么方向进行，实在是难以想象的。可能性或许并非无穷多，但也一定多得数不清。然而，我推测他们绝非凶残成性，会以文明的方式对待我们。否则的话，我们现在早就死了。”

“至少你还能冷静思考，詹诺夫，好朋友，至少你还能保持镇静。我的神经却仿佛在和他们的无形镇静剂对抗。我有一种异常的冲动，很想站起来踱几步。那艘该死的太空船怎么还没到？”

裴洛拉特说：“我是个惯于被动的人，葛兰。我这辈子都在等待新的文献，平常只能埋头钻研既有的资料。除了等待，我什么也不能做。而你是个行动派，一旦无法采取行动，你就会痛苦莫名。”

崔维兹顿时感到轻松了些，喃喃说道：“我低估了你的观察力，詹诺夫。”

“不，你没有低估我。”裴洛拉特以平静的口吻说，“但即使是天真的学者，也能偶尔从生活中领悟出一些道理。”

“而即使是最精明的政治人物，有时也可能执迷不悟。”

“我可没那么说，葛兰。”

“你没说，是我说的。所以我该积极一点，至少我还可以观察。那艘太空船已经相当接近，看得出它似乎极为原始。”

“似乎？”

崔维兹说：“如果它是其他智慧生物制造的，那么表面上的原始，实际上可能只是非人文明的特征。”

“你也认为它可能是非人文明的产物？”裴洛拉特问道，他兴奋得脸色有点泛红。

“我不确定。但我认为，人造器物不论因为文化差异而有多大的不同，相较于另一种生物所制造的器物，顶多只能算是大同小异。”

“那只是你的猜想罢了。目前为止，我们只接触过不同的文化，从未发现不同的智慧型物种，因此无从判断双方的器物会有多大差异。”

“鱼类、海豚、企鹅、乌贼，乃至并非源自地球的围韧——姑且假设其他几种都是地球的物种——这些生物解决在粘滞介质中运动的办法，都是将身体演化成流线型。因此，它们的基因构造虽然截然不同，外形却没有多大的差别。文明的产物也可能如此。”

“乌贼的触手和围韧的螺旋振器，”裴洛拉特反驳道，“彼此之间有极大的不同，也跟其他几种脊椎动物的鳍、蹼或鳍状肢没有相似之处。而文明的产物也可能如此。”

“无论如何，”崔维兹说，“我心情好多了。跟你胡扯了这么一大堆，詹诺夫，我的神经不知不觉松弛下来。我猜，我们很快就能知道将遇见什么。那艘太空船无法和我们接驳，所以不论上面是何方神圣，都得借着旧式的索链摆荡过来——或是用什么方法，驱策我们两人荡过去——因为‘自动对接锁’派不上用场。除非上面真是什么非人生物，拥有全然迥异的接驳系统。”

“那艘太空船有多大？”

“我不能利用远星号的电脑和雷达来计算距离，所以无从估计它的尺度。”

一条索链向远星号蜿蜒游移过来。

崔维兹说：“这有两种可能，要么上面是人类，要么就是非人生物使用相同的装置。或许除了索链，根本没有第二种工具可用。”

“还可以用管子，”裴洛拉特说，“或者一个水平梯。”

“那些东西没有韧性，用来连系两艘船舰会很困难。你得用一种兼具强度和韧性的东西。”

索链触及远星号那一刻，太空艇坚硬的外壳（连带内部的空气）震动了一下，发出一阵沉闷的铿锵声。那艘太空船开始进行速度微调，好让彼此速度一致，此时索链就像一条在太空中游走的长蛇。最后，索链终于达到相对静止的状态。

太空船的表面出现一个黑点，像瞳孔一样愈变愈大。

崔维兹咕哝道：“竟然不是自动滑门，而是伸屈隔板。”

“非人文明？”

“还很难讲，可是很有意思。”

画面上出现了一个人形。

裴洛拉特紧抿着嘴唇，过了好一阵子，才用失望的口气说：“太可惜了，是人类。”

“还是很难讲。”崔维兹冷静地说，“我们现在只能断定，那个躯体好像具有五个突起，可能是头部和双手双脚，却也可能不是——慢着！”

“什么？”

“它的动作比我预料中更迅速利落——啊！”

“又怎么了？”

“它配备有某种推进装置。我看得出不是火箭式推进器，但它绝非拉动索链前进。话说回来，仍然不一定就是人类。”

虽然那个人形顺着索链迅疾而至，两人却觉得等了很久很久。最后，外面终于传来一阵噪音。

崔维兹说：“不管是什么东西，它马上要进来了。我决定它一出现就立刻动手。”他握紧了拳头。

“我想我们最好放轻松点。”裴洛拉特说，“它也许比我们强壮，何况它能控制我们的心灵，而那艘船上一定还有它的同伙。我们最好少安毋躁，先看看面对的是什么角色再说。”

“你倒是愈来愈深思熟虑，詹诺夫，”崔维兹说，“我反而每况愈下。”

他们又听见气闸开闭的声音，最后，那个人形终于来到太空艇内。

“差不多正常尺寸，”裴洛拉特喃喃道，“这套太空衣塞得进一个人类。”

“我从未见过这种式样的太空衣，甚至没听说过，可是在我看来，它仍然没有超出人类制品的范围，根本不算什么线索。”

穿着太空衣的人形站到了两人面前。太空衣上面是一个圆形罩盔，罩盔面板若是玻璃制品，也一定是单向透光玻璃，因为完全看不见里面。

那人形将一只上肢抬到罩盔旁边，迅速碰了一下不知道什么开关，崔维兹根本没有看清楚。罩盔立刻与太空衣脱离，并被举了起来。

呈现他们眼前的，是一张年轻娇媚的脸蛋，它的主人无疑是一位美丽的女郎。

02

一向毫无表情的裴洛拉特，此时也称得上目瞪口呆了。他用迟疑的口气问道：“你是人类吗？”

女郎的柳眉往上一挑，嘴唇也撅了起来。从她这个反应来看，无法判断她究竟是听到了一种无法理解的陌生语言，或是她虽然听懂了，却不知道如何回答。

她将右手伸到左侧一拉，整件太空衣就被打开来，好像原本只是由一排铰链拴住。当她跨出来之后，太空衣兀自伫立了一会儿，又发出一下有如人声的轻叹，才终于垮成一团。

一旦走出臃肿的太空衣，她看起来更年轻了。她穿着一套宽松而半透明的衣服，外袍刚好及膝，里层的几件也若隐若现。

她的胸部平平，腰肢颇细，臀部浑圆而厚实。隐约可见的大腿看来相当壮硕，但小腿从膝盖到美丽的脚踝都十分修长。她有一头及肩的黑色秀发，一双黑色的大眼睛，以及一副稍嫌不对称的丰唇。

她低头打量了自己一下，然后说：“我看来不像人类吗？”这句话证明了她完全了解对方的语言。

她说的银河标准语稍嫌生涩，好像她刻意要将每个字的发音都咬得很准。

裴洛拉特点了点头，带着浅浅笑意说：“这点我无法否认。你是百分之百的人类，而且是赏心悦目的人类。”

年轻女郎将两臂向外伸，仿佛邀请他们看得更仔细些。“但愿如此，两位，许多男士都爱死了这副躯体。”

裴洛拉特说：“我宁愿为它好好活着。”他感到有点意外，自己竟然变得如此油腔滑调。

“说得好。”女郎一本正经地说，“一旦占有这副躯体，所有的叹息都将转变为赞叹。”

说完她就哈哈大笑，裴洛拉特跟着她笑了起来。

听到这番对话，崔维兹的额头起了好些皱褶。他突然厉声问道：“你几岁了？”

女郎似乎收敛了一点。“二十三，先生。”

“你来干什么？你到这里来有什么目的？”

“我是来护送你们到盖娅去的。”她的银河标准语突然有点不标准了，主要是把单母音转成了双母音。

“你一个女孩子，来护送我们？”

女郎突然现出严肃的神情，一副当家做主的模样。“我，”她说，“和大家一样，都是盖娅。管理太空站是我当前的职责。”

“你当前的职责？太空站上只有你一个人吗？”

她的语气充满骄傲。“我一个人就足够了。”

“那么它现在是空的了？”

“我已经不在上面，两位。但它并不是空的，它还在那里。”

“它？你指的是什么？”

“是那座太空站，它是盖娅。它不需要我，也能抓住你们的太空艇。”

“那你又在太空站里做什么呢？”

“那是我当前的职责。”

裴洛拉特扯了扯崔维兹的袖子，却被甩了开来，他只好再接再厉。“葛兰，”他用接近耳语的声音劝道，“别对她大吼大叫，她只是个女孩，这件事交给我处理。”

崔维兹怒气冲冲地摇了摇头，但裴洛拉特已经开始说：“年轻小姐，你叫什么名字？”

女郎突然露出快活的笑容，仿佛回应着裴洛拉特温和的语调。她答道：“宝绮思。”

“宝绮思？”裴洛拉特说，“非常好听的名字，想必不是你的全名吧。”

“当然不是。名字那么短有什么好处，那样到处都会碰到同名的人，让人没法分辨谁是谁，男士们还会搞错该爱死哪副躯体。我的全名是宝绮思奴比雅蕊拉。”

“这可实在拗口。”

“什么？七八个字怎么算拗口？我有些朋友的名字长达十五个字，却始终打不定主意该让朋友怎么称呼。我打从十五岁开始，就一直用宝绮思这个名字。我妈妈以前叫我‘奴比’，不知你们能否想象这种事情。”

“在银河标准语中，‘宝绮思’代表‘无上欢喜’或‘快乐至极’的意思。”裴洛拉特说。

“在盖娅的语言中也是这个意思，它跟银河标准语没有非常大的差别，而‘无上欢喜’正是我想带给别人的印象。”

“我叫詹诺夫·裴洛拉特。”

“我知道。而另外这位先生，这位大嗓门，叫做葛兰·崔维兹。我们是从赛协尔听来的。”

崔维兹立刻眯起双眼问道：“你是怎样听来的？”

宝绮思转身望着他，以平静的口气说：“不是我，是盖娅听来的。”

裴洛拉特说：“宝绮思小姐，我能否跟我的同伴私下说几句话？”

“当然可以，不过你该知道，我们还有正事要办。”

“我不会耽搁太久的。”裴洛拉特一面说，一面猛扯崔维兹的手肘，硬把他拖进隔壁舱房。

崔维兹悄声说：“这样做是干什么？我确定她仍然能够听到我们讲话，或许还能读取我们的心思，这该死的东西。”

“不管她能不能，我们暂时需要一点隔绝的感觉。听好，老弟，别再难为她了。我们根本无计可施，拿她出气绝不是办法。她只是个负责传话的女孩，可能跟我们一样身不由己。其实，只要她在太空艇上，我们大概就不会有危险；他们若是打算摧毁远星号，就不会让她上来了。你要是一直这么凶，他们或许就会把她撤走，然后摧毁这艘太空艇——当然包括我们在内。”

“我可不喜欢任人摆布。”崔维兹气急败坏地说。

“谁又喜欢呢？可是凶神恶煞的态度却无济于事，只能让你变成一个任人摆布的凶神恶煞。喔，我亲爱的兄弟，我不是故意要对你这般凶巴巴，如果我过分苛责你，你也一定要原谅我，但是无论如何别责怪那个女孩。”

“詹诺夫，以她的年纪，足以当你的幺女了。”

裴洛拉特板起脸孔。“所以我们更应该对她和颜悦色，但我不知道你这句话可有什么言外之意。”

崔维兹想了一下，脸上的阴霾便一扫而空。“很好，你说得对，是我错了。不过他们派一个女孩来，也未免太气人了。比如说，至少也该派个军官来，让我们多少感到有点，嗯，分量。只派一个女孩？她还一直说这都是盖娅的意思？”

“她也许是指某位以盖娅当荣衔的领导者，或是指这个行星的议会。我们迟早会查出真相，但也许不是直接问出来。”

“男人爱死了她那副躯体！”崔维兹说，“呸！因为她屁股大！”

“没有人要你去爱死它，葛兰。”裴洛拉特好言相劝：“好啦！就容许她这么自我解嘲吧。我自己认为这样很有意思，而且很友善。”

两人走到舱门口，发现宝绮思站在电脑旁边，俯身打量着电脑的元件。她的双手一直背在背后，仿佛生怕不小心会碰到电脑。

当他们低下头，钻过矮小的舱门时，宝绮思抬起头来。“真是一艘了不起的太空艇。”她说，“眼前的东西，我至少有一半毫无概念。但你们如果要送我一份见面礼，它当然最合适。它好漂亮，让我的太空船相形见绌。”

她脸上突然显现强烈的好奇。“你们真是从基地来的？”

“你又是如何听说基地的？”裴洛拉特反问。

“我们在学校学到的，主要是由于骡。”

“为什么是由于骡呢，宝绮思？”

“他是我们的一分子啊，先……你的名字可以用哪个字当简称，先生？”

裴洛拉特说：“詹或裴都可以，你喜欢哪一个？”

“他是我们的一分子啊，裴。”宝绮思露出老友般的笑容，“他生于盖娅，可是似乎谁也不知道确实地点。”

崔维兹接口道：“我想他一定是盖娅的英雄，宝绮思，对吗？”他的态度突然变得过分友善，几乎令人无法招架。他一面说，一面朝裴洛拉特递了一个眼色，意思是要他放心。“你可以称我崔。”他补充道。

“喔，不对。”她立刻答道，“他是一名罪犯，未经许可就离开盖娅，谁都不该那么做。谁也不知道他是如何溜走的，反正他就是溜了，我猜这就是他没有好下场的原因。基地最后把他打败了。”

“你是说第二基地吗？”崔维兹问。

“还有另一个吗？我相信如果好好想一想，我应该就会知道，但是我对历史没兴趣，真的。我的想法是，只有盖娅认为最有用的东西，我才会感兴趣。如果我对历史毫不在意，那是因为历史学家够多了，或者我天生就不适合。我可能正在接受太空技师的训练，我一直被指派从事这类工作，而且我好像也很喜欢。这是理所当然的事，假如我不喜欢……”

她说得愈来愈快，几乎没有换过气，崔维兹好不容易才插进一句话：“到底谁是盖娅？”

宝绮思露出困惑的表情。“盖娅就是盖娅。拜托，裴，崔，让我们办正事吧，我们得赶紧着陆。”

“我们不是正在降落吗？”

“没错，可是太慢了。盖娅觉得，如果你们让这艘太空艇发挥潜力，速度能比现在快得多。你们愿意这么做吗？”

“我们可以这么做。”崔维兹绷着脸说，“但如果把控制权交还给我，我不是很可能朝反方向飞走吗？”

宝绮思哈哈大笑。“你这个人真逗。盖娅不想让你走的方向，你当然没办法走。可是盖娅想要你走的方向，你就能走得比现在更快。懂了吗？”

“懂了。”崔维兹说，“我会试着控制自己的幽默感。我应该在哪里着陆？”

“用不着操心。你只管往下降，就会在正确的地点着陆，盖娅会确保这一点。”

裴洛拉特说：“而你会一直陪着我们，宝绮思，以确保我们受到良好的待遇？”

“我想应该没问题。让我想想看，通常本人的服务费——我是指这种服务——可由本人的收支卡入账。”

“而另外的服务呢？”

宝绮思吃吃笑了起来。“你真是个老可爱。”

裴洛拉特心头一凛。

03

当太空艇朝盖娅高速俯冲时，宝绮思兴奋得像个天真无邪的孩子。她说：“根本没有加速的感觉嘛。”

“它是由重力驱动的。”裴洛拉特说，“每样东西都同时被加速，包括我们在内，所以我们什么也感觉不到。”

“但这是怎么做到的呢，裴？”

裴洛拉特耸了耸肩。“我想崔该知道，”他说，“但我想他目前没心情谈这个。”

崔维兹正操纵着太空艇，顺着盖娅的重力阱猛然下冲。正如宝绮思刚才所说，对于他所下达的指令，电脑只能接受一部分。当他试图斜向跨越重力线时，电脑虽然有些迟疑，最后还是接受了。但每当他试图攀升，电脑则完全不理会。

他仍旧不是太空艇的主人。

裴洛拉特好言劝道：“你降落的速度是不是快了些，葛兰？”

崔维兹尽量避免发火（主要还是为了裴洛拉特着想），他用单调平板的语气说：“那位小姐讲过，盖娅会照顾我们。”

宝绮思说：“是啊，裴，盖娅不会让这艘船做任何危险的事。你们有没有什么吃的？”

“当然有。”裴洛拉特说，“你想吃些什么？”

“不要肉类，裴。”宝绮思颇有定见地说，“但我能吃鱼或蛋类，此外有任何蔬菜都好。”

“我们有些食物是在赛协尔添购的，宝绮思。”裴洛拉特说，“我不太确定里面是些什么，但你或许会喜欢。”

“好啊，那我就尝尝看。”宝绮思的语气听来不大有信心。

“盖娅上的人都是素食者吗？”裴洛拉特问道。

“很多都是。”宝绮思使劲点着头，“不过，主要还是取决于身体需要何种养分。我最近对肉类没胃口，所以我想自己目前并不需要。我现在也不想吃任何甜食，却认为干酪很好吃，还有虾米也是。我猜我也许需要减肥了。”她拍了拍右半边屁股，响起“啪”的一声。“这里就需要减掉五六磅。”

“我倒不这么想。”裴洛拉特说，“这样子你坐着比较舒服。”

宝绮思尽量扭头以便望向臀部。“算啦，没什么关系。体重会顺其自然增减，我自己不该操心。”

崔维兹忙着跟远星号奋战，所以一直没有说话。刚才他犹豫了稍微久一点，太空艇无法再做绕轨飞行，正从外气层底缘呼啸而过。崔维兹发现，太空艇愈来愈不受自己控制，好像那个外力已经学会如何操纵重力引擎。此时远星号显然一切自动，它沿着一条弧形轨迹升到稀薄的大气中，然后急遽减速。接着它又自行选择一条路径，一路划着优美的弧线缓缓落下。

宝绮思毫不理会空气阻力造成的尖锐噪音，专心闻着罐头冒出的蒸气。她说：“这一定很适合我，裴，否则闻起来不会那么香，我也就会毫无胃口。”她将一根纤细的手指伸进罐头，再用舌头舔了舔。“你猜得果然没错，裴。正是虾米之类的东西，太好了！”

崔维兹气呼呼地举起双手，向电脑投降。

“小姐。”听他的口气，好像是头一次跟她说话。

“我的名字叫宝绮思。”她坚决地说。

“好吧，宝绮思！你原本就知道我们的名字。”

“是的，崔。”

“你是怎么知道的？”

“这很重要，我必须知道才能顺利执行任务，所以我就知道了。”

“你知道曼恩·李·康普是谁吗？”

“如果他对我很重要，那我就会知道。既然我不知道他是谁，康普先生就不会到这里来。这一回，”她顿了一会儿，“除了你们两位，不会再有其他人来。”

“等着瞧吧。”

他向下俯瞰，发现这是一颗多云的行星。但云层不是厚实的一整块，而是一片片散布得极为均匀，以致整个行星表面没有一处看得清楚。

他将扫描仪调到微波频带，雷达幕随即亮了起来，看得出地表几乎是天空的倒影。盖娅似乎是个由群岛构成的世界，有些类似端点星，不过岛屿数目更多，而且更为平均。其中没有任何太大或是太过孤立的岛屿，简直就是行星级的爱琴海。虽然太空艇的轨道与赤道面夹着很大的角度，崔维兹却没有看到冰冠的踪迹。

通常每个世界都有些人口集中地带，例如能从夜面的照明分布看出来，但在这里，他看不出任何显著的人口分布趋势。

“我会降落在首都附近吗，宝绮思？”崔维兹问。

宝绮思轻描淡写地答道：“盖娅会让你降落在适当的地点。”

“我比较喜欢大城市。”

“你是指挤着一大群人的地方？”

“对。”

“这得由盖娅决定。”

太空艇继续向下降，崔维兹开始猜测它将落在哪个岛上，借此打发无聊的时间。

不管目的地是哪一个岛，显然一小时内就要着陆了。

04

太空艇像羽毛般轻巧地落到地面，没有产生一点冲击，也没有任何异常的重力效应。他们三人鱼贯地走出来，宝绮思走在前面，接着是裴洛拉特，最后才是崔维兹。

天气跟端点市的初夏相仿。不时袭来阵阵和风，而多云的天空透出明亮的阳光，像是近午时分的光景。脚下是一大片绿地，一侧密植着一排又一排的树木，显然是个果树园，另一侧则是绵长的海岸线。

他们听到一些低沉的嗡嗡声，可能是昆虫类发出来的。头上还掠过一只飞鸟，或是某种会飞的小型生物。远处又传来一连串“咔啦咔啦”的声响，似乎是农机发出的噪音。

第一个开口的是裴洛拉特，但他所说的和眼见耳闻都没有关系。他先猛力吸了一口气，然后说：“啊，好香，像是刚做好的苹果酱。”

崔维兹说：“我们眼前可能就是个苹果园，看来他们正在做苹果酱。”

“反之，在你们的太空艇上，”宝绮思说，“闻起来却像……唉，反正味道很可怕。”

“刚才在上面，你并没有抱怨。”崔维兹咆哮道。

“我得讲礼貌啊。在你们的太空艇上，我总是客人。”

“现在又怎么不维持礼貌了？”

“现在回到我自己的世界。你们成了客人，该你们讲礼貌。”

裴洛拉特道：“她说太空艇有股怪味，可能真说对了，葛兰。有没有办法给它换换空气？”

“有，可以做得到。”崔维兹随即答道，“只要这个小东西能向我们保证，不会有人对太空艇动手脚。她刚才已经向我们证明，她能以不寻常的力量控制太空艇。”

宝绮思立刻抬头挺胸，站得笔直。“我并没有那么小。如果太空艇不再受外力控制，你就能把里面清理干净，我保证十分乐意跟你配合。”

“那么，可以带我们去见你口中那位盖娅了吧？”崔维兹说。

宝绮思似乎被逗乐了。“我不知道你会不会相信，崔，但我就是盖娅。”

崔维兹瞠目结舌。他常常听到“收心凝神”这句成语，不过都是比喻而已。今天是他有生以来第一次，感到自己实实在在经历了这种过程。最后，他终于吐出一个字：“你？”

“是的。还有这片土地，还有那些树木，以及草丛里那只兔子，以及那位站在树林中的人。整个行星和它上面的万事万物，全部是盖娅。我们都是单独的个体，都是独立的生物体，可是我们全部分享一个整体意识。其中无生命的行星占得最少，不同形式的生命各占不同比例，而人类占了绝大多数——但大家多少都拥有一部分。”

裴洛拉特说：“我想，崔维兹，她所谓的盖娅，是指某种群体意识。”

崔维兹点了点头。“我也想到了。既然如此，宝绮思，是谁在治理这个世界呢？”

宝绮思说：“一切自治自理。那些树木自动自发地长得整整齐齐，而且繁殖得不多不少，刚好取代由于各种原因死去的树木。人类需要多少苹果，就会采收多少。而其他的动物，包括昆虫在内，都只摄取自己所需的分量，绝不会超过。”

“每只昆虫都知道该吃多少，是吗？”崔维兹问道。

“对，可以说它们都知道。有需要的时候便会降雨，有时雨下得很大，那是因为必须如此；有时又会有持续不断的干旱，那也是因为有这个需要。”

“雨点也知道该做些什么，是吗？”

“对，它们也知道。”宝绮思非常严肃地说，“你的身体里面有各种不同的细胞，它们难道不晓得该做些什么吗？比方说何时生长，何时停止，何时形成某种物质，何时不该形成——而在形成那些物质的时候，它们又拿捏得恰到好处，刚好不多不少。就某个层次而言，每个细胞都是一座独立的化学工厂，但是它们所使用的原料，都来自共同的运输系统；它们所排放的废料，又全都送到共同的排放管道。就这样，每个细胞对整体意识都作出一份贡献。”

裴洛拉特听得有些着迷，他说：“这实在太神奇了。你是说这颗行星是个超级生命体，而你只是它的一个细胞。”

“我只是打个比方，并非划上等号。我们好比细胞，但我们并不等于细胞。这点你能了解吗？”

崔维兹问道：“你们哪一方面跟细胞不同？”

“我们自己就是由许多细胞组成，对这些细胞而言，它们拥有一个群体意识。这个群体意识对应一个独立的生物体，拿我来说，便是一个人类……”

“有着一副让男人爱死的躯体。”

“完全正确。我的意识远超过任何一个细胞所拥有的意识，两者的程度天差地远。然后，我们又是更高层次群体意识的一部分，但这个事实不会将我们贬到细胞的层次。我仍然是一个人，只不过在我之上，还有一个巨大的群体意识，是我完全无法掌握的。就好像我的二头肌细胞，怎么样也不能了解我的意识一样。”

崔维兹说：“抓住太空艇的这项行动，总该有人授意吧。”

“不，不是某个人！那是盖娅的意思，是我们全体的意思。”

“连树木和土地在内吗，宝绮思？”

“它们的贡献非常少，但还是有一点。听好，一位音乐家写出一首交响乐之后，难道你会追问，那是他身上哪些特殊细胞授意和监督的结果吗？”

裴洛拉特说：“我认为，这个群体意识所塑造的群体心灵——姑且这么称呼它——一定比个体心灵强大许多，正如一块肌肉远比一个肌肉细胞强壮。因此，盖娅才能在很远的距离外，借着控制我们那台电脑，捕获我们的太空艇。虽然在这颗行星上，没有任何个体心灵做得到这件事。”

“你了解得极其透彻，裴。”宝绮思说。

“我也了解，”崔维兹说，“这没有什么难懂的。可是你们究竟要我们做什么？我们并不是来攻击你们，我们只是来这里找资料。为什么你们要捕捉我们？”

“因为要跟你们谈谈。”

“你可以在太空艇上跟我们谈。”

宝绮思严肃地摇了摇头。“我不是负责跟你们谈的人。”

“你不是这个群体心灵的一部分吗？”

“当然是，但我不能像鸟那样飞，像昆虫那样鸣叫，或者长得像树那样高。我做的都是最适合我的事，而我不是提供你们资讯的最佳人选——虽然那些知识可以轻易灌输给我。”

“谁决定不要灌输给你的？”

“我们全体决定的。”

“这些资讯会由谁来提供给我们呢？”

“杜姆。”

“杜姆是谁？”

“这个嘛，”宝绮思说，“他的全名是恩杜姆安迪欧维查玛隆德雅索……等等等等。不同的人在不同的场合，会使用不同的简称来称呼他，但我一向都称他杜姆，我想你们两位也可以用这个简称。在这颗行星上，他可能是享有盖娅最多的人，而他就住在这个岛上。他提出和你们见面的要求，并且获得了允许。”

“谁允许的？”崔维兹问，但他自己随即想到答案。“我知道了，是你们全体决定的。”

宝绮思点了点头。

裴洛拉特说：“我们何时可以见到杜姆，宝绮思？”

“马上就可以。请跟我来，裴，我现在就带你去见他。当然还有你，崔。”

“然后你就要走了吗？”裴洛拉特问。

“你不希望我走吗，裴？”

“老实讲，不希望。”

“你又来了。”她带他们走过果园旁一条平缓的石子路，一面走一面说，“男人见到我没多久，都会开始着迷。即使德高望重的老者，也无法克制少年般的热情。”

裴洛拉特哈哈大笑。“我可不指望还有少年般的热情，宝绮思，可是如果真的还有，我想必定是由于你的缘故。”

宝绮思说：“喔，可别低估你少年般的热情，我能创造奇迹。”

崔维兹不耐烦地问道：“我们抵达目的地之后，还要再等多久才能见到这位杜姆？”

“他就在那里等你。毕竟，杜姆通过盖娅筹备了好多年，才把你带到这里来。”

崔维兹停下脚步，迅速向裴洛拉特望去，后者做了几个无声的口型：你猜对了。

宝绮思仍然直视着前方，以冷静的口吻说：“我知道，崔，你已经在怀疑我／们／盖娅对你有兴趣。”

“我／们／盖娅？”裴洛拉特轻声说。

宝绮思转头朝裴洛拉特微微一笑。“我们有一大套繁复的代名词，用来表达盖娅和个体之间的种种微妙关系。我可以好好向你解释一番，不过在此之前，‘我／们／盖娅’勉强可以表达我的意思——请继续走吧，崔，杜姆正在等你呢。我不想强迫你的双脚违背你的意志，除非你习惯了，否则会是一种很不舒服的感觉。”

崔维兹继续向前走。在他投向宝绮思的目光中，混杂着深沉无比的怀疑。

05

杜姆是一位老先生。他用音乐般的声调和抑扬顿挫吟诵了一遍长达二百五十三个字的名字。

“在某种程度上，”他说，“这串名字就是我的略传。它可以让听到的、读到的或者感应到的人，了解我的背景、我在整体中扮演的角色，以及我的种种成就。然而，五十多年来，我都习惯别人称我杜姆。如果还会提到其他的杜姆，我可以改称杜姆安迪欧。而在不同的专业领域中，我还会使用一些不同的简称。每过一个盖娅年，在我的生日那天，我都会在心中默诵一遍自己的全名，就像我刚才念诵给你们听那样。这样做能令人印象深刻，但我自己难免感到尴尬。”

他又高又瘦，几乎到了皮包骨的地步。虽然他行动相当迟缓，深陷的眼珠却闪着异样的青春光芒；高挺的鼻子又细又长，可是鼻孔张得很大；双手虽然布满青筋，不过看不出关节炎的迹象。他穿着一件很长的袍子，颜色跟他的头发一样灰。袍子一直垂到足踝附近，下面是一双凉鞋，脚趾全部裸露在外。

崔维兹问道：“阁下，请问您高寿？”

“请称呼我杜姆吧，崔。使用称谓显得太正式，会使你我难以自由交换意见。以银河标准年计算，我刚满九十三岁，可是根据盖娅年，我还要再等几个月，才会庆祝九十岁的生日。”

“如果要我猜，我会猜您顶多不过七十五岁，阁……杜姆。”崔维兹说。

“以盖娅的标准而言，崔，不论我的实际年龄或者外表，其实都不能算老。不过别提这个了，大家吃饱了吗？”

裴洛拉特低头看了看自己的餐盘，里面还剩下不少食物，他从来没吃过烹调这么随便的一餐，简直淡而无味到了极点。他用心虚的口吻说：“杜姆，我可不可以问一个冒昧的问题？当然，如果冒犯了您，请您务必明讲，我会马上收回。”

“请说吧，”杜姆笑道，“不论你对盖娅哪方面感到好奇，我都很乐意为你解释。”

“为什么呢？”崔维兹立刻追问。

“因为两位是我的贵客。我能听听裴的问题吗？”

裴洛拉特说：“既然盖娅上的万事万物，分享着同一个群体意识，那么您身为这个群体的一分子，又如何能吃这份食物呢？它显然也是群体的一分子。”

“有道理！可是万事万物都在不断循环。我们必须进食，而我们所吃的每一样东西，不论植物或动物，甚至包括没有生命的调味料，都是盖娅的一部分。可是，你知道吗，我们不会为了娱乐或运动而杀生；当我们不得不杀生的时候，也不会让生灵遭受无谓的痛苦。只怕我们从来不曾在食物的色香味上多花功夫，因为盖娅人除非需要食物，否则不会无缘无故吃东西。你们认为这顿饭并不算享受，裴？崔？嗯，吃饭本来就不该是一种享受。

“不管怎么说，被我们吃进去的东西，仍是这颗行星意识的一部分。只要其中某些成分和我的身体合而为一，它就能分享较多的整体意识。我死去后，也一样会被吃掉，纵使只是被细菌吃掉。到了那个时候，我能分享的整体意识就小得多了。但是总有一天，我的某些部分会转移到其他人身上，转移到许多人身上。”

裴洛拉特说：“这是一种灵魂的轮回。”

“一种什么，裴？”

“我说的是一则古老的神话，不过有些世界依然很流行。”

“啊，我竟然不知道，改天你一定要告诉我。”

崔维兹说："可是您的个体意识——您之所以是杜姆的各种特质——却永远无法完全重组。"

"不能，当然不能，但这又有什么关系呢？我仍会是盖娅的一部分，那就够了。我们这里有些玄学家，想到或许该设法建立对于过去的群体记忆，可是'盖娅意识'认为实际上是行不通的，而且根本没有任何用处，反倒会模糊了现有的意识。当然，如果大环境逐渐改变，'盖娅意识'或许也会跟着改变，但在可预见的未来，我却看不出有任何机会。"

"为什么您必须死呢，杜姆？"崔维兹问道，"既然您九十几岁还老当益壮，难道这个群体意识就不能……"

杜姆首度皱起了眉头。"绝对不能。"他说，"我能作的贡献就只有那么多。每一个新的个体，都是分子与基因的一次重新组合。如此才能产生新的才干、新的能力，才能为盖娅作出新的贡献。我们必须不断补充新血，而唯一的方法就是腾出空位。我已经比大多数人贡献了更多，但我仍有本身的极限，如今也渐渐逼近了。我不想活过生命的大限，正如我不愿在大限之前死去。"

说到这里，他好像发觉气氛突然转趋沉重，于是站了起来，向两位客人伸出双臂。"来吧，崔，裴，到我的工作室去，我给你们看看我自己做的一些艺品。希望你们不会见笑，老头子难免也有点虚荣心。"

他带领两位客人来到另一个房间，在一张小圆桌上，摆着许多灰暗的透镜，全都两两成对连在一起。

"这些，"杜姆说，"都是我设计的'融会镜'。我并不算个中翘楚，但我专研'无生融会镜'，而名匠几乎都懒得在这方面花工夫。"

裴洛拉特问道："我能拿一个来看看吗？会不会很容易打碎？"

"不会的，如果你想试试，大可用力摔到地板上。但最好还是别那样做，振荡可能令它的敏锐度降低。"

"要怎样使用呢，杜姆？"

"把它放在眼睛上面，它就会紧紧贴住。这种装置不会透光，恰恰相反，它可以遮蔽令你分神的光线。不过，感觉仍会经由视神经传到大脑。它能使你的意识变得更敏锐，以融入盖娅其他各个层面。换句话说，如果透过它观看一堵墙，你将体会到那堵墙自己的感觉。"

“太奇妙了。”裴洛拉特喃喃道，“我可以试试看吗？”

“当然可以，裴，你可以随便选一个。每一个的构造都不尽相同，可以显示墙壁——或是你观看的任何无生物——意识中各种不同的风貌。”

裴洛拉特拿起一副放在眼睛上，立刻感觉镜片贴住眼球。他先是吓了一跳，然后一动不动呆立良久。

杜姆说：“你看够了之后，将两手放在融会镜左右两侧，向中间压一下，它就会自动脱落。”

裴洛拉特依言照做，镜片果然落下来。他猛眨一阵眼睛，又伸出双手揉了揉。

杜姆问道：“你有什么体会吗？”

裴洛拉特说：“很难形容，墙壁似乎变得闪烁晶莹，有时好像又变成流转的液体。它似乎有一副骨架，而且几何结构不停变换。可是我……我很抱歉，杜姆，我并不觉得有什么意思。”

杜姆叹了一声。“你并没有融入盖娅，所以你看到的和我们不同。我本来就在担心这件事，真糟糕！但有一点我可以保证，虽然这些融会镜主要的价值在于艺术欣赏，不过它们也有实际的用途。因为一堵快乐的墙壁，也就是一堵长寿的墙壁、实用的墙壁、有效的墙壁。”

“快乐的墙壁？”崔维兹笑着问道。

杜姆说：“墙壁具有一种微弱的感觉，和人类所谓的‘快乐’相仿。只要是设计精良、根基稳固、结构匀称而不至产生难过的应力，它就是一堵快乐的墙壁。力学原理虽然能帮工程师作出优良的设计，但唯有使用合适的融会镜，才能真正微调到原子的尺度。盖娅的雕刻家想要做出一流艺术品，没有精巧的融会镜是绝对办不到的。而我所制作的这种特殊式样，不怕你们笑我自夸，可以说是有口皆碑。

“‘有生融会镜’并不是我的专长，”就和任何人提到自己的嗜好一样，杜姆越说越兴奋，“不过道理相同，它能让我们直接体会到生态结构。盖娅的生态相当简单，跟其他行星并无不同，但是，至少我们希望能把它变得复杂些，好让整体意识更加丰富。”

裴洛拉特似乎有话要说，崔维兹却举起手来对他挥了挥，示意他别插嘴，然后自己问道：“既然所有的行星都只有简单的生态，您怎么知道盖娅有可能超越这一点呢？”

“啊，”杜姆的双眼闪耀出机智的光彩，“你在测验我这个老头子。其实你跟我一样明白，人类的故乡‘地球’曾经拥有极其复杂的生态。只有简单生态的仅是那些次级世界，也就是所谓的衍生世界。”

裴洛拉特不甘心保持沉默。“这正是我钻研了一辈子的题目。为何唯独地球产生复杂的生态？它跟其他世界有什么不同？为什么银河其他百千万个世界——那些能够产生生命的世界——都只发展出大同小异的植物生命，顶多还有一些小型的、没有智慧的动物？”

杜姆说：“关于这个问题，我们这里有个传说。或许只是个传奇故事，我不敢保证它的真实性。事实上，它听起来的确像是虚构的故事。”

宝绮思直到现在才走进来，刚才吃饭时她并没有在场。她换了一件银色的衣裳，质地极薄极透明。

她冲着裴洛拉特微微一笑，裴洛拉特连忙起身说：“我以为你已经走了。”

“才不会呢。我刚才在赶几份报告，以及其他的工作。现在我可以加入你们吗，杜姆？”

杜姆也早就站了起来（不过崔维兹却始终坐着）。“万分欢迎，你让我这对老眼为之一亮。”

“我穿这身衣裳，就是专门为了让您养眼的。裴已经达到不动心的境界，而崔根本不喜欢这一套。”

裴洛拉特说：“如果你认为我对这些事不动心，宝绮思，哪天我会给你一个惊奇。”

“那一定是个可爱的惊奇。”宝绮思一面说，一面坐了下来，两位男士也跟着她一同坐下。“请继续，别让我打断你们。”

于是杜姆说：“我正要告诉两位客人有关‘永恒之境’的故事。想要了解这个故事，必须先了解一个理论：很多不同的宇宙可能同时存在，事实上应该是无限多。宇宙中所发生的每一个事件，其实都有可能不会发生，或是以不同的方式出现。在众多的可能性中，每一个都会导致未来的一连串事件，而每个未来都会多少有些不同。

“宝绮思可能刚才并未进来，她也可能早一些加入我们，或者早很多，或者现在才走进来。她也许会穿不同的衣裳，即使穿着这件衣裳，她也可能不会遵从风俗，对老者露出淘气的笑容。光是她走进来这件事，就有许许多多其他的可能，而在众多的可能性中，每一个都会使宇宙跨入不同的轨迹。以此类推，每一个事件的不同版本，不论事件多么小，都会使宇宙的未来有所不同。”

崔维兹有点坐不住了。“我相信，这是量子力学中一个很普通的臆测。事实上，还是非常古老的一个。”

“啊，原来你听过，但还是让我继续说下去。请想象人类有办法将无限多的宇宙通通冻结，并任意游走各个宇宙，还能从中选取一个真实的宇宙，暂且不论‘真实’在此作什么解释。”

崔维兹说：“我听得懂您的话，甚至能够想象您所描述的观念，但我就是无法相信这种事情真会发生。”

“其实，我也不能全盘接受，”杜姆答道，“因此我才会说，它从头到尾都像个传奇。然而根据这个传奇故事，有些人能够跨出时间坐标，对无穷多个可能成为真实的宇宙一一检查。这些人叫做永恒使者，他们跨出时间坐标之际，就是进入了永恒之境。

“这些人的任务，是要选择一个最适合人类的‘实相’。他们曾经不断修正自己的决定——故事发展到这里，情节变得十分琐碎，我得提醒你们，这个故事是以冗长的史诗形式写成的。最后，他们终于找到一个宇宙（故事是这么说的），而在这个宇宙中，整个银河唯独地球拥有复杂的生态系，也只有地球能发展出足以创造高科技的智慧型物种。

“他们判断人类在这个情况之下最为安全，于是将这一串事件固定为实相，便终止了这项工作。因此，如今银河中只有人类一种智慧生物。而人类在殖民银河的过程中，有意无意间带了许多动植物和微生物同行，结果在各个行星上，源自地球的物种往往征服了原有的生命。

“在朦胧迷蒙的几率空间里面，其实还有其他许多实相存在，而在那些实相中，银河拥有许多种智慧生物。可是我们全部无法触及，我们被单独禁锢在这个实相之中。在这个实相所发生的每个行动或事件，都会产生许多新的分枝，但是宇宙每次分歧时，只会有一个分枝成为实相的延续。所以说，应该有数量众多的潜在宇宙——或许有无限多——从我们的实相中产生，但理论上它们都是类似的，也就是说在每个潜在宇宙中，我们这个银河都只有单一的智慧生物。或许我应该说，另类宇宙所占的比例实在太小太小了，这是因为可能性有无穷多，排除任何可能都是危险的断言。”

他停了一下，微微耸了耸肩，又补充道：“至少，故事是这么说的。这个故事早在盖娅建立之前就在流传，我不敢保证它是真的。”

其他三人一直都在专心聆听。此时宝绮思点了点头，好像她早就听过这个故事，点头是代表杜姆并没有讲错什么。

裴洛拉特则维持着庄严肃穆的神态，将近一分钟之久，然后他握紧拳头，用力打在座椅扶手上。

“不，”他用嘶哑的声音说，“这毫无意义。我们无法凭借观测或推理，来证明这个故事的真实性，所以它只能算一种臆测。但是姑且不追究这一点，假设它的确是真的！我们置身的这个宇宙，仍旧只有地球发展出丰富的生命和智慧型物种，所以在这个宇宙中——不论它是仅此一家，还是无限多个可能中的一个——地球这颗行星一定有什么独一无二之处。我们仍然要探究这个唯一性到底是什么。”

接下来又是好一阵子静默，结果是崔维兹最先作出反应，摇了摇头。

“不对，詹诺夫，”他道，“话不是这么说。让我们作一个假设：在银河的十亿颗可住人行星中，只有地球（纯粹出于巧合）发展出丰富的生态，最后终于产生智慧生物，这样的机会是一比十亿兆，也就是十的二十一次方分之一。那么在这个前提下，在十的二十一次方个潜在实相中，就有一个实相含有这样的一个银河，而那些永恒使者刚好选择了它。因此在我们这个宇宙的这个银河中，只有地球这颗行星能够发展出复杂的生态、智慧型物种，以及高等的科技——这并不是因为地球有什么特别之处，纯粹只是一种巧合。”

“事实上，”崔维兹继续以深思熟虑的口气说，“我认为应该还有许多其他的实相，其中唯一发展出智慧型物种的行星，分别是盖娅、赛协尔或端点星，或是某颗在这个实相中毫无生命迹象的行星。当然还有更多的实相，对应于银河中不仅只有一种智慧型物种，而它们的数目一定很庞大，所以比较之下，上述的极端情形仅占极微小的比例。我相信，如果那些永恒使者检查过足够多的实相，他们就会发现其中有一个，对应于每颗可住人行星都独立发展出智慧型物种。”

裴洛拉特说："难道你就不能假设，永恒使者找到一个特殊的实相，其中的地球和其他实相中的地球都不相同，特别适于发展出智慧？事实上，你还可以进一步假设，永恒使者找到一个特殊的实相，其中的银河和其他实相中的银河都不相同，只有地球一颗行星能够发展出智慧。"

崔维兹说："你可以这么假设，但我认为我的版本比较有道理。"

"那纯粹是主观的认定，当然……"裴洛拉特有点冒火，杜姆赶紧打岔道，"这只是逻辑上的诡辩。好啦，我们不要破坏一个愉快闲适的夜晚，至少我自己十分珍惜这个气氛。"

裴洛拉特勉力放松紧绷的情绪，让火气慢慢消退。最后他终于露出笑容，并且说："遵命，杜姆。"

宝绮思一直坐在那里，双手放在膝盖上，装出一本正经的模样。崔维兹原本一直瞅着她，这时突然说："这个世界又是怎么来的，杜姆？我是指盖娅，以及它的群体意识。"

杜姆仰着头，以高亢的音调笑了几声。当他再度开口的时候，一张老脸堆满了皱纹。"仍旧只有传说！当我读到有关人类历史的记载时，有时也会想到这个问题。历史记载不论怎样仔细地收藏、归档、电脑化，时间一久总会模糊不清。故事像滚雪球般增加，传奇则像灰尘般累积。愈是久远的历史，积聚的灰尘就愈厚，最后终于退化成了传说。"

裴洛拉特说："我们历史学家对这种过程相当清楚，杜姆。传说自有吸引人的地方，大约十五个世纪前，列贝尔·坚纳拉特就说过：'精彩的假戏驱逐乏味的真相'。现在这句话已经被奉为'坚纳拉特定律'。"

"是吗？"杜姆说，"我还以为这只是我自己发明的讽刺呢。嗯，由于这个坚纳拉特定律，我们的历史充满朦胧的美感。你们知道机器人是什么吗？"

"我们到了赛协尔才知道的。"崔维兹随口答道。

"你们看到过？"

"不，有人问过我们相同的问题。当我们作出否定的回答后，他就向我们解释了一番。"

"我懂了。你们可知道，人类曾和机器人共同生活过一段岁月，但相处得并不好。”

“这点我们也听说了。”

“机器人都受到所谓‘机器人学三大法则’的严格约束，这可以追溯到史前史。三大法则有好几种可能的版本，根据正统的看法，内容如下：‘一、机器人不得伤害人类，或因不作为而使人类受到伤害。二、除非违背第一法则，机器人必须服从人类的命令。三、在不违背第一法则及第二法则的情况下，机器人必须保护自己。’

“等到机器人变得愈来愈聪明能干之后，它们就对这些法则，尤其是至高无上的第一法则，作出愈来愈广义的诠释，并且愈来愈以人类的保护者自居。它们的保护剥夺了人类的自由，令人类愈来愈难以忍受。

“机器人完全是出于善意。它们显然都在为人类着想，为所有人类的幸福不断努力，偏偏适得其反，更加令人无法消受。

“机器人的每一步进化，都使这种情况更为变本加厉。后来机器人更发展出精神感应力，表示连人类的思想都瞒不过它们，从此以后，人类的行为便受到机器人更严密的监督。

“与此同时，机器人的外形变得愈来愈像人类，可是行为仍是不折不扣的机器人，徒具人形只让它们更惹人反感。所以，这种情况当然会有个了结。”

“为什么‘当然’呢？”裴洛拉特一直聚精会神听着，直到现在才发问。

杜姆说：“这是钻逻辑牛角尖的必然结果。最后，机器人进步到了具有足够的人性，终于体认到人类为何憎恶它们，因为它们名义上虽然为人类着想，实际上却剥夺了人类应有的一切。结果机器人不得不作出决定，不论人类照顾自己的方式多么拙劣和没效率，也许还是让人类自生自灭比较好。

“因此，据说永恒之境就是机器人建造的，而永恒使者正是那些机器人。它们找到一个特殊的实相，认为人类处身其中最为安全——也就是独处于银河中。在尽完照顾人类的责任之后，为了切实而彻底地奉行‘第一法则’，那些机器人遂自动终止运作。从此以后，我们才算是真正的人类，靠自己的能力，独力发展一切。”

杜姆顿了一下，视线轮流扫过崔维兹与裴洛拉特，然后说：“怎么样，你们相信这些说法吗？”

崔维兹缓缓摇了摇头。“不相信，我从未听说有任何历史记载提到这种事。你呢，詹诺夫？”

裴洛拉特说：“某些神话跟这个故事似乎有类似之处。”

“得了吧，詹诺夫，我们随便哪个人编个故事，只要加上天花乱坠的解释，都能找到合拍的神话传说。我指的是历史，是可靠的记载。”

“喔，这样的话，据我所知应该没有。”

杜姆说：“我并不意外。早在机器人销声匿迹之前，许多人为了追求自由，便已成群结队离开地球，前往更深的太空去建立无机器人的殖民世界。他们大多数来自过度拥挤的地球，当然记得长久以来对机器人的排斥。新的世界一切从头开始，他们甚至不愿回顾过去的痛苦屈辱——人人都像小孩一样，被迫接受机器人保姆的照顾。因此他们没有保留任何记录，久而久之便忘得一干二净。”

崔维兹说：“这不太可能吧。”

裴洛拉特转向他说：“不，葛兰，并非没有这个可能。每个社会都会自行创造自己的历史，也都喜欢湮灭低微的出身；消极的做法是任其被遗忘，积极的做法是虚构一些英雄事迹。当年的帝国政府，曾经试图抹杀前帝国时代的历史，以便制造帝国永恒的神秘假象。此外，超空间纪元之前的历史记载，现在也几乎全部消失。而你自己也明白，如今大多数人都不知道地球的存在。”

崔维兹反驳道：“你不能自相矛盾，詹诺夫。如果整个银河都忘却了机器人，盖娅怎么会记得？”

宝绮思忽然发出女高音般的轻快笑声。“因为我们不一样。”

“是吗？”崔维兹说，“哪点不一样？”

杜姆说：“好了，宝绮思，让我来讲吧。两位端点星的客人，我们的确与众不同。从机器人国度逃出来的流亡团体，其中有一批人循着赛协尔殖民者的路线，最后终于抵达盖娅。只有他们这批人，从机器人那里学到精神感应的技艺。

“你知道吗，那的确是一门技艺。它是人类心灵与生俱来的潜能，却必须通过非常微妙而困难的方式，才有办法发展出来。想要将这个潜能发挥到极致，需要经过许多代的努力，不过一旦有了好的开始，它就会自动发展下去。我们已经花了两万多年的工夫，而‘盖娅意识’就是这个潜能的极致，但至今尚未达到炉火纯青之境。在我们发展精神感应的过程中，很早便体会到群体意识的存在。首先仅限于人类，然后扩及动物，接下来是植物，最后，在几个世纪前，扩大到了行星本身的无生命结构。

“由于这一切都源自机器人，因此我们并没有忘记它们。我们将它们视为导师，而并非我们的保姆。我们总是认为，它们帮我们打开心灵中另一扇门，从此我们再也不希望关上。我们始终怀着感激的心情追念它们。”

崔维兹说：“你们过去曾经是机器人的孩子，现在又成了群体意识的孩子。你们不是跟过去一样，仍旧失去人性的尊严吗？”

“这是截然不同的两回事，崔。我们现在所做的，完全出于自己的抉择，自己的抉择！两者不能相提并论。我们并没有受到外力强迫，是由内而外发展出来的，这点我们绝对不会忘记。此外，我们还有一个与众不同之处。我们是银河中独一无二的世界，再也没有一个世界和盖娅一样。”

“你们怎能如此肯定？”

“我们当然能够肯定，崔。如果还有一个和我们类似的世界级意识，即使远在银河的另一端，我们也侦测得到。比如说，我们就能侦测出来，你们那个第二基地的群体意识正在起步，但这只是最近两个世纪的事。”

“就是在骡乱时期吗？”

“对，骡本是我们的一分子。”杜姆显得面色凝重，“他是一个畸变种，擅自离开了盖娅。当时我们太过天真，以为那是不可能的事，所以没有及时采取制止行动。后来，当我们将注意力转移到外在世界时，便发觉了你们所谓的第二基地，于是把这件事留给他们处理。”

崔维兹茫然地瞪着眼睛，好一会儿之后，才喃喃地说：“再来，就接上我们的历史课本了！”他摇了摇头，故意提高音量说：“盖娅这么做，是不是太孬种了一点？他应该是你们的责任。”

“你说得对。可是等到我们终于放眼银河，才晓得过去根本是有眼无珠。因此，骡造成的悲剧反倒成了我们的警钟。直到那个时候，我们才察觉到一个事实，就是我们迟早会面临一个严重的危机。如今危机果然来临，但多亏骡这桩意外事件，我们早已有充分的准备。”

“什么样的危机？”

“一个足以使我们毁灭的危机。”

“我才不相信。你们先后逐退了帝国、骡、赛协尔；你们拥有强大的群体意识，能在千百万公里之外抓住太空中的船舰。你们又有什么好怕的？看看宝绮思，她看来一点都不慌张，她并不认为会有什么危机。”

宝绮思将一条美腿搁在座椅扶手上，冲着崔维兹扭动趾头。“我当然不担心，崔，反正你会处理。”

崔维兹使劲吼道：“我？”

杜姆说：“盖娅借着上百种微妙的安排，把你带到这里来，就是要你替我们应付这个危机。”

崔维兹瞪着杜姆，表情渐渐由惊愕转为愤怒。“我？太空如此浩瀚，为何偏偏是我？这跟我一点关系也没有。”

“不管怎么说，崔维兹，”杜姆用近乎催眠的平静口吻说，“就是你了。太空虽然浩瀚，却也只有你了。”

第十八章

碰 撞

01

史陀·坚迪柏缓缓向盖娅之阳推进，几乎跟崔维兹当初一样小心翼翼。等到那颗恒星已经像一个小圆盘，必须透过强力滤光镜观看，他停了下来，开始考虑下一步行动。

苏拉·诺微坐在一旁，偶尔抬起头来，用畏怯的目光望着他。

她突然轻声说："师傅？"

"什么事，诺微？"他心不在焉地问。

"你不高兴吗？"

他马上抬起头望着她。"不，只是挂心而已，还记得这个词吗？我在考虑到底应该迅速前进，还是要再多等一会儿。我应该表现得非常勇敢吗，诺微？"

"我认为你一直都非常勇敢，师傅。"

"勇敢有时是愚蠢的同义词。"

诺微露出微笑。"学者领袖怎么可能愚蠢呢？那是个太阳，对不对，师傅？"她指着屏幕说。

坚迪柏点了点头。

诺微迟疑了一下，又问："它是不是照耀川陀的太阳？是不是阿姆的太阳？"

坚迪柏答道："不是的，诺微，它是另一个截然不同的太阳。银河中有许多太阳，总共有几千亿。"

"啊！其实我的脑袋知道这回事，然而，我没办法让自己相信。怎么会这样呢，师傅？一个人怎么会脑袋知道，却又不相信呢？"

坚迪柏浅浅一笑。"在你的脑子里，诺微——"当他这么说的时候，他的意识又自然而然进入她的脑海。就像往常那样，他轻抚着她的心灵；只是用精神触须轻触一下，好让她保持镇定与安宁。若非有东西吸引他的注意，他会像往常那样随即离去。

现在他所感觉到的，只能用精神力学的术语形容，但仍然是一种比喻。诺微的大脑发出幽光，一种极其微弱的光辉。

唯有外在精神力场强行侵入，才会发生这种现象。那个精神力场一定极弱，即使借着诺微全然光滑的心灵结构，坚迪柏心灵中最灵敏的接收功能也只能勉强感测到。

他厉声问道："诺微，你现在感觉如何？"

她张大眼睛。"我感觉很好啊，师傅。"

"你头晕吗？思绪不清吗？赶紧闭上眼睛，一动不动坐着，直到我说'好'为止。"

她顺从地闭上眼睛。坚迪柏谨慎地除去她心灵中杂乱的感觉，同时抚平她的思绪，安慰她的情感，轻轻地抚摸着，抚摸着。他只让那团幽光留下来，可是它实在太微弱，令他几乎相信那只是错觉。

"好。"他刚说完，诺微就睁开了眼睛。

"你感觉如何，诺微？"

"非常平静，师傅，心如止水。"

显然它过于微弱，不至对她造成任何可觉察的效应。

他转身面向电脑，展开另一回合的搏斗。他必须承认，自己跟这台电脑无法达到水乳交融的程度。或许是因为他过于习惯直接使用精神力量，透过一个媒介当然不会顺手。但他现在是要寻找一艘船舰，而不是一个心灵，借着电脑的帮助，初步的搜寻工作会更有效率。

他果然发现了一艘可疑的船舰。它远在五十万公里外，构造与他所乘的这艘十分相似，不过显然大得多，而且更为精密复杂。

一旦电脑帮他找到那艘船舰，坚迪柏的心灵就能接掌后续的工作。他向外送出紧密而集中的精神感应，立刻感觉到（在此"感觉"是精神力学的特殊用法）那艘船舰里里外外的一切。

接着，他将心灵朝盖娅行星的方向延伸几百万公里，又随即撤回。但是这两次搜寻过程，都不足以明确告诉他，如果精神力场的确来自其中之一，究竟何者才是真正的场源。

他说："诺微，不论等一下发生什么事，我要你一直坐在我身边。"

“师傅，有危险吗？”

“你丝毫不必挂心，诺微，我一定确保你的安全。”

“师傅，我并不为自己的安危挂心。如果有危险，我希望能够帮助你。”

坚迪柏的语气顿时温柔许多，他说：“诺微，你已经帮了很大的忙。由于有你在我身边，我才能发觉一件很小却很重要的事。如果没有你，我或许会一头栽进泥沼里，而且陷得很深，也许要花很大力气才能脱身。”

“我是不是用心灵做到的，师傅，就像你告诉我的那样？”诺微以惊讶的语气问道。

“正是这样，诺微。没有任何仪器比你的心灵更灵敏，连我都比不上，因为我的心灵复杂度太高了。”

诺微脸上堆满了喜悦。“能够帮助你，我太高兴了。”

坚迪柏笑着点了点头。但他忽然想到自己竟然需要帮助，心情便蒙上一层阴影。他的孩子气发作了，令他无法接受这个事实。这项任务是他的，只属于他一个人的。

但这已经是不可能的事。他的胜算正急遽滑落……

02

在川陀上，昆多·桑帝斯感到第一发言者的重担压得他快要窒息。自从坚迪柏的太空船从大气层消失，进入黑暗的太空之后，他就一直闭门沉思，没有再召开过圆桌会议。

允许坚迪柏单枪匹马出发，究竟是不是明智之举？坚迪柏是个相当杰出的人才，但他并非十全十美，有时难免过分自信。坚迪柏最大的缺点在于傲慢自大，而桑帝斯自己最大的缺点（他难过地想）则是老迈年高。

他一次又一次地想到，当年那位伟大的前辈普芮姆·帕佛，曾在银河各处飞来飞去，亲自摆平许多事情，那是多么危险的行动。有谁能成为另一个普芮姆·帕佛？坚迪柏行吗？何况帕佛还有他的妻子为伴。

其实，坚迪柏也有旅伴，就是那个阿姆女子，但她根本无足轻重，而帕佛的妻子本身也是发言者。

在等待坚迪柏音讯的这段日子，桑帝斯觉得自己一天比一天衰老。日子一天天过去，却始终音讯全无，他感到神经愈绷愈紧。

当初应该派出一个舰队，起码是小型舰队……

不，圆桌会议不会通过的。

然而……

当讯息终于来到时，他正处于睡眠状态——睡得极不安稳，身心根本无法松懈。前半夜一直刮着强风，令他辗转反侧难以成眠。他像个孩子一样，想象着风声中夹杂着人声。

在他即将进入纷扰的梦乡之际，最后的念头是幻想着退位后的轻松安逸。虽然他渴望早日卸下重担，却也知道目前万万使不得，如果他在此时此刻退位，一定是由德拉米继任第一发言者。

当呼唤传来的时候，他立即由梦中惊醒，在床上坐了起来。

“你还好吧？”他问。

“好得很，第一发言者。”坚迪柏说，“我们是否应该建立影像联系，好让通讯更加简单扼要？”

“也许等会儿吧，”桑帝斯说，“先报告一下，情况怎么样？”

坚迪柏察觉到对方刚刚睡醒，而且极为疲倦烦躁，因此回答得分外仔细。他说：“我在一颗叫做盖娅的住人行星附近，据我所知，没有任何银河记录提到过它。”

“这个世界的成员，就是不断改良谢顿计划的人？就是反骡？”

“有此可能，第一发言者，这有几个理由。第一，崔维兹和裴洛拉特所乘坐的太空艇，一直朝向盖娅前进，现在可能已经在那里着陆。第二，差不多在距离我五十万公里外的太空中，出现一艘第一基地的战舰。”

“大家不会无缘无故对盖娅这么感兴趣。”

“第一发言者，大家的兴趣可能并非不约而同。我来到此地，是因为我一直跟踪崔维兹，那艘战舰可能也是因此而来。现在唯一的问题是，崔维兹为什么到这里来？”

“你打算跟踪他到那颗行星去吗，发言者？”

“我曾经考虑过这个可能性，但是又出现了新的状况。我现在和盖娅的距离是一亿公里，我感测到周围太空中有个精神力场，非常均匀而且极端微弱。若非那个阿姆女子的心灵产生聚焦效应，我自己根本不可能察觉。她的心灵很不寻常，我当初愿意带她同行，正是为了这个目的。”

“所以说，你的猜测是正确的。你认为德拉米发言者当初知道这一点吗？”

“当她怂恿我带那女子同行的时候？我想不太可能。但我却能善加利用，第一发言者。”

“我很高兴你做到了。你是否认为，坚迪柏发言者，那颗行星就是精神力场的焦点？”

“为了确定这一点，我必须对数个彼此相距很远的位置进行测量，以检验场的分布是否具有普遍的球对称。我的‘单向精神探测仪’可能做得到，只是无法肯定。但目前并不适宜再作深入调查，因为我面对着一艘第一基地的战舰。”

“它不至于构成威胁吧。”

“很难讲。目前为止，我还不敢说那艘战舰绝非精神力场的焦点，第一发言者。”

“可是他们……”

“第一发言者，很抱歉，请容许我打个岔。我们并不清楚第一基地如今的科技进展；他们的行动显得过分自信，可能会给我们来个意外的惊奇。他们是否发明了控制精神力场的装置，这点我必须先确定才行。简言之，第一发言者，我所面对的是一群精神力学专家，他们或是在那艘战舰中，或是在整颗行星上。

“如果他们在那艘战舰中，那个精神力场未免太过薄弱，根本制不住我，但是他们仍有可能牵制我的行动，而战舰上的有形武器就足以消灭我。反之，如果焦点是那颗行星，既然在这么远都能侦测出来，行星表面的强度想必巨大无比，远非我所能对付。

“这两种可能不论何者为真，我们都需要架起一个精神网路，一个整体精神网路。在有需要的时候，我要能支配川陀上所有的精神力量。”

第一发言者犹豫起来。“整体精神网路？过去从来没有用过，甚至没有人建议过——只有面对骡那次例外。”

“这个危机很可能比骡的威胁更为严重，第一发言者。”

“我不相信圆桌会议会同意。”

“我不认为您需要征求他们同意，第一发言者，您应该宣布进入紧急状况。”

“用什么借口？”

“就把我向您报告的这些告诉他们，第一发言者。”

“德拉米发言者会说你是个无能的懦夫，自己把自己吓疯了。”

坚迪柏顿了一下，然后才答道：“我能想象她会说些类似的话，第一发言者，但她爱怎么说就怎么说吧，我都承受得了。目前并非我个人的面子或尊严受到威胁，而是第二基地本身岌岌可危。”

03

赫拉·布拉诺冷冷一笑，满布皱纹的脸庞浮现出更陡峭的起伏。她说：“我想我们可以进军了，我一切都准备好了。”

柯代尔说：“你仍然确定明白自己在做什么吗？”

“如果我真像你故意说的那样，已经陷入疯狂状态，里奥诺，你还会坚持留在这艘舰上陪我吗？”

柯代尔耸了耸肩，然后说：“也许还是会的。如果真是这样，市长女士，那么在你做得太过分之前，我仍有一点机会阻止你，劝你改弦易辙，至少让你慢下来。当然，如果你并没有发疯……”

“怎么样？”

“嗯，那么我不希望将来的历史上，唯独对你大书特书。我要历史学家都会提到你身旁还有个我，也许他们还会感到难以下笔，不知该把真正的功劳归给谁呢，嗯，市长？”

“高明，里奥诺，真高明，但你这是白费心机。我在尚未担任市长之前，早已在傀儡市长身后掌权多年，没有人会相信在我亲自出马之后，还会允许这种现象继续存在。”

“等着看吧。”

“不，我们看不到的，这种历史评价要等我们死后才会出现。然而，我没什么好担心的。我既不担心历史的评价，也不担心那个！”她指了指屏幕。

“康普的太空艇。”柯代尔说。

“没错，康普的太空艇，”布拉诺说，“可是康普不在上面。我们有一艘斥候舰侦察到调包的过程。康普的太空艇曾被另一艘船拦下来，有两个人从那艘船登上他的太空艇，然后康普就到那艘船上去了。”

布拉诺双手搓了搓。“崔维兹圆满达成任务。我把他丢到太空中，让他当一根避雷针，他果然不辱使命，果然吸引到闪电。拦下康普的那艘船，正是来自第二基地。”

“我有点奇怪，你怎能如此确定？”柯代尔一面说，一面掏出烟斗，慢慢填着烟丝。

“因为我一直怀疑康普可能受到第二基地控制。他这一生实在太顺利，好事总是落到他头上，而且他又是超空间竞逐的大行家。他出卖了崔维兹，这当然可能是野心分子卖友求荣的行为，可是他为何做得那么彻底，仿佛这是超越个人野心的阴谋。”

“全都是臆测，市长！”

“当崔维兹做了一连串跃迁，康普却像平常一样轻轻松松追上之后，我的话就不再是臆测了。”

“他有电脑帮忙，市长。”

布拉诺仰头靠在椅背上，哈哈大笑几声。“我亲爱的里奥诺，你每天忙着筹划复杂的阴谋诡计，忘了小手段有时也很有效。我派康普去跟踪崔维兹，并不是因为崔维兹需要跟踪。哪有这个需要呢？不论崔维兹的行动如何保密，他只要到了非基地的世界，就一定会引人注目。他驾着基地的先进航具，他带着浓重的端点星口音，他使用基地的信用点，这些都会成为招惹敌意的招牌。而发生紧急状况的时候，他自然而然会去找基地官员求助，就像他在赛协尔时那样——当时他的一举一动，我们全都立刻知道，而且并没有透过康普。”

“不是那么回事，”她用意味深长的语气继续说，“我派康普出去，就是为了测验他这个人，而这个目的果然达到了。我们故意给他一台有问题的电脑，虽然不至于影响太空艇的操作，但绝对无法帮助他做连续跃迁跟踪。可是，康普仍然毫不费力就做到了。”

“我发现你有很多事没告诉我，市长，直到你认为该说的时候才说。”

“我瞒着你的那些事，里奥诺，全是你知不知道都无关痛痒的。我很欣赏你，也一直重用你，但是我的信任有个明确的界限，就像你对我的信任一样——请别浪费唇舌否认。”

“我不会否认的。”柯代尔冷冰冰地说，“总有一天，市长，我会毫不客气地提醒你这一点。此时此刻，还有没有任何我应该知道的事？那艘船的底细究竟如何？假如康普来自第二基地，它当然也是。”

“跟你谈话总是一件乐事，里奥诺，你的反应迅捷无比。你知道吗，第二基地向来懒得掩藏形迹，他们自有办法让形迹隐形，或说让人视而不见。即使他们知道，我们能根据船舰使用能量的方式，轻而易举辨识它的出处，第二基地分子也从来不想用他人的船舰。无论被任何人发现，他们都能从他心中抹除这段记忆，所以何必多此一举，事先掩藏形迹呢？总之，我们的斥候舰在目击那艘接近康普的太空船之后，几分钟内就判读出它的来历。”

“我猜，现在第二基地会把这件事从我们心中抹除。”

“如果办得到的话。”布拉诺说，“但他们也许会发现情况变了。”

柯代尔道：“你曾经说，你已经知道第二基地的下落，又说要先收拾盖娅，然后再去收拾川陀。从你那番话中，我推想那艘船来自川陀。”

“猜得完全正确。你感到意外吗？”

柯代尔缓缓摇了摇头。“现在想来一点都不意外。骡首度受挫的那一次，艾布林·米斯、杜伦·达瑞尔和贝泰·达瑞尔都在川陀。贝泰的孙女艾卡蒂·达瑞尔也生在川陀，而在第二基地理论上被摧毁的那个时间点，她曾经回到出生地。在她自己的记载中，有个名叫普芮姆·帕佛的人扮演了关键的角色，他在紧要关头适时出现，身份是一名川陀行商。第二基地就在川陀上，我想这是再明显不过的事。此外，哈里·谢顿建立两个基地的时候，他本人也住在川陀。”

“一切十分明显，只是从来没有人联想到这个可能性，而这都是第二基地在背后捣鬼。我刚才说他们不必掩藏形迹，其实就是这个意思。想要不让任何人追查形迹，对他们而言易如反掌。万一不小心被人发现了，他们也能将相关记忆清得一干二净。”

柯代尔说：“既然如此，我们就不必急着进行他们意料之中的事。在你看来，崔维兹怎么有办法断定第二基地仍旧存在？第二基地为何不趁早制止他？”

布拉诺扳着枯竹般的手指。“第一，崔维兹是个极不寻常的人，他虽然毛躁而不谨慎，却拥有连我都看不穿的潜能；他也许是个特殊的例外。第二，第二基地并非全然不闻不问，康普很快就盯上崔维兹，然后向我举发他。第二基地想借我的手制止他，这样他们就不必冒险公然介入。第三，当我的反应并不完全符合他们预期——既没有处决或监禁他，也没有对他施以记忆抹除或动用心灵探测器，而只是将他送到太空去——第二基地便开始采取直接行动，派出自己的太空船跟踪他。”

她紧抿着嘴，露出得意的表情。“喔，这根避雷针实在太棒了。”

柯代尔说：“那我们下一步要怎么走？”

“我们要向这位第二基地分子当面挑战，事实上，此时我们正在悄悄向他推进。”

04

坚迪柏与诺微并肩坐着，两人一同凝视着屏幕。

诺微十分害怕，这点坚迪柏看得很清楚，而他也看得出来，她在尽全力与恐惧奋战。不过坚迪柏却无法帮助她，在如今这种紧要关头，随便触碰她的心灵乃是不智之举，很可能会影响她对微弱精神力场所产生的反应。

那艘基地战舰正在缓缓接近，显然是有备而来。它是一艘大型战舰，根据基地船舰以往的编制估计，舰员可能多达六人。而且坚迪柏确定，即使面对第二基地所有船舰编成的舰队，它的火力也足以自保，必要时还能将那个舰队一举歼灭——但这是指完全不考虑精神武器的情况。

事实上，从那艘战舰的前进方式，便能看出一些蹊跷——虽然它面对的，只是单独一艘受到第二基地控制的太空艇。即使那艘战舰拥有精神武力，也不可能主动投入第二基地的虎口。它会如此毫无顾忌地直冲过来，很可能只是不知死活，而这种无知又有各种程度上的差别。

这可能代表舰长并未发觉康普已经被调包，或者虽然发觉了，却不晓得换上来的是第二基地分子，甚至根本不知道第二基地分子是何方神圣。

然而（坚迪柏打算考虑到每一种可能性），万一那艘战舰的确拥有精神武力，而且是充满自信地向前推进呢？这或许仅仅代表它是在一个夸大狂的控制之下，却也可能它真有远非坚迪柏所能想象的强大武力。

可是，他所考虑到的可能性，全都无法断定真假。

坚迪柏又谨慎地探了探诺微的心灵。诺微的意识层面无法感知精神力场，而他自己当然做得到。但坚迪柏的心灵并没有那么敏锐，无法像诺微那样能侦测到极微弱的力场。这实在是个吊诡，将来一定要好好研究，也许能够因而得到重要的成果——远比解决目前那艘战舰的威胁更重要的成果。

当初，坚迪柏发觉诺微的心灵具有不寻常的光滑和匀称，便直觉地体察到这个可能性。对于自己拥有这种直觉能力，他难免沾沾自喜。发言者们一向都对自己的直觉感到骄傲，但直觉又是什么呢？是他们无法直接用物理方法测量的精神力场，也就是他们自己完全不了解的一种行为。“无知”不难用“直觉”这个神秘的词汇掩饰，但是他们在这方面的无知，有多少是源自对物理科学的轻视？

他们的骄傲又是多么盲目？等到他成为第一发言者之后，坚迪柏想，一定要设法改变这种情况，要拉近两个基地在物理科学上的距离。第二基地不能永远像现在这样，一旦无法绝对独霸精神力学，就要面临遭到毁灭的危险。

事实上，这种情况很可能已经出现了。第一基地也许在精神力学上已有所突破，或者与反骡建立了同盟关系。这是他第一次想到这个可能，立刻感到不寒而栗。

他的思绪围绕着这个题目，以一个发言者惯有的速度飞快打转。与此同时，他仍然紧盯着诺微心灵中的幽光，它是那个弥漫四处的精神力场所引发的反应。可是当基地战舰渐渐接近时，那团光辉却不见增强。

但是绝不能因为这一点，就断定那艘战舰并未配备精神武器。众所周知，精神力场并不遵循“平方反比律”。当发射体与接收体之间的距离缩短时，力场强度并非随着距离呈平方反比式增加。就这方面而言，它与电磁场或重力场都截然不同。话说回来，距离的变化对精神力场所造成的影响，尽管并不像其他物理场那样显著，却也不是全然无关。随着战舰愈来愈近，诺微心灵的反应多少应该有些增加。

自哈里·谢顿以降，五个世纪以来，为什么没有任何第二基地分子，想到应该推出一个数学关系式，来描述精神力场强度与距离的关系？这种轻视物理学的态度，无论如何要设法制止，坚迪柏暗自发誓。

假如那艘战舰拥有精神力场，而且确知自己正在接近第二基地分子，那么在冲锋之前，它难道不会将力场强度调到最大吗？这样的话，诺微的心灵必定会有骤然增强的反应。

但事实并非如此！

坚迪柏终于重拾信心，排除了战舰拥有精神武力的可能性。它是因为不知死活才冲过来，根本算不上什么威胁。

当然，那个精神力场仍旧存在，但一定是源自盖娅。虽然它仍是个大麻烦，但当务之急却是那艘战舰。只要先把战舰解决，他就能将注意力集中于反骡的世界。

他耐心地等待。那艘战舰应该会采取某些行动，否则他可以等它足够接近之后，再选择一种最有效的攻势。

战舰仍在一步步逼近，速度已经相当快了，却仍未采取任何行动。最后，坚迪柏算定自己的攻击力量已经绰绰有余。他的攻击不会造成任何痛苦或不适，对方的人员只会发现，背部与四肢的肌肉变得无法运作自如。

坚迪柏收紧那股由心灵所控制的精神力场。力场立时增强，并以光速投射到对面的战舰。此时双方已经相当接近，使超空间接触变得没有必要，更何况超空间会折损准确度。

下一刻，坚迪柏惊吓得全身麻痹。

基地战舰竟然拥有高效率的精神力场防护罩，当他发出的精神力场增强之际，防护罩的密度随之暴涨。原来这艘战舰并非不知死活，它至少拥有意料之外的防御性武器。

05

“啊。”布拉诺说，“他企图发动攻击，里奥诺，你看！”

心灵计的指数异常升高，指针还不停微微颤动。

精神力场防护罩的发展，已经花了基地科学家一百二十年的时间。它是有史以来最保密的科学计划，或许只有哈里·谢顿独立发展的心理史学分析，在机密程度上差堪比拟。前后五代的科学家花了无数心血，不断改良这个装置，却始终未能发展出满意的理论。

所有的进展，全有赖于心灵计的发明。这个装置可以作为一种指标，显示每个阶段的进展方向与程度。谁也不能解释它的工作原理，但它总是能创造奇迹：测量出理论上不可能测出的量，显示出理论无法解释的数据。布拉诺一直有个想法（某些科学家也有同感），一旦基地有人能够解释心灵计的原理，那么在心灵控制这方面，他们就跟第二基地势均力敌了。

不过那是将来的事。目前，这个防护罩应该足以应付，况且他们还拥有占了绝对优势的有形武器。

布拉诺送出一道电讯，那是以男声所载送的讯息，其中剔除了所有的情绪，听来平板而死气沉沉。

“呼叫明星号太空艇与其上人员。你们以武力强行掳获基地联邦舰队的航具。命令你们连人带船立刻投降，否则即将遭到攻击。”

他们收到的回答，则是一个未经加工的声音：“端点星的布拉诺市长，我知道你在那艘战舰上。明星号并非遭到武力劫持，而是它的主人——端点星的曼恩·李·康普主动邀请我上来的。我提议暂且休战，以便讨论攸关彼此的重大议题。”

柯代尔悄声向布拉诺说：“让我来跟他对话，市长。”

布拉诺不屑地挥了挥手臂。“这是我的责任，里奥诺。”

她将发射器略加调整，不再令声音失真，但相较于刚才的假音，她现在的声音几乎一样有力，也一样毫无感情。

“第二基地的人，认清你的处境。如果你不马上投降，我们会以光速击毁你的太空艇——我们已经作好攻击准备。我们这样做毫无损失，因为我们不必留你这个活口，你并没有我们需要的情报。我们知道你来自川陀，等到把你解决之后，我们下一步就准备解决川陀。我们愿意给你一点时间，不过既然你讲不出什么有用的话，我们可不准备听太久。”

“既然如此，”坚迪柏说，“就让我尽快一针见血。你的防护罩并不完善，也绝不可能完善。你高估了它，又低估了我，我仍然能接触并控制你的心灵。或许比较起来，会比没有防护罩要困难些，但也不至于多么困难。当你试图启动任何武器时，我就会立刻发动攻击。我必须郑重警告你：假使没有防护罩，我能用稳当的手法操控你的心灵，不会造成任何伤害。然而，有了防护罩的阻隔，我势必得硬闯，这点我绝对办得到。可是这样一来，我就无法做得稳当而灵巧。你的心灵将随着防护罩一起被击碎，而且这种结果是不可逆的。换句话说，你无法阻止我，反之我却能阻止你。但我将被迫令你生不如死，你会变成一具没有心灵的行尸走肉。你希望冒这个险吗？”

布拉诺说：“你明明知道自己做不到。”

“那么，你并不怕我所描述的那种后果，真想冒险一试？”坚迪柏用冷静而故作轻松的口气问道。

柯代尔凑过去悄声说：“看在谢顿的份上，市长……”

坚迪柏立刻打断他的话（严格说来并非“立刻”，因为光波——或是任何以光速运动的东西——必须花上一秒多一点的时间，才能跨越双方船舰之间的距离）。“我能知道你在想什么，柯代尔，没有必要说悄悄话。我也知道市长的心思，她正在犹豫不决，所以你现在还不必惊慌。我能够知道你们的想法，就是防护罩有漏洞的明证。”

“它的威力还能加强。”市长以挑衅的语气说。

“我的精神力量同样可以。”坚迪柏不甘示弱。

“可是我只需要安坐在这里，利用能源维持这个防护罩。我的战舰有充足的能源，足以让它维持一段极长的时间。你却必须使用精神能量贯穿防护罩，时间一久就会疲倦。”

“我现在并不疲倦。”坚迪柏说，“此时此刻，你们两人都无法对舰上人员下达任何命令，其他战舰上的人员就更不用说了。在不伤害你们的限度内，我还能做到这一点。可是千万别用任何不寻常的手段，试图挣脱我的控制。如果我因此被迫增强精神力量——我一定会这么做的——你们两人将会受到永久性伤害。”

“我会等下去。”布拉诺将双手摆在膝盖上，表现出十足的耐性。“你终究会疲倦，到时候我就能下达命令。但我的命令并不是消灭你，因为那时你已经失去战斗力；我的命令将是派遣基地主力舰队去对付川陀。如果你希望拯救你的世界，就赶紧投降吧。在大浩劫期间，你们的组织逃过一劫，但这回的全面性毁灭，你们就不会那么幸运了。”

“市长，难道你还看不出来，如果我自己感到疲累——虽然并不可能——那么我会在力量用尽之前，先奋力将你消灭，这不就能拯救我的世界了吗？”

“你不会那么做的，你的主要任务是维护谢顿计划。消灭了端点市长，等于对第一基地的威望和自信施以一记重击，使它的势力严重受挫。对于潜伏在银河各处的敌人，这无异是最大的鼓励。谢顿计划将会因此土崩瓦解，对你而言，这个结果和川陀被毁一样可怕。你最好还是投降吧。”

“你是想要拿老命赌一赌，看看我是不是真有顾忌？”

布拉诺深深吸了一口气，又缓缓吐出来，胸部跟着一起一伏。然后她坚定地说：“对！”

坐在她身旁的柯代尔，脸色瞬间变得惨白。

06

坚迪柏瞪着布拉诺的人影，它凭空出现在舱壁前方的空间。由于防护罩产生的干扰，影像有点闪动而朦胧。她身旁的男子则像一团雾般模糊不清，这是因为坚迪柏不能浪费任何能量，必须将注意力集中于市长身上。

反之，她不可能看到坚迪柏的影像。因此，她无法知道他同样有一个同伴，也无法根据他的表情或身体语言作出任何判断。就这方面而言，她显然占了下风。

他所说的每一件事都是真的。只要他愿意消耗巨大的精神能量，就能粉碎那个防护罩，但是这样一来，她的心灵势必受到永久性损伤。

但她所说的一切也同样真确，假如她被消灭，谢顿计划便会遭到重挫，严重程度绝不下于骡所造成的伤害。事实上，这回也许更为严重，因为如今计划已经执行一半，不会再有多少时间补救这个差错。

更糟的是，旁边还有一个仍是未知数的盖娅——此时它的精神力场仍然极其微弱，在似有若无的边缘徘徊。

坚迪柏接触了一下诺微的心灵，以确定那团光辉依旧存在。它果然还在那里，而且毫无变化。

诺微自己完全无法感知心灵的探触，但她转过头来，畏怯地悄声说：“师傅，那里有一团模糊的雾气。你就是在对它讲话吗？”

一定是由于两人心灵间的轻度联系，才使她有这种感知。坚迪柏将一根手指放在唇边。“别怕，诺微，闭上眼睛好好休息。”

他又提高音量说：“布拉诺市长，就这点而言，你的确下对了赌注。我不希望立刻消灭你，因为我认为，如果我好好解释，你应该会讲理，而我们双方就不必拼个你死我活。

“市长，假定今天你胜利了，而我投降了，后果会如何呢？你和你的继任者将产生浮滥的自信，又过度信赖精神力场防护罩，一定会急于将势力扩张到银河各处。这样一来，其实会延缓第二帝国的建立，因为这同样是毁掉了谢顿计划。”

布拉诺说：“你不希望立刻消灭我，我一点都不惊讶。而且我认为，既然你还坐在那里，你就不得不承认，你根本不敢消灭我。”

坚迪柏说：“别拿自我陶醉的傻话自欺欺人。好好听我说，银河有一大半仍然不是基地的势力范围，其中反基地的政体还占了很大比例。即使在基地联邦之内，也有某些成员并未忘记过去的独立地位。如果因为我向你们投降，基地便决定迅速行动，那么银河其他部分的最大弱点——分崩离析和优柔寡断——必将随即消失，他们会因为恐惧而不得不团结起来。此外，联邦内部也可能会有叛乱的危机。”

“你这是在危言耸听。”布拉诺说，“我们有足够的力量，可以轻易战胜所有的敌人。即使非基地的世界通通联合起来对付我们，再加上联邦内一半的世界同时叛变，也根本不成问题。”

“只是暂时不成问题，市长，不要犯了凡事只看表面的错误。你只能口头上宣称创建了第二帝国，却无法使它长治久安，你得每隔十年就重新征战一次。”

“那我们就打到那些世界筋疲力尽为止，就像你现在一样。”

“就像我现在一样，他们不可能疲累的。而且这种情势不会持续太久，因为你所创建的那个假帝国，很快会面临另一波更大的危机。既然它只能暂时凭借强大的军事力量维持，在愈来愈倚仗军事手段之后，将出现一种前所未有的情形，那就是基地将领比文人政府更有地位，更有权势。假帝国将分裂成许多军区，而军区指挥官将成为拥兵自重的军阀。这会渐渐演变成无政府状态，最后则注定回归蛮荒，而且这段蛮荒时期，将比谢顿当年预计的三万年更久。”

“这种幼稚的威胁只能吓唬小孩。即使谢顿计划的数学预测到这些，所预测的也只是或然率，并非必然性。”

“布拉诺市长，”坚迪柏苦口婆心地说，“别再提谢顿计划了。你并不了解其中的数学，也无法看出它的模式。不过，或许你不懂也没关系。你是个身经百战的政治人物，而且是十分成功的一位，这点能从你现在的地位看出来；甚至还是勇气十足的一位，这点能从你现在的豪赌看出来。因此，请拿出你的政治智慧，回忆一下人类的政治史和军事史，并且参照你对人性的了解——想想一般民众、政治人物、军方将领通常都是如何行动，如何反应，又是如何互动的——看看我是不是说对了。”

布拉诺答道：“即使你说对了，第二基地人，我们也必须冒这个险。只要领导有方，再加上科技不断进展——精神力学和物理学齐头并进——我们就能克服一切困难。哈里·谢顿从未正确估算出这些进展，他根本做不到。在整个谢顿计划中，何曾考虑到第一基地会发展出精神力场防护罩？总之，我们何必死守着这个计划？我们宁愿冒险舍弃谢顿计划，自行建立一个新帝国。无论如何，舍弃谢顿计划而失败，总比依靠它而成功要好些。我们不要在建立一个帝国之后，自己成为一群木偶，被幕后的第二基地暗中操纵。”

“你会这么说，是因为你不了解倘若失败，将给银河全体人类带来何等灾难。”

“也许吧！”布拉诺顽强地说，“你开始感到累了吗，第二基地人？”

“一点也没有。让我提出另一个你未曾想到的方案，它可以使你我谁也不必投降。现在，我们是在一颗叫做盖娅的行星附近。”

“我晓得。”

“可是你晓不晓得，它可能就是骡的出生地？”

“我需要更多的证据，否则你说破了嘴也没有用。”

“这颗行星周围有个精神力场，它必定是一大群骡的老家。你一旦完成摧毁第二基地的梦想，便会成为这颗骡星的奴隶。第二基地究竟对你们造成过什么伤害？我是指实质的伤害，而不是想象中或理论上的。

你再扪心自问，一个骡就为你们带来多大的灾难？”

“我听到的仍旧是你的空话。”

“只要我们一直待在这里，我就无法提供进一步的证据。因此，我提议暂且休战。如果你不信任我，可以继续开着防护罩，但请务必跟我合作一次。让我们一同接近这颗行星，等到你确信它有危险性，我立刻中和它的精神力场，你就命令舰队将它攻占。”

“然后呢？”

“然后嘛，至少我们不必再担心外敌，只剩下第一基地和第二基地对决，这场决战能很快明朗化。而现在，你看，我们都不敢动手，因为你我两个基地都进退维谷。”

“你刚才为什么不早说？”

“我原本以为可以说服你，让你相信我们不是敌人，那样我们也许就能合作。既然这个努力显然已经失败，我建议好歹试着合作一次。”

布拉诺低头沉思了好一会儿，然后才说：“你是想唱摇篮曲哄我入睡。如果这颗行星上住满了骡，你如何凭一己之力中和那个精神力场？这种想法实在荒唐，我不得不怀疑你的提议别有用心。”

“我可不是人单势孤，”坚迪柏答道，“我有第二基地整个力量做我的后盾。这股力量可以传到我身上来，然后转而对付盖娅。此外，我也随时能使用这股力量，轻易拨开你的防护罩，就像吹散一团薄雾。”

“既然如此，你为什么还需要我的帮助？”

“原因之一，光是中和这个力场没有多大意义。第二基地不能无止无休地致力这项工作，正如我不能永远跟你这样闲扯下去，我们需要你的舰队发动实际攻势。再说，如果我无法凭口舌说服你，让你相信两个基地应该彼此视为盟友，或许合作一次重大的冒险行动，可以让你回心转意。言语无法达成的目标，也许能够通过行动达成。”

接着又是一阵沉默，然后布拉诺说：“如果我们可以彼此掩护，我愿意向盖娅更接近一点。除此之外，我可什么也没答应。”

“那就够了。”坚迪柏马上俯身面向电脑。

此时诺微突然说：“不行，师傅，目前为止，都还没有什么大碍，但请别再做进一步的行动。我们必须等端点星的崔维兹议员来了再说。”

第十九章

抉 择

01

詹诺夫·裴洛拉特语气略带不悦地说："真的，葛兰，似乎谁也没顾虑到一件事，那就是在我这个不算短的一生中——也不算太长，我向你保证，宝绮思——这还是我头一次遨游银河。但每当我抵达一个世界，还没来得及有机会好好研究一番，我就得被迫离开，重新飞向太空。这种事已经发生过两次了。"

"没错，"宝绮思说，"可是若非你那么快离开上一个世界，谁知道你什么时候才会遇见我。光凭这一点，就能证明你们上次的抉择正确。"

"的确如此。老实说，亲……亲爱的，的确真是如此。"

"而这一次，裴，你虽然离开了这颗行星，但你有我为伴。而'我'就是盖娅，这就等于它所有的粒子，它的一切都与你为伴。"

"你的确是盖娅，可是除了你，我绝不要其他任何粒子。"

听到这番对话，崔维兹不禁皱起眉头。他说："你们真肉麻。杜姆为何不跟我们一起来？太空啊，我永远无法习惯这种简称的方式。他的名字长达两百五十多个字，我们却只用两个字称呼他。为什么他不带着那两百五十多个字的名字一块来呢？如果这件事真有那么重要，如果这是盖娅的生死关头，他为何不跟我们在一起，以便适时指导我们？"

"我在这里啊，崔，"宝绮思说，"我跟他一样等于盖娅。"然后，她那双黑色眼珠向旁一瞥，又向上一望。"不过，我叫你'崔'，是不是令你不舒服？"

"对，的确如此。我跟你一样，有权选择自己的称呼方式。我的姓氏是崔维兹，三个字，崔维兹。"

"乐于从命。我并不希望惹你生气，崔维兹。"

"我不是生气，而是厌烦。"他突然起身，从舱房的一侧踱到另一侧，在经过裴洛拉特伸长的双腿时，他索性跨了过去（裴洛拉特则赶紧抽腿），然后又踱回来，这才终于停下脚步，转身面对着宝绮思。

他伸出食指来指着她。“听好！我并不是心甘情愿！我被你们用计从端点星一路骗到盖娅，在我开始怀疑里头有鬼时，似乎已经来不及脱身。后来，我抵达了盖娅，竟然有人告诉我，我来这里的目的是要拯救盖娅。为什么呢？我又该怎么做？盖娅对我有什么意义，或者我对盖娅有什么意义，让我应该义不容辞拯救它？在银河上千兆的人口中，难道没有别人能完成这项工作吗？”

“求求你，崔维兹。”宝绮思突然显得垂头丧气，原先装出来的天真俏皮全部消失无踪。“求求你别生气。你看，我称呼你的全名了，以后我也会非常注意。杜姆曾经拜托你要有耐心。”

“银河众行星在上，我才不要有什么耐心。假如我真有那么重要，就不能对我解释一下吗？首先，我要再问一次，杜姆为何不跟我们一块来？难道这件事没那么重要，不值得他登上远星号跟我们一起行动？”

“他在这里啊，崔维兹。”宝绮思说，“只要我在这里，他就在这里。盖娅上的每个人都在这里，这颗行星上的每一个生物、每一粒微尘都不例外。”

“你要这样想随便你，但这并非我的思考方式，我又不是盖娅人。我们不能将整个行星塞进太空艇，我们只能塞一个人进来。我们现在有你在这里，而杜姆是你的一部分，很好。但我们为何不能带杜姆同行，而让你成为他的一部分呢？”

“原因之一，”宝绮思说，“裴——我是说裴、洛、拉、特——邀请我跟你们同行。他指名要我，而不是杜姆。”

“他只是对你献殷勤罢了。谁会对那种话认真呢？”

“喔，不，我亲爱的伙伴，”裴洛拉特赶紧站起来，急得满脸通红，“我说这话相当认真，我不要被你这样一笔勾销。盖娅整体的哪一部分同行其实都没有差别，这点我能接受，可是能有宝绮思为伴，我觉得要比杜姆赏心悦目，对你来说也应该一样。好啦，葛兰，你太孩子气了。”

“我孩子气？我孩子气？”崔维兹皱起眉头，显得分外阴郁。“好吧，那么，就算我孩子气。话说回来，”他又指着宝绮思，“不管要我做些什么，若不把我当人类看待，我向你保证我绝不会做。首先我要问两个问题：我到底应该做什么？又为何偏偏是我？”

宝绮思瞪大眼睛，向后退了几步。她说：“拜托，我现在还不能告诉你，整个盖娅都还不能告诉你。你到那里去的时候，心中必须一片空白；你必须当场获悉一切。然后，你必须做该做的事，但你必须保持冷静，丝毫不情绪化。如果你一直像现在这样，到时根本帮不上任何忙，盖娅就无论如何会走上绝路。你必须改变这种情绪，但我不知道该怎样帮你。”

“假使杜姆在这里，他知道该怎么做吗？”崔维兹毫不领情地反问。

“杜姆是在这里啊。”宝绮思说，“他／我／们并不知道怎样令你心平气和。你不能感知自己在造化中的位置，也不觉得自己是大我的一部分，这样的人类我们无法了解。”

崔维兹说：“这话说不通。你们可以远在一百多万公里之外，就逮住我的太空艇，而且在我们一筹莫展的时候，令我们保持心情平静。好，现在让我镇静吧，别假装你办不到。”

“但我们不能这样做，现在绝对不行。不论我们现在用什么方法改变你或调整你，你都会变得跟其他人一样毫无价值，而我们将无法再借重你。如今我们能借重你，就是因为你是你，而你必须保持这样。此时此刻，我们若用任何方法影响你的心灵，便会一败涂地。求求你，你必须自然而然恢复平静。”

“休想，小姐，除非你能告诉我一些我想知道的事。”

裴洛拉特突然说：“宝绮思，让我试试看，请你暂时到另一间舱房去。”

于是宝绮思慢慢退了出去，裴洛拉特赶紧关上舱门。

崔维兹说：“她照样听得到，看得见，还能感应每一件事。这样做有什么差别？”

裴洛拉特答道：“对我而言有差别。我要和你单独说几句话，这种隔离即使只是假象也好。葛兰，你在害怕。”

“别说傻话了。”

“你当然在害怕。你不知道要到哪里去，不知道将要面对什么，也不知道自己该怎么做，你绝对有权利害怕。”

“可是我没有。”

“有，你有。或许你跟我不一样，并不是害怕实质的危险。我一直害怕太空探险，害怕所看到的每一个新世界，害怕所遇见的每一件新鲜事物。毕竟，我过了半个世纪封闭、退隐、划地自限的生活，而你却活跃于舰队和政坛，在故乡和太空都打过滚。但我一直试着压抑恐惧心理，你也在一旁不断帮我打气。在我们相处的这段时期，你始终对我很有耐心，对我十分客气，也很体谅我的处境。由于你的帮助，我终于能克服恐惧，表现得还相当不错。现在让我做点回报，也帮你打打气吧。”

“我告诉过你，我并不害怕。”

“你当然害怕。即使不是为了别的，你也害怕即将面对的责任。某个世界显然有赖你来拯救，如果你失败了，将永远忘不了有个世界毁在你手上。这个世界对你而言毫无意义，凭什么要你承担这种可能的后果？他们又有什么权利，将这个重担压在你身上？你不只担心可能会失败——这点换成谁都一样——而且你还感到愤怒，他们竟然把你逼到死角，让你不想害怕也难。”

“你完全搞错了。”

“我可不这么想。所以说，让我来取代你吧，我愿意做这件差事。不论他们希望你做什么，我都自愿代替你。我猜这件事并不需要什么体能或气力，否则简单的机械装置就能胜过你。我猜它也不需要什么精神力量，因为这方面他们不假外求。它应该是……嗯，我也不知道，但如果既不需要膂力，又不需要脑力，那么其他方面你有的我都有，而我愿意承担这个责任。”

崔维兹厉声问道：“你为何那么愿意挑这个重担？”

裴洛拉特低头望着地板，好像不敢接触对方的目光。他说：“我曾经有个老婆，葛兰，也认识过一些女人，但我从来不觉得她们非常重要。她们或许有趣，讨人喜欢，可是从来不会非常重要。但这一个……”

“谁？宝绮思？”

“她却有些不一样，至少对我而言。”

“端点星在上，詹诺夫，你讲的每一个字，她都听得一清二楚。”

“那没什么关系，反正她晓得。我想要取悦她，所以我想揽下这个工作。不管是做什么，不管要冒什么险，不管要担负任何重责大任——只要有那么一点点机会，能让她重视我就好。”

“詹诺夫，她只是个孩子。”

“她并不是孩子。她在你眼中是什么样子，对我而言并不重要。”

“难道你不了解，你在她眼中又是什么样子？”

“一个老头？那又怎么样？她是某个整体的一部分，而我不是，这就足以构成我俩之间无法跨越的鸿沟。你以为我不知道这一点吗？可是我对她别无所求，只要她……”

“重视你？”

“是的，或是对我产生任何其他感觉。”

“为了这一点，你就愿意接替我的工作？可是，詹诺夫，你刚才没有听清楚吗？他们并不需要你。为了某个我搞不懂的混账理由，他们只要我。”

“假如他们请不动你，又必须找人帮忙，那么由我接手，总是聊胜于无吧。”

崔维兹摇了摇头。“我不相信会有这种事。你都已经步入老年，竟然在这里找到第二春。詹诺夫，你这是想充英雄，以便爱死那副躯体。”

“别那么讲，葛兰，这种事不适合开玩笑。”

崔维兹想哈哈大笑，可是目光一接触到对方严肃的脸孔，就只好改为干咳几声。然后他说：“你说得对，我向你道歉。叫她进来，詹诺夫，叫她进来吧。”

宝绮思走了进来，显得有些畏缩。她用细微的声音说：“我很抱歉，裴。你不能取代他，这件事只能由崔维兹来做。”

崔维兹说：“好吧，我会保持冷静。不论是什么差事，我都愿意试试看。詹诺夫这么一大把年纪，还想扮演浪漫的英雄，只要能让他打消这念头，什么事我都愿意干。”

“我知道自己的岁数。”裴洛拉特咕哝了一句。

宝绮思慢慢走到他面前，将一只手放在他的肩膀上。“裴，我……我重视你。”

裴洛拉特故意转过头去。“没关系，宝绮思，你用不着这么好心。”

“我并不是好心，裴。我真的……非常重视你。”

02

苏拉·诺微心中浮现一组记忆，起先有些模糊，然后逐渐变得清晰。她记起了本名叫做苏拉诺微伦布拉丝蒂兰；小时候，双亲都管她叫“苏”，朋友们则称她“微”。

当然，她从未真正忘记，但是在必要时，这些记忆总能深埋心底。而过去这一个月，她将这些记忆埋藏得最深最久，因为在此之前，她从未跟这么强力的心灵相距这么近，又相处这么久。

然而现在时机成熟了。她没有主动呼唤这些记忆，她不需要那么做。为了大我整体的需要，另一个她正在将本身的意识推出表层。

随之而来的是一种飘忽的不适，一种无形的痒觉。这种感觉很快被另一种快感淹没，那是自我浮现之后所带来的舒适畅快。那么多年来，她从未如此接近盖娅这颗星球。

她记起了小时候在盖娅上，她十分喜爱的一种生物。在了解到它的情感正是自己情感中模糊的一部分之后，她终于认清了自己现在鲜明的情感。此刻，她就像一只刚刚破茧而出的蝴蝶。

03

史陀·坚迪柏以严厉而尖锐的目光瞪着诺微。由于突然大吃一惊，他险些松开对布拉诺市长的掌握。这个状况竟然有惊无险，或许要归功于一股外力及时将他稳住。不过，他暂时没有注意到这一点。

他说："你对崔维兹议员知道多少，诺微？"接着，他发觉诺微心灵的复杂度陡然暴涨，令他感到一股彻骨的寒意，于是猛然吼道："你究竟是什么？"

他试图控制她的心灵，却发现再也无法穿透它。直到这一刻，他才领悟到有个比自己还强大的力量，正在帮他一同攫住布拉诺。他又问了一遍："你究竟是什么？"

诺微露出近乎悲剧人物的神情。"师傅，"她说，"坚迪柏发言者，我真正的名字叫做苏拉诺微伦布拉丝蒂兰，而我就是盖娅。"

她只不过说了这几句话，坚迪柏随即怒不可遏，奋力运起精神力场，仗着纯熟的功夫以及一股血气之勇，突破了愈来愈强的障碍，重新攫获布拉诺，并用更大的力量紧紧抓住。与此同时，他还抓住诺微的心灵，与她展开一场无形的争战。

她以同样熟练的功夫挡住他的攻势，可是她的心灵无法将他拒斥于外，也或许是她并不想这么做。

他用发言者的交谈方式，对她说："你竟然也有份，你欺骗我，把我诱到这里来，你和骡是同一类的生物。"

"骡是一个畸变种，发言者。我／们不是骡，我／们是盖娅。"

她借着这种复杂的沟通方式，将盖娅的本质描述了一番，这种表达比千言万语还要详细。

"竟然整个行星都是活的。"坚迪柏说。

"并且具有一个整体精神力场，比你个人产生的强大得多。请别对抗这样的力量，我担心会伤害到你，那是我最不希望发生的事。”

“即使是一颗活的行星，你们也强不过川陀所有精神力量的总和。我们，也可以说，是一颗活生生的行星。”

“那只是几千人的精神融合为一，发言者。何况你也无法获得他们的支援，因为我已经将它阻绝，你试试看就知道了。”

“你打算做什么，盖娅？”

“发言者，我倒希望你仍然叫我诺微。我现在虽然以盖娅的身份出现，但我同样还是诺微。而对你来说，我只是诺微。”

“你打算做什么，盖娅？”

诺微的精神力场抖动了一下，相当于普通人的一声叹息。然后她说：“我们将保持这种三边胶着状态。你能穿透那个防护罩，控制住布拉诺市长，而我将助你一臂之力，那不会消耗你我太多的力量。你呢，我想，还是会继续抓住我，而我也会维持对你的反制，但我们两人也不会因此疲倦。所以说，大家就这样僵持下去。”

“这样做有什么目的？”

“正如我刚才所说，我们要等端点星的崔维兹议员。唯有当他作出抉择，才能打破这种胶着状态。”

04

远星号的电脑发现了那两艘船舰，葛兰·崔维兹以分割画面将两者一起显示在屏幕上。

两艘船舰都是基地的航具，其中之一与远星号一模一样，毫无疑问是康普的太空艇。另一艘则比较大，而且显然更具威力。

他转身面对宝绮思说：“好啦，你知道这是怎么回事吗？可以向我透露些什么吗？”

“可以！不必惊慌！他们不会伤害你。”

“为何每个人都以为我坐在这里吓得全身发抖？”崔维兹凶巴巴地追问。

裴洛拉特赶紧说：“让她说下去，葛兰，别对她凶。”

崔维兹举起双臂，做出无可奈何的投降状。“我不凶就是了，说吧，小姐。”

宝绮思说：“在那艘较大的船舰上，是你们基地的统治者。她旁边……”

崔维兹惊讶地追问：“统治者？你是指布拉诺那个老太婆？”

“那当然不是她的头衔，”宝绮思的嘴角露出几分笑意，“但她的确是女性，这点没错。”她顿了一下，仿佛在专心倾听她所属的那个大我生命体。“她的名字叫赫拉布拉诺。一个地位如此重要的人，名字只有五个字，这似乎很奇怪。不过我想，盖娅之外的人自有一套规矩吧。”

“我想是吧。”崔维兹冷冰冰地说，“我猜你会管她叫布拉。可是她到这里来做什么呢？她为什么不待在……我明白了，她也是被盖娅拐诱来的。为什么呢？”

宝绮思并没有回答，她径自说下去：“她旁边那个人叫做里奥诺柯代尔，他虽然是下属，名字却有六个字，这样好像有些失礼。他是你们那个世界的重要官员。此外还有四个人，负责操纵船舰的武器系统，你要知道他们的名字吗？”

“不必了。我知道另一艘船舰上只有一名男性，名叫曼恩·李·康普，而他代表第二基地。你们显然故意让两个基地碰头了，可是为什么呢？”

“并不完全正确，崔……我是说，崔维兹……”

“喔，你就索性叫我崔吧，我一微一尘都不在乎。”

“并不完全正确，崔。康普已经离开那艘船舰，另外换上来两个人。其中之一叫史陀坚迪柏，是第二基地的重要官员，他的头衔是发言者。”

“一名重要官员？那我猜他拥有精神力量。”

“喔，没错，很强大。”

“你对付得了吗？”

“当然可以。和他在一起的那个人，是盖娅。”

“你们的同胞？”

“对，她叫苏拉诺微伦布拉丝蒂兰。她的名字本来还应该长得多，但是她离开我／们／其他人太久了。”

“她能制住第二基地的一名高级官员吗？”

“不是她，而是盖娅制住了他。她／我／们／全体就有办法将他歼灭。”

“她真打算这么做吗？她要把他和布拉诺一道歼灭？这到底是怎么回事？难道盖娅准备一举毁掉两个基地，自行建立一个银河帝国？骡又回来了吗？一个更强大的骡……”

“不，不是的，崔。别激动，千万不可以。这三方处于一种胶着状态，他们正在等待。”

“等什么？”

“等你的决定。”

“又来了。究竟是什么决定？为什么要由我决定？”

“求求你，崔。”宝绮思说，“这点马上会向你解释清楚。目前我／们／她所能说的，我／们／她都已经说了。”

05

布拉诺以困倦的口气说：“显然我犯了一个错误，里奥诺，也许还是要命的大错。”

“这种事情该承认吗？”柯代尔咕哝道，嘴唇完全没有蠕动。

“他们知道我在想什么，说出来不会造成更大的伤害。即使你的嘴唇一动不动，他们照样清楚你在想什么——我应该等到防护罩发展得更强固再说。”

柯代尔说：“你事先又如何知道呢，市长？如果我们要等到可靠度加倍，甚至变成三倍、四倍乃至无数倍，我们就得永远等下去。说句老实话，我倒希望我们没有亲自出马，应该先找个替死鬼来做实验。比如说，就用你的避雷针崔维兹。”

布拉诺叹了一声。“我是想给他们来个措手不及，里奥诺。话说回来，你还是一语道破了我的错误。我应该等到防护罩再强一些，不必百分之百无法穿透，但至少达到相当程度。我明知防护罩还有不小的漏洞，可是我实在等不及了。等到把漏洞补好，想必我早已下台，而我一定要在任内完成这件大事，并且要亲临现场。所以我像傻瓜一样，欺骗自己防护罩已经足敷使用。我听不进任何警告，比方说，你的疑虑就被我当成耳边风。”

“只要有耐心，或许胜利还是属于我们的。”

“你能不能下令向那艘太空艇开火？”

“我办不到，市长，这种念头好像不是我能忍受的。”

“我也一样。即使你我设法下达命令，我也确定舰员不会服从，因为他们做不到。”

“就目前的情况而言，的确如此，市长，可是情况有可能会改观。事实上，又有一名新演员登场了。”他指着屏幕说。

当另一艘船舰出现在附近时，舰上的电脑自动将屏幕分割成两个画面，新来的船舰显现在右侧。

“你能将影像放大吗，里奥诺？”

“没问题。那个第二基地分子技艺高超，凡是对他无害的行动，我们仍能随心所欲。”

“嗯，”布拉诺一面打量屏幕，一面说，“我可以肯定，那就是远星号。我猜，崔维兹和裴洛拉特都在上面。”然后，她改用苦涩的语调说：“除非他们也被第二基地分子调了包。我的避雷针实在非常有效，要是我的防护罩再强些就好了。”

“别急！”柯代尔说。

驾驶舱中突然响起一个声音，布拉诺听得出它并非由声波传来，而是直接发自她自己的心灵。她向柯代尔瞥了一眼，就晓得他同样听到了。

那声音说：“你能听见我吗，布拉诺市长？如果听得见，不必开口回答，只要想一想就够了。”

布拉诺以冷静的口吻说："你是谁？"

"我是盖娅。"

06

三艘船舰彼此保持静止不动的状态，一同围绕着盖娅行星缓缓转动，好像是个遥远的三合一卫星。在盖娅无尽的公转旅程中，突然多出了三个旅伴。

崔维兹坐在太空艇中，眼睛紧紧盯着屏幕。他已经厌倦了猜想自己的角色——盖娅把他从一万秒差距之外找来，究竟要他做什么呢？

当心中响起声音的时候，他并没有感到惊讶，仿佛他就是在等候它的出现。

那声音说："你能听见我吗，葛兰·崔维兹？如果听得见，不必开口回答，只要想一想就够了。"

崔维兹转头望了望。裴洛拉特显然吓了一大跳，正在四下张望，似乎想要找出声音的来源。宝绮思则端坐原处，双手轻轻握着放在膝盖上，崔维兹立刻明白她认得这个声音。

他不理会那个叫他使用思想的要求，故意字正腔圆地答道："我若不了解一切的来龙去脉，要我做什么都免谈。"

那声音则说："你马上会了解。"

07

诺微说：“你们都会在心中听见我的声音，也都能随心所欲以思想回应，我会让你们互相之间都听得到。而且，想必你们全都知道，我们彼此都足够接近，精神力场借着普通光速传递，不会造成任何不便的延迟。首先我要声明，我们今天在此相聚，是经过精心的安排。”

“怎样的安排？”这是布拉诺的声音。

“并非以精神干扰的方式。”诺微说，“盖娅从不干预任何人的心灵，那不是我们的作风，我们只会利用他人的企图心。布拉诺市长想要即刻建立第二帝国，坚迪柏发言者想要成为第一发言者。只要充分鼓舞这些欲望，然后因势利导，再善加选择运用即可。”

“我知道自己是怎么被带到这里来的。”坚迪柏以生硬的语调说。他的确知道——现在他终于明白，当初自己为何那么急于奔向太空，那么急于追踪崔维兹，又那么肯定自己能够应付一切。都是因为诺微，喔，诺微！

“你是一个特例，坚迪柏发言者。虽然你的企图心旺盛，但你也有温柔的一面，为我们提供了捷径。你所受的教育，让你认为某些人各方面都不如你，而你会对他们表现出亲切和同情。我利用这个特点引你上钩，对此我／们感到非常惭愧，唯一的借口是银河的未来岌岌可危。”

诺微停顿了一下。她的声音（虽然她并非使用声带发声）变得愈来愈阴郁，她的表情也愈来愈深沉。

“时间已经很急迫，盖娅不能再等下去。过去这一个多世纪，端点星上的人发展出了精神力场防护罩。如果再给他们一代的时间，防护罩会进步到连盖娅都无法穿越，那时他们便能随心所欲地使用有形武器，整个银河皆无法与之抗衡。一个以端点星为蓝本的第二银河帝国，将不顾川陀、盖娅以及谢顿计划的反对，在极短时间内建立起来。因此，必须设法在防护罩尚未完善之前，便诱使布拉诺市长提前行动。

“接下来再说川陀。谢顿计划能进行得完美无缺，是由于盖娅努力使它保持在正轨上。过去一个多世纪的第一发言者，乃是有史以来最闲散的，川陀因而变得无所事事。然而如今，史陀·坚迪柏迅速崛起，他一定会成为下一代的第一发言者。在他的领导下，川陀将变成积极的行动派，必定会集中力量发展有形武力，也会察觉到端点星的威胁，进而采取实际行动。如果在端点星的防护罩发展完善之前，他就能对端点星采取行动，那么谢顿计划便会有始有终，最后建立起第二银河帝国。不过那会是个以川陀为蓝本的帝国，端点星和盖娅都无法接受。因此，必须设法在坚迪柏当上第一发言者之前，便诱使他提前行动。

“幸好，盖娅经过数十年的精心策划，总算在最适当的时候，将两个基地的代表请到了最适当的地点。我将整个经过重述一遍，主要是想让端点星的葛兰·崔维兹议员能够了解。”

崔维兹突然打岔，但仍然拒绝使用思想沟通。他以坚定的口吻说：“我想不通，这两种模式的第二银河帝国到底有什么不好？”

诺微说：“以端点星为蓝本所建立的第二银河帝国，将是一个军事帝国，依靠武力建立，依靠武力维持，最后终将被武力摧毁。它会是第一银河帝国不折不扣的翻版，这是盖娅的看法。

“以川陀为蓝本所建立的第二银河帝国，将是一个父权式帝国，依靠算计建立，依靠算计维持，在无尽的算计中，它永远是行尸走肉。那会是个死胡同，这是盖娅的看法。”

崔维兹问：“盖娅又能提供什么其他的选择？”

“一个更大的盖娅！将银河系变作盖娅星系！每颗住人行星都像盖娅一样有生气，每颗活生生的行星又融合在一起，形成一个更宏大的超级生命体。每一颗不住人的行星也都参与其中，甚至还包括每一颗恒星、每一小团星际气体，也许连中心黑洞都是其中的一分子。那会是个活生生的银河，能以不可思议的方式带给各类生命无尽的福祉。它和过去任何生命形式都截然不同，不会再重蹈那些古老的错误。”

“却会产生新的错误。”坚迪柏以讽刺的口吻喃喃道。

“我们拥有盖娅累积的上万年经验。”

“但未曾在银河尺度上实验过。”

崔维兹懒得听这些琐碎的对话，他的问题直指核心："我在其中又扮演什么样的角色？"

盖娅的声音——透过诺微的心灵——发出如雷巨响："选择！到底应该采用哪个蓝本？"

接下来是长久而绝对的静寂。最后，在万籁俱寂中，崔维兹以细弱但仍不服气的声音（这回终于是心灵的声音，因为他惊讶得哑口无言）问道："为什么是我？"

诺微说："纵使我们体认到，端点星或川陀已经强大到无可遏制——甚至更糟的情况，那就是两者同时壮大，展开致命的拉锯战，连累到整个银河——我们仍旧不能采取行动。为了达到我们的目的，我们需要一个不平凡的人，一个具有正确判断力的人。结果我们找到了你，议员。不，我们不能居功。其实是一个叫康普的人，帮川陀上的人找到了你，不过连他们也不知道你有多么重要。他们寻找你的行动，吸引了我们对你的注意。葛兰·崔维兹，你具有难得的天赋，知道凡事该怎么做才正确。"

"我否认。"崔维兹说。

"你不时会感到信心满满，这一次，我们要你为整个银河，作出最有信心的决定。或许你不想承担这个责任，或许你会尽可能不作选择。然而，你将了解只有那样做才对，你将感到绝对的信心！然后你就会作出抉择。我们一发现你，就知道寻找已告一段落，接下来，我们经过多年的努力，诱发了一连串事件，在避免直接精神干预的情况下，促使你们三位——布拉诺市长、坚迪柏发言者、崔维兹议员——同时来到盖娅附近。如今，我们终于做到了。"

崔维兹说："此时此地，就目前的情况而言，盖娅——或许你希望我如此称呼你——难道你不能同时击败市长和发言者吗？即使我什么也不做，难道你就不能自行建立那种活生生的银河吗？可是，你为何不做呢？"

诺微说："我不知道我的解释能否令你满意。盖娅是在两万多年前，借着机器人之助所建立的世界。曾有一段短暂的时间，机器人是人类的好帮手，但这种情形早已不再。它们曾向我们明白诏示，我们唯有将'机器人学三大法则'的适用对象扩及所有生命，并且严格奉行不渝，才能永远存活于银河中。因此，我们的第一法则是：‘盖娅不得伤害生命，或袖手旁观坐视生命受到伤害。’在我们的历史上，我们始终遵循这个法则，此外别无选择。

“结果，我们现在因此进退维谷。我们空有活银河的远景，却不能强迫银河中的千兆人类，以及其他无数的生灵接受，因为可能会造成重大伤害。可是我们也不能坐视银河走上毁灭之途，因为我们也许能够阻止这场灾难。我们不知道是否应该行动，才能将牺牲减至最低程度。而如果选择行动，我们也不知道应该支持端点星，还是应该支持川陀，才能将牺牲减至最低程度。这要由崔维兹议员决定，而不论决定为何，盖娅都会遵从。”

崔维兹说：“你指望我如何作出决定？我该怎么做？”

诺微说：“你有一台电脑。端点星上的人制造这台电脑时，并不知道最后的成品会超越原先的设计。你身边的那台电脑，融入了盖娅的一小部分。将你的双手放在感应板上，然后静下心来沉思。你也许会认为，比如说，布拉诺市长的防护罩没有丝毫漏洞。如果你那么想，她可能会立刻开火击伤或击毁另外两艘船舰，然后以武力征服盖娅，随后再攻占川陀。”

“你们不会阻止吗？”崔维兹用惊讶的口吻说。

“绝对不会。倘若你确定相较之下，由端点星统领银河所造成的伤害最小，我们乐意帮助端点星达成目标，即使本身遭到毁灭也在所不惜。

“反之，你也有可能支持坚迪柏发言者的精神力场，而用电脑辅助的攻击力帮助他。这样一来，他必定会挣脱我的束缚，把我推到一旁。然后他会调整市长的心灵，并将她的舰队置于控制之下，利用这支有形武力攻占盖娅，以确保谢顿计划继续唯我独尊。盖娅也不会阻止这种发展。

“或者，你也许会认同我的精神力场，而加入我这一方。那么，活银河的计划可以立即展开。不过，这个目标不会在这一代或下一代完成，而是需要许多世纪的苦心经营，在此期间，谢顿计划将继续进行。选择权完全掌握在你手上。”

布拉诺说：“慢着！别急着作出决定。我能发言吗？”

诺微说：“你可以自由发言，坚迪柏发言者也一样。”

于是布拉诺说：“崔维兹议员，上次我们在端点星分手时，你曾经说：‘总有一天，市长女士，你会求我伸出援手。那时我会依照自己的决定行事，但我不会忘记过去这两天的遭遇。’我不知道当时你是否已经预见今天，或是直觉地感到会发生这种事，还是真如这个大谈活银河的女子所说，你具有正确无比的判断力。无论如何，反正给你说中了。我现在要代表联邦，请求你帮个大忙。

“我想，你也许会觉得应该趁机报复我，因为我曾经逮捕并放逐你。但是请你记住一件事，我之所以那么做，是为了基地联邦着想。即使我做错了，即使我是出于自私自利才那么做，请别忘记那是我的个人行为，和联邦毫无关系。不要为了报复我个人对你的迫害，而毁掉整个联邦。请记住你是基地人，而且是个堂堂的人类。你不希望在川陀那些冷酷数学家所制定的计划中，成为一个无足轻重的符号；或是在生物和无生物混为一谈的银河里，做个连符号都不如的小分子。你希望你自己、你的后代以及你的同胞，每一个人都是独立的生命体，人人拥有自由意志。再也没有比这更重要的事。

“别人或许会告诉你，我们的帝国将导致血腥和惨祸，但事实并非如此。我们有自由意志，可以选择要不要那样做，而且还能有其他的选择。无论如何，带着自由意志被击败，总胜过像个齿轮那样无意义地活着。请注意，盖娅是将你视为拥有自由意志的人类，请你替它作出抉择。盖娅的组成分子都无法作决定，因为他们的结构使他们失去这种能力，所以他们必须向你求助。如果你命令他们，他们还会心甘情愿地自我毁灭。你希望整个银河都变成这样子吗？”

崔维兹说：“我不知道自己还有没有自由意志，市长。我的心灵也许被巧妙地动过手脚，好让我作出某一方所乐见的选择。”

诺微说：“你的心灵完全没有受到影响。我们若能调整你的思想，让你作出有利于我们的决定，这次聚会就彻头彻尾多此一举。假使我们真的那么毫无原则，大可径自展开我们认为于己最有利的行动，而不用考虑人类全体的需求和福祉。”

坚迪柏说：“我相信现在该轮到我发言了。崔维兹议员，不要囿于偏狭的地域观念。即使你出生在端点星，也不该把端点星置于银河之上。过去五个世纪以来，银河一直依循谢顿计划发展。不论基地联邦之内之外，谢顿计划始终顺利进行。

“你一直是谢顿计划的一部分，相较之下，你的基地人角色根本不算什么。可别为了偏狭的爱国情操，或是由于对实验性的新方案抱持浪漫的憧憬，而做出任何破坏谢顿计划的举动。第二基地分子绝不会阻碍人类的自由意志，我们是导师，不是独裁者。

“我们所打造的第二银河帝国，和第一帝国有根本的不同。回顾人类的历史，在超空间旅行出现后的数万年间，银河从未有过连续十年的太平岁月，总是不时有人惨死于流血事件，即使基地的和平时期也不例外。如果选择布拉诺市长，这种情况将永无止境，可怕的惨剧会一再循环。谢顿计划终能解救人类脱离苦海，代价却不是在充满粒子的银河中加入更多粒子，也就是不必将人类贬抑到和青草、细菌、灰尘同等的地位。”

诺微说：“坚迪柏发言者对‘第一基地帝国’所作的批评，我完全同意，可是他所阐述的‘第二基地帝国’，我却无法苟同。位于川陀的那些发言者，他们总该是具有独立自由意志的人类，而且始终都是如此。可是，他们能够避免恶性竞争、政治倾轧、不计代价向上爬的行为吗？在圆桌会议上，难道没有龃龉甚至仇恨吗？你敢追随这样的导师吗？你问问坚迪柏发言者，要他以人格担保据实回答。”

“不必要求我以人格担保。”坚迪柏说，“我愿意承认在圆桌会议上，我们的确有仇恨、斗争、出卖和背叛的行为。可是一旦作成决定，我们就会全体服从，不曾有过例外。”

崔维兹道：“假如我不作选择呢？”

“你必须选择。”诺微说，“你会晓得只有那样做才对，然后你就会作出选择。”

“假如我心有余而力不足呢？”

“你必须选择。”

崔维兹又问：“我有多少时间？”

诺微答道：“直到你肯定为止，花多长时间都没有关系。”

崔维兹坐在原处一言不发。

其他的人也都很安静，崔维兹似乎可以听见自己的脉搏。

他也能听见布拉诺市长坚定的声音：“自由意志！”

还有坚迪柏发言者断然的声音：“指导与和平！”

诺微则以充满期盼的声音说："生命。"

崔维兹转过头来，发现裴洛拉特目不转睛地望着自己，于是说："詹诺夫，这些话你都听见了吗？"

"我都听见了，葛兰。"

"你有什么看法？"

"决定权并不在我。"

"我知道，可是你有什么看法？"

"我不知道，三种选择都令我胆战心惊。但我忽然冒出一个很特别的念头……"

"什么念头？"

"我们刚进太空的时候，你让我看过银河的显像。你还记得吗？"

"当然。"

"你把时间加快，让我看得出银河的旋转。我仿佛料到会有今天这一刻，脱口而出：'银河看来像个生物，正在太空中爬行。'就某个层面而言，你说银河是不是早就活了？"

崔维兹回想起那一幕，突然感到万分肯定。与此同时，他还记起自己曾经觉得，裴洛拉特也会扮演一个重要角色。于是他猛然转身，不让自己再有任何空当来思考、怀疑或犹豫。

他将双手放到感应板上，聚精会神地驱动意念，他从来不知道自己的意念有那么强。

他作出了抉择，一个攸关银河命运的抉择。

第二十章

结局

01

无论从哪方面来说，赫拉·布拉诺市长都该感到踌躇满志。这次的正式访问历时不长，但成果极为丰硕。

她好像有意避免骄傲自满的语气，说道："当然，我们不能完全信任他们。"

她正盯着屏幕，看着舰队的船舰一艘艘进入超空间，返回平时的驻防区。

舰队这回倏来倏去，想必令赛协尔留下深刻的印象。而且，他们一定还会注意到两项事实：第一，那些船舰自始至终都留在基地的星空；第二，一旦布拉诺表示舰队即将离去，果然很快不见它们的踪影。

另一方面，赛协尔也永远不会忘记，这些船舰能在一天（甚至更短的时间）之内，就重新在边境集结。这次的行动，同时展示了基地的实力和善意。

柯代尔接口道："说得很对，我们不能完全信任他们。其实在整个银河中，没有什么人值得完全信任。不过，赛协尔为了自身的利益，势必会遵守这个协定。我们已经够大方了。"

布拉诺说："许多事情得等到细节订出来才知道，我预测这得花上几个月的时间。概略性的条件可以马上接受，可是不少后续工作还有待处理，例如怎样安排进出口货物的检疫，他们的谷物和牲畜要如何估价等等。"

"我知道，但这些问题迟早能够解决，而功劳将会属于你，市长。这是个大胆的行动，而我必须承认，我曾怀疑这样做是否明智。"

"得了吧，里奥诺，只不过是基地承认赛协尔的自尊罢了。自从帝政时代早期，他们就保持着部分独立，这点实在值得赞赏。"

"对，反正它不会再碍手碍脚了。"

“正是如此。我们唯一需要做的，只是稍微屈就一下，向他们摆出友好的姿势。我承认当初内心的确交战过，才决定让我自己这位泛银河联邦的市长，屈尊降贵地访问一个偏远的星群。不过一旦作出决定，我倒不觉得多么不舒服。而且我这样做，让他们很陶醉。我们当初必须赌一赌：一旦我们把战舰拉到边境，他们就会同意我的访问。但我们免不了要故作谦逊，还要堆满笑脸。”

柯代尔点了点头。“我们舍弃了实力的外表，以便保留它的本质。”

“完全正确。这话是谁最先说的？”

“我相信是出自艾瑞登所写的剧本，但我不敢肯定，我们可以问问老家的文学权威。”

“希望我不会忘记。我们必须尽快促使赛协尔人回拜端点星，并且要确实尽到地主之谊，让他们受到相同的款待。里奥诺，只怕你得做好严密的安全防范。他们来到之后，我们的过激分子必定义愤填膺。万一让赛协尔人遇到抗议示威，即使仅仅受到轻微而短暂的羞辱，也会对我们相当不利。”

“正是如此。”柯代尔说，“对了，你将崔维兹送出去，这一招实在高明。”

“我的避雷针？老实说，他表现得比我想象中还要好。他误打误撞闯进赛协尔，结果在我无法相信的短时间内，就吸引赛协尔发出闪电，也就是向我们提出抗议。太空啊！那可是我亲自来访的最佳借口——让一个基地公民免于受到任何侵犯，然后感谢他们的宽宏大量。”

“妙计！不过，你不认为把崔维兹带回去比较好吗？”

“不，他去哪里都好，总之我不希望他回家，他在端点星一定会成为乱源。当初，他胡扯什么第二基地，那刚好是把他赶走的最佳借口，当然，还多亏了裴洛拉特，才把他带到了赛协尔。可是我绝不要他再回来，继续散播那些惑众妖言，我们永远无法预料那将导致什么后果。”

柯代尔咯咯笑了几声。“我不相信还有什么人，会比学者更容易受骗上当。假使我们提供更多的情报，裴洛拉特想必也会照单全收。”

“他相信赛协尔神话中的盖娅确实存在，那就足够了。但别提这个啦，回去后，我们还得面对议会那一关，需要他们投票通过这个赛协尔条约。好在我们有崔维兹的声明，说他是自愿离开端点星的，并有声纹证明绝非作假。我会为崔维兹遭到短暂逮捕这件事，正式表达我的歉意，这样议会就该满意了。”

“我对你的能屈能伸信心十足，市长。”柯代尔冷冷地说，“不过，你有没有考虑到，崔维兹也许会继续寻找第二基地？”

“随他去吧，”布拉诺耸了耸肩，“只要别在端点星上找就好。那会让他有事可忙，却注定白忙一场。第二基地仍旧存在的传说，是我们这个世纪最大的神话，正如盖娅是赛协尔的神话一样。”

她往椅背上一靠，看来百分之百和蔼可亲。“现在，赛协尔已在我们掌握之中。等到他们发现的时候，想挣脱已经太迟了。于是基地的势力再次壮大，而且会顺利地、不断地继续茁壮。”

“而所有的功劳都会是你的，市长。”

“我并未忽略这一点。”布拉诺答道。此时，他们的战舰倏地钻入超空间，随即出现在端点星附近的太空。

02

史陀·坚迪柏发言者回到了自己的太空船，无论从哪方面来说，他都该感到志得意满。与第一基地遭遇的时间并不长，但成果极为丰硕。

他已经送出一份报告，其中尽量不流露得意的情绪。目前，只需要让第一发言者知道一切顺利（事实上，由于第二基地的总体力量一直未曾动用，他应该猜到了这一点），细节可以留待日后详加说明。

到时候，他会描述自己如何小心翼翼，将布拉诺市长的心灵作了极微小的调整，就使她的心思从帝国主义的宏图，转变成只想要一纸务实的贸易条约。以及他如何小心翼翼，在相当遥远的距离外，调整了赛协尔联盟领导人的心灵，让他主动向市长发出谈判的邀请。后来，又如何在没有进一步心灵调整的情况下，双方便达成和解，而康普则驾着原来的太空艇返回端点星，以便确保市长会遵守协定。坚迪柏得意地想到，这简直就是故事书中的经典范例，仅仅借着精神力学的一点小技巧，就导致许多重大的成果。

他十分肯定，当他在正式的圆桌会议上，报告完这些细节之后，德拉米发言者很快就会彻底垮台，而他自己则会登上第一发言者的宝座。

他自己绝不否认苏拉·诺微的重要性，但是不需要在其他发言者面前特别强调。她不但对这次的胜利有关键性的贡献，而且现在还给了他一个借口，让他在接受正式褒扬之前，能像孩子般雀跃一番（这是非常合乎人性的，因为发言者在许多方面仍与常人无异）。

他当然明白，她完全不了解最近发生的这些事，但是她至少看得出来，他将每件事都安排得称心如意，令她因此迸现出骄傲的情绪。他轻抚着她光润的心灵，便能感受到那股骄傲的热度。

他说："如果没有你，诺微，我根本办不到。由于有你在我身旁，我才能察觉到第一基地——就是大型太空船上的那些人——"

"师傅，我知道你指的是什么人。"

"由于有你在我身旁，我才能察觉到他们拥有防护罩，以及微弱的精神力量。凭借你的心灵所产生的效应，我得以百分之百确认这两者的特征，进而发现最有效的方法，将前者贯穿并使后者偏向。"

诺微以犹豫的口气说："我不是很了解你在说什么，师傅，但只要我做得到，我会帮你更多的忙。"

"我知道，诺微，但你已经做得够多了。真没想到他们会那么危险，不过既然被我发觉了，在他们的防护罩或精神力场发展得更强之前，我们就能制止他们。现在那个市长回去了，把有关防护罩和精神力场的事忘得一干二净，只记得跟赛协尔签了一个贸易条约，把赛协尔纳入联邦的势力范围，她正为此感到洋洋得意。我不否认还需要作许多努力，才能毁去他们在精神力学上的一切成就。过去我们一直忽视这件事，可是将来一定要做到。"

他出神沉思了一阵子，接着低声说："过去，我们实在太过轻视第一基地。从今以后，必须将他们置于更严密的监督之下。我们得设法将银河联系得更紧密，并利用精神力学建立更密切的意识合作。这才符合谢顿计划，我确信这一点，也一定要这样做。"

诺微焦虑地唤了一声："师傅？"

坚迪柏突然露出微笑。"对不起，我是在自言自语。诺微，你还记得鲁菲南吗？"

"那个攻击你的笨头农夫？我并没有忘记。"

"我现在确定，必定有第一基地的特务，戴着个人防护罩在川陀活动，那次的事件就是他们策划的，其他那些困扰我们的异象也一样。想想看，我们竟然完全蒙在鼓里。不过，当时我心中只有那个神秘世界的神话，也就是赛协尔人有关盖娅的迷信，才会全然忽略第一基地。多亏你的心灵就近发挥作用，帮助我判定精神力场并非来自别处，而正是那艘战舰发出来的。"

他得意地搓了搓手。

诺微怯生生地说："师傅？"

"怎么样，诺微？"

"你做了这些事，难道不会有奖赏吗？"

"当然会。桑帝斯很快就要退位，我便会成为第一发言者。然后，我们就有机会成为积极的角色，大刀阔斧地改造银河。"

"第一发言者？"

"是的，诺微。我会成为所有的学者中，最重要也是最有权力的一位。"

"最重要？"她露出忧愁的神色。

"你为什么愁眉苦脸，诺微？你不希望我获得奖赏吗？"

"不是的，师傅，我当然希望。可是如果你成为最重要的学者，你就不会要一个阿姆女子在你身边，那样并不相称。"

"啊，我不会吗？谁会阻止我？"他突然涌现一股爱意，"诺微，不论我去哪里，不论我变成什么人，你都愿意跟我在一起吗？圆桌会议上常会出现豺狼虎豹，你以为我愿意独力应付吗？只要有你在我身边，甚至在他们认清自己之前，我就能及早了解他们真正的心思——你那单纯无邪、绝对光滑的心灵。此外，"他似乎有些惊讶，自己竟然会做这番剖白，"即使抛开其他因素，我……我还是喜欢有你陪着我，我希望你能跟我在一起。我是说，只要你愿意。"

"喔，师傅。"诺微轻声答道。当他伸出手臂搂住她的腰际，她顺势把头靠在他肩上。

在诺微的心灵深处，在层层包裹的意识所无法探知的角落，依旧隐藏着盖娅的本质，在指导着每一件事的发展。正是由于这副无法揭穿的心灵面具，才使这项重大工作得以持续。

而这副面具——属于一个阿姆女子的面具——露出了快乐无比的表情。它笑得实在太开心了，使得诺微几乎不在乎她与自己／他们／全体的遥远距离，而在未来无尽的岁月中，她对这个角色将永远感到心满意足。

03

裴洛拉特搓着双手，但不敢流露出过度的兴奋。“我真高兴能够重返盖娅。”

“嗯——嗯。”崔维兹心不在焉地应了一声。

“你知道宝绮思告诉我些什么吗？市长和赛协尔签了一个贸易条约，正在返回端点星的途中。那个第二基地的发言者以为这全都是他的安排，现在正准备回到川陀。而那名女子，诺微，也会跟他一道回去，以确保导致盖娅星系的变化立即展开。两个基地都完全忘了盖娅的存在，这实在太不可思议了。”

“我知道。”崔维兹说，“这些我也都听说了。可是我们仍然记得盖娅，还能随意谈论。”

“宝绮思可不这么想。她说不会有人相信我们，而我们应该有自知之明。此外，至少我自己不想再离开盖娅。”

崔维兹这时才从沉思中回过神来，他抬起头来说：“什么？”

“我准备留在这里。你知道吗，这连我自己都不相信。只不过几周之前，我还在端点星上过着孤独的生活。那种生活我过了好几十年，天天将自己埋在资料、记录和学术思想中，从未梦想会有任何改变，以为直到死去那一天——不管是哪一天——我仍旧将自己埋在资料、记录和学术思想中，仍旧一个人过着孤独的生活。那种茫然的日子，我一向十分满意。可是突然间，而且是出乎意料之外，我变成了一个银河游客，卷入了一桩银河危机，此外——别笑我，葛兰——我还邂逅了宝绮思。”

“我可没有笑，詹诺夫。”崔维兹说，“可是你确定自知在干什么吗？”

“喔，当然。对我而言，地球那档子事已经不再重要。它独拥多样化生态和智慧生物的两项特点，我们已经找到充分的解释。你也知道，就是那些永恒使者。”

“没错，我知道。所以你打算留在盖娅？”

“正是如此。地球是过去式，我已经厌倦了过去式，盖娅则是未来式。”

“你并非盖娅的一部分，詹诺夫。还是说，你认为自己可以变成它的一部分？”

“宝绮思说我多少能做到某个程度，即使不是生物上的，也可以是性灵上的。当然，她会帮助我。”

“但她却是盖娅的一部分，你们两人怎能找到共同的生活方式、共同的观点、共同的兴趣……”

此时他们站在户外，崔维兹望着这座宁谧而肥沃的岛屿，脸上露出严肃的表情。远方是汪洋一片，遥远的水平线上还有另一座岛屿，由于距离太远而显得紫蒙蒙的。这一切是如此太平，如此文明，如此有生气，如此浑然一体。

他又说：“詹诺夫，她等于是一个世界，你却只是微小的个体。万一哪天她对你厌倦了呢？她还那么年轻……”

“葛兰，我想过这种事，但我只要有几天就满足了。我已经料到她会对我厌倦，我又不是浪漫的白痴。但是在她离去之前，她能带给我的就足够了。事实上，我现在从她那里所得到的已经足够了，已经远比我一生的梦想多得多。即使从现在起再也见不到她，我仍然可以算是赢家。”

“我真不敢相信。”崔维兹柔声说，“我认为你就是浪漫的白痴。不过请注意，我可没说这样不好。詹诺夫，我们认识并没有多久，但是过去这几周，我们每分每秒都在一起——请包涵我说句傻话——我实在很喜欢你。”

“我对你也一样，葛兰。”裴洛拉特说。

“所以我不希望你受到伤害，我必须跟宝绮思谈一谈。”

“不，不要。拜托你别那么做，你一定会对她说教。”

“我不会对她说教。其实这也不全是为了你，但我要跟她私下谈。拜托，詹诺夫，我不想背着你这样做，所以请你心甘情愿地让我跟她谈谈，以便厘清几件事情。若能得到满意的答案，我会全心全意祝福你们，而且不论发生任何变化，我都会永远保持缄默。”

裴洛拉特摇了摇头。“你会把事情通通搞砸。”

“我保证不会。我求求你——”

“好吧。可是千万要小心，我亲爱的伙伴，好不好？”

“我向你郑重保证。”

04

宝绮思说：“裴说你想见我。”

崔维兹答道：“是的。”

他们已经来到分配给崔维兹的小房间里。

她落落大方地坐下来，双腿交叠，以机灵的目光仰望着他。她美丽的黑色眼珠澄澈而明亮，乌黑的长发闪耀着光彩。

她说：“你对我有成见，对不对？你从一开始就对我有成见。”

崔维兹仍然站在那里，他说：“你能透视他人的心灵，知晓他人的心事。你应该知道我对你的观感，以及原因何在。”

宝绮思缓缓摇了摇头。“盖娅不可以碰触你的心灵，这点你也知道。我们需要你作出决定，这个决定必须出自清明而未受影响的心灵。当初，你们的太空艇刚被抓住，我将你和裴置于抚慰场中，那是因为绝对有必要。否则，你可能会由于惊慌或愤怒而心灵受损，因而无法在关键时刻派上用场。除此之外，我不能有进一步的行动，事实上也没有，所以我不知道你在想些什么。”

崔维兹说：“我必须作的决定已经作过了，我决定支持盖娅星和盖娅星系。所以说，你何必再提什么清明而未受影响的心灵？你已经得到你想要的，现在，你可以随心所欲改造我了。”

“这话完全错误，崔。将来也许还会碰到需要抉择的难题，你必须保持本来的心境。只要你还活着，就是银河中一个珍贵的自然资源。毫无疑问，银河中一定还有像你这样的人，将来你们这种人也不会绝种。可是，如今我们只知道你一个，所以我们不能碰触你的心灵。”

崔维兹考虑了一下。“你是盖娅，我却不想跟盖娅说话。我要你以个体的身份跟我交谈，希望这个请求并不荒谬。”

“并不荒谬。我们还不至于融成一体，我可以将盖娅阻隔一段时间。”

“好，”崔维兹说，“我相信你做得到。你已经这么做了吗？”

“我已经这么做了。”

“那么，首先让我告诉你，我发现你耍了花样。或许，你并没有进入我的心灵，并没有影响我的决定，可是你绝对进入过詹诺夫的心灵，对吗？”

“你认为我做过这种事吗？”

“我的确这么认为。在关键时刻，裴洛拉特提醒我当初他将银河视为生物的观点，就在那一瞬间，那个想法驱使我作出了决定。那个想法或许是他自己的，却是被你的心灵所触发的，对不对？”

宝绮思说：“那个想法的确在他心中，但他还拥有许多其他的想法。我为那个特殊的记忆铺平了道路，除了有关活银河的记忆，我并没有为其他记忆铺路。因此，那个想法很容易从他的意识溜出来，转化为语言。请注意，我并没有创造那个想法，它原先就在那里。”

“然而，我本来应该完全独立作出决定，你这样做，等于用间接的手段影响我，对不对？”

“盖娅感到有此需要。”

“是吗？好吧，我下面的话会让你觉得好过些，或说觉得高尚些——虽然詹诺夫的意见促使我在那一刻作出决定，可是我想，即使他什么也没有说，或者试图劝我作出其他选择，我仍会作出同样的决定。我要你明白这一点。”

“这样我就释怀了。”宝绮思神态自若地说，“你想见我，就是要跟我说这件事吗？”

“不是。”

“还有什么事呢？”

这时，崔维兹已经拉过一张椅子，放到宝绮思面前，终于坐了下来，两人的膝盖几乎相碰。

他俯身向前，对她说：“当初我们接近盖娅时，是你在那个太空站上，是你捉住了我们，也是你前来接引我们的。从此你就一直跟我们在一起，只有和杜姆吃饭时例外，你并没有和我们分享那一餐。尤其特殊的是，当我作出决定的时候，跟我们同在远星号上的也是你。自始至终都是你。”

“我是盖娅。”

“这不是什么理由。一只兔子也是盖娅，一颗鹅卵石也是盖娅，这颗行星上的每样东西都是盖娅，可是这些成员并非都是平等的盖娅。相较之下，某些成员要更平等些。为什么偏偏是你？”

“你认为呢？”

崔维兹发动攻势，他说：“因为我认为你并非盖娅，我认为你不只是盖娅。”

宝绮思撅着嘴，发出嘲弄的啧啧声。

崔维兹不为所动，继续追问：“当我在作决定的时候，发言者身边那名女子……”

“他叫她诺微。”

“好，那位诺微曾说，盖娅是由一群早已消失的机器人所规划的，盖娅遵从机器人的教诲，服从类似机器人学三大法则的法则。”

“这点相当正确。”

“机器人消失了吗？”

“诺微是这么说的。”

“诺微并没有这么说，她说的每个字我都记得清清楚楚。她是说：

‘盖娅是在两万多年前，借着机器人之助所建立的世界。曾有一段短暂的时间，机器人是人类的好帮手，但这种情形早已不再。’”

“嗯，崔，这不就是说它们已经消失了？”

“不，这只表示它们不再为人类服务。难道它们不能摇身一变，成为统治者吗？”

“荒唐！”

“或者是监督者？当我作出决定的时候，你为何要在场？你似乎并不是关键人物。当时由诺微主导一切，由她代表盖娅，为什么还需要你？除非——”

“嗯？除非怎样？”

“除非你正是那位监督者，你的任务是要确定盖娅没有忘记三大法则。除非你就是机器人，只不过造得十分精巧，和人类真假难辨。”

“如果我和人类真假难辨，你又怎么肯定自己能够分辨？”宝绮思带着讥讽的语气问道。

崔维兹往椅背上一靠。“你们不是一再肯定，我拥有与生俱来的判断力，能够作出恰当的抉择，能够一眼看出答案，能够归纳出正确的结论吗？我从来没有如此自夸，都是你们这么说的。好，我第一眼见到你，心里就不舒服，因为你有些地方不大对劲。我当然跟裴洛拉特一样，感受得到异性的诱惑——其实我自认更为敏感——外表看来，你是个很诱人的女性，但我从未感到你有任何一点吸引力。”

“你在作践我。”

崔维兹没有理会，径自说下去：“你刚出现在太空艇上的时候，詹诺夫和我正在讨论盖娅上存在非人文明的可能性，因此詹诺夫一见到你，就天真地问：‘你是人类吗？’也许机器人必须据实回答问题，但我想总有蒙混的办法。你只是回答：‘我看来不像人类吗？’没错，你看来很像人类，宝绮思，但让我再问你一遍，你是人类吗？”

宝绮思没有吭声，于是崔维兹继续说：“我认为，第一眼见到你的时候，我就觉得你不是女人。你是机器人，反正我就是看得出来。因为我有这种感觉，所有接踵而来的事件，在我看来都有合理的解释，尤其是你刻意缺席的那顿晚餐。”

宝绮思说：“你以为我不能进食，崔？我在太空艇上品尝了一客虾米，难道你忘记了？我向你保证我可以吃东西，也能执行其他各种的生物功能，包括——不必你追问——性爱活动。但这些事实，我大可告诉你，并不能证明我不是机器人。远在几万年前，机器人就发展到完美的境界，只有根据它们的脑子，才能分辨出它们异于人类，因此只有能侦知精神力场的人，才有办法做到这一点。例如坚迪柏发言者，当时他只要稍微注意我一下，或许就能确定我到底是机器人还是人类。不过，他当然没有那么做。”

“可是，我虽然没有精神力量，仍然肯定你就是机器人。”

宝绮思说：“那又如何呢？我可没承认什么，但我很好奇，我若真是又如何呢？”

“你不需要承认任何事，反正我知道你是机器人。若说需要最后一点证据，我刚才也找到了。你信心十足地说可以阻隔盖娅，以个体的身份跟我交谈。假使你是盖娅的一部分，我不相信你办得到。但你并不属于盖娅，你是具有监督者身份的机器人，因此独立于盖娅之外。提到这件事，我就很想知道，像你这种监督者机器人，盖娅究竟需要多少，又拥有多少？”

“我再重复一遍：我可没承认什么，但我很好奇，万一我是机器人又怎样？”

“在这个前提下，我想知道的是：你想要从詹诺夫·裴洛拉特那里得到什么？他是我的朋友，而且在某些方面，他简直是个孩子。他自以为爱你，认为自己能满足于你所愿意付出的那些，而你给他的已经够多了。至于失去爱情的痛苦，他不知道也无法想象。同理，如果发现你并非人类，他也一定会痛苦莫名……”

“你自己，知道失去爱情的痛苦吗？”

“我领教过几次。我不像詹诺夫那样躲在温室里过日子，我没有拿做学问来消耗和麻醉我的生命，或是让学术吞没了其他事物，甚至包括老婆和孩子，而他就是这样。现在突然之间，他竟然为了你放弃一切。我不希望他受到伤害，也不允许他受到伤害。如果我曾经帮助过盖娅，我理应得到一点回报。而我要求的回报，就是要你保证詹诺夫·裴洛拉特的幸福。”

“我是否该装成机器人来回答？”

崔维兹说："是的，并且立刻回答。"

"好吧，那么，崔，假设我是机器人，并且假设我身负监督的责任。此外，假设在盖娅上还有少数——极少数和我类似的角色，但我们很少碰面。假设照顾人类就是我们的原动力，再假设盖娅上并没有真正的人类，因为所有的成员都是行星整体生命的一部分。

"假设照顾盖娅能让我们实现自我，但又不尽然。假设我们拥有根深蒂固的需求，渴望照顾一个真正的人类——这是机器人最初被设计和制造出来的时候，便已经存在的需求。请别误会我，即使假定我是机器人，我也并未声称多么高龄。我告诉你的年龄，就是我的实际年龄。或者说，假定我是机器人，至少我的基本设计永远不会改变，因此我一直渴望照顾一个真正的人类。

"裴是一个人类，并非盖娅的一部分。他年纪太大，再也不可能真正变成盖娅的一分子。他想留在盖娅与我为伴，因为他没有你对我的那种感觉，并不认为我是机器人。而我，我也想要他。如果你假定我是机器人，就该知道我会这么做。我能表现出人类所有的反应，我会好好爱他。如果你坚持我是机器人，或许就不会认为我拥有人类那种奇妙的爱意，可是根据我的各种反应，你也无法分辨那是不是你们所谓的爱意。所以说，又有什么分别呢？"

她终于说完了，双眼紧盯着他，一副得理不饶人的样子。

崔维兹说："你是在告诉我，你不会抛弃他？"

"如果你假定我是机器人，那么你自己就该知道，根据第一法则，我永远不能抛弃他。除非他命令我这么做，而且我肯定了他说的是真话，如果我硬要留下，会令他更加痛苦。"

"难道不会有什么年轻男子……"

"什么年轻男子？你就是年轻男子，我却不觉得你像裴那样需要我。事实上，你根本不想要我，因此根据第一法则，我不可以纠缠你。"

"不是我，而是另外的年轻男子……"

"不会有其他人的。根据盖娅的标准，除了裴和你自己之外，盖娅上还有谁够资格称为人类？"

崔维兹改以较为温柔的语气说："如果你并不是机器人呢？"

“请你不要反反复复。”宝绮思说。

“我是说‘如果’你并不是机器人呢？”

“那么我就要说，在这个前提下，你根本没有权利过问任何事，一切操在我自己和裴手中。”

崔维兹说：“那么让我回到原先的话题，我要一点回报，那就是要你好好待他。我不会逼你承认自己的身份，只请你向我保证——以一个心智对另一个心智的方式——保证你会永远善待他。”

宝绮思也柔声说：“我会好好待他的，并非以此作为对你的回报，而是因为我希望这样做。那是我真挚的渴望，我会好好待他的。”然后她就连声唤道：“裴！裴！”

裴洛拉特随即走进来。“我在这里，宝绮思。”

宝绮思向他伸出右手。“我想崔有话要说。”

裴洛拉特握住她的手，崔维兹则伸出双手握住两人的手。“詹诺夫，”他说，“我为你们俩感到高兴。”

裴洛拉特说：“喔，我亲爱的伙伴。”

崔维兹说：“我大概很快会离开盖娅，现在我就要去向杜姆辞行。我不知道我们何时才能再见，甚至不知道还有没有这个机会，詹诺夫，但是无论如何，我们合作得十分愉快。”

“我们合作无间。”裴洛拉特笑着说。

“再见了，宝绮思，我要先说一声谢谢你。”

“再见，崔。”

崔维兹挥了挥手，就离开了那间屋子。

05

杜姆说：“你做得很好，崔。不过，我早就料到你会这么做。”

杜姆又招待崔维兹吃了一顿，这顿饭跟上次一样难以下咽。但崔维兹并不在意，这可能是他在盖娅吃的最后一餐。

他说：“我的决定不出您意料之外，可是我的理由，或许并不在您意料之中。”

“你至少肯定这个决定的正确性吧。”

“我可以肯定，但并非由于我所拥有的神秘悟性。我之所以选择盖娅星系，是经过普通推理之后所作的决定。任何人在作抉择之前，都会进行这种推理。您愿意听听我的解释吗？”

“我愿洗耳恭听，崔。”

于是崔维兹说：“当时我总共有三种选择。我可以选择加入第一基地，加入第二基地，或是加入盖娅。

“假使我选择第一基地，布拉诺市长将立即采取行动，一举征服第二基地和盖娅。假使我选择第二基地，坚迪柏发言者也会立即采取行动，一举将第一基地和盖娅征服。这两种选择都会导致不可逆的结果——万一是错误的解决方案，便会造成不可收拾的大祸。

“然而，我若选择盖娅，第一基地和第二基地则安然无事，都会以为己方赢得一场小小的胜利。一切将如常地继续下去，因为我已经知道，盖娅星系的建立将花上好几代，甚至好几世纪的时间。

“所以说，选择盖娅其实是我的缓兵之计，假使我的决定错误，至少还有充裕的时间，得以修正或扭转既定的方向。”

杜姆扬起眉毛，除此之外，他那苍老而近乎枯槁的面容没有其他表情。他以尖锐的嗓音说：“依你之见，时间也许会证明你的决定错误？”

崔维兹耸了耸肩。“我并不这么想，但为了确定这一点，我必须去做一件事。我打算亲自造访地球，除非我找不到那个世界。”

“如果你想离开我们，我们绝不会阻拦，崔……”

“我并不适合你们的世界。”

“裴也不适合，但我们欢迎你留下来，就像我们欢迎他一样。话说回来，我们不会勉强你。可是请告诉我，你为什么希望造访地球？”

崔维兹说：“我以为您会了解。”

“我并不了解。”

“您还有一点事情瞒着我，杜姆。或许您有理由这么做，但我希望没有。”

杜姆说：“我没听懂。”

“听好，杜姆，当初为了作出抉择，我曾动用那台电脑。有很短暂的一瞬间，我发觉自己和周围的心灵都有了联系，包括布拉诺市长、坚迪柏发言者和诺微。我窥视到一些记忆，单独看来，那些事对我都没什么意义。比方说，盖娅透过诺微，在川陀所造成的种种影响，目的是要策动那位发言者来到盖娅。”

“怎么样？”

“其中有一项行动，是把有关地球的一切资料，从川陀的图书馆中清除。”

“清除有关地球的资料？”

“正是如此。所以地球必定十分重要，看来非但第二基地不能知道任何线索，就连我也一样。可是，如果我必须对银河的走向负责，我可不愿意接受这种事。为什么地球的资料非得隐藏起来不可？请您考虑一下能否告诉我。”

杜姆郑重其事地答道：“崔，盖娅对这件事毫不知情，完全不知道！”

“您是说盖娅跟这件事没关系？”

“没有任何关系。”

崔维兹沉思了一会儿，只见他的舌尖在唇边缓缓打转。“那么，又是谁做的呢？”

“我不知道，我看不出这样做有任何意义。”

两人互相凝视了半晌，杜姆才继续说：“你说得对。我们似乎获得了最满意的结果，但只要这个问题尚未解决，我们依然不敢放心。跟我们多聚一会儿，我们来看看能理出什么头绪。然后你再上路，带着我们全体的助力同行。”

“谢谢您。”崔维兹说。

（故事暂时告一段落）

作者后记

本书自成一个完整的故事，却也是“基地三部曲”的续集。所谓的基地三部曲，包括《银河帝国：基地》《银河帝国2：基地与帝国》以及《银河帝国3：第二基地》这三本书。

此外我还写过几本小说，虽然并未直接提到基地，但故事同样发生在所谓的“银河帝国系列虚拟宇宙”中。

例如，《繁星若尘》和《星空暗流》里面的事件，发生于川陀扩张为帝国的过渡期，而《苍穹一粟》所记述的，则是第一银河帝国全盛时期的一个故事，其中地球为主要的场景。《苍穹一粟》的某些内容，曾经不着痕迹地出现于本书中。以上这三本书，通常合称“帝国三部曲”。

在上述两个三部曲里面，都没有提到机器人。然而在这本新作中，则出现了有关机器人的传说。若想进一步了解其中的关联，可以阅读我的几本机器人小说——短篇故事全部收录于《机器人短篇全集》，而两本长篇《钢穴》与《裸阳》，则是记述人类和机器人携手开拓银河的那段历史。

至于永恒使者的背景，以及他们如何调整人类的历史，可在《永恒的终结》这本书里找到答案（不过和本书的说法并不完全一致）。

阿西莫夫

译注1：原文最后一段讨论各原文书的版本，译文略。

译注2：作者在写这篇后记的时候，尚未完成下列作品：《曙光中的机器人》《机器人与帝国》《基地前奏》《迈向基地》《基地与地球》。

《银河帝国7：基地与地球》即将出版，精彩预告：

银河的命运取决于某人一念之间，这个人就是葛兰·崔维兹，而他竟然抛弃了伟大的谢顿计划，选择了盖娅星系。难道谢顿计划有重大缺陷？

崔维兹坚信地球是解开一切谜团的关键，然而这颗源头母星早已不知所踪，茫茫星际间，他要从何寻觅？倘若真能找到地球，他还会选择放弃谢顿计划吗？银河众生又将何去何从……

敬请阅读《银河帝国7：基地与地球》。

《银河帝国》系列小说全国热卖中！

“人类历史上最好看的系列小说 (Best All-Time Novel Series)”

——世界SF小说协会，1966年，俄亥俄州

《银河帝国》，您正要翻开的这本书，一直被认为是人类想象力的极限，人类历史上最有趣迷人的故事，讲述人类未来两万年的历史：

在一个由2500万个住人行星构成的帝国里，有一个叫**谢顿**的年轻人，他出生在一个偏远的星球；32岁那年，他带着改变帝国命运的秘密，来到全银河的首都：川陀行星。从他面见帝国皇帝的那一刻起，战争的硝烟、末日的恐惧，立刻弥漫到整个银河……

出版六十年来，本书对人类的太空探索、世界局势、前沿经济学理论、好莱坞电影产生了深远的影响；更随着它的读者成长为各行各业的领袖（如美国总统小布什、诺贝尔奖获得者克鲁格曼、美国宇航局航天员、本·拉登），而将这种影响渗透到人类文化的方方面面。

翻开本书，开始享受“人类历史上最好看的系列小说（Best All-Time Novel Series）”。